都市5.0

アーバン・デジタルトランスフォーメーションが日本を再興する

URBAN DIGITAL TRANSFORMATION

葉村真樹 編著
東京都市大学総合研究所
未来都市研究機構 著

SE SHOEISHA

都市 5.0

アーバン・デジタルトランスフォーメーションが日本を再興する

CONTENTS

序章　なぜ今、「都市」なのか？

本書を手に取っていただいたみなさまへ

本書は、大きく二種類の方を読者と想定して書かれている。この二種類のいずれかに当てはまる方であれば、学生であろうと、ビジネスパーソンであろうと、行政に関わる人であろうと、その属性をまったく問わずに楽しめる内容となっている。

一つ目は、都市にあまり興味はないが、「デジタルトランスフォーメーション」という言葉に反応してしまうような人である。そういう人は、デジタルがこれからの時代を変えていくことは理解されている。しかし、あらゆることが不確実で、複雑性が高まる時代、経済や産業、そして企業がどのように変わっていくのか、あるいはどう変わっていくべきなのかということが気になる方ではないだろうか。

二つ目は、都市の未来に興味があり、「スマートシティ」や「スーパーシティ」という言葉に反応してしまうような人である。そういう人の多くは、「ＩｏＴ（Internet of Things）」や

「ＡＩ（Artificial Intelligence）」、５Ｇといったテクノロジーが大きく都市を変えるという可能性については理解されているだろうし、実際にそれらに関連した仕事に従事している方も多いだろう。新しいテクノロジーが都市をどのように変え、今後ビジネスとしてどんなことがチャンスになるだろうかということが最大の興味の一つではないだろうか。

本書は、東京都市大学総合研究所未来都市研究機構（以降、機構）に所属する複数の研究者による研究成果をベースに一般向けにわかりやすく新たに書き起こしたものとなっている。そのため、専門家にとってはテーマによって既知な内容ばかりである一方で、一般読者には難解と感じられる論考もあるかと思われるが、本書が幅広い層の読者に読まれることで、現在、最注目されるテーマは「都市」であるということ、そして、なぜ「都市」が注目されるべきなのかを知ってもらいたいと考えている。さらに、今後の「都市」はどうあるべきかを問い直すことで、より幅広い視野と知識と、より深い洞察を持つために、本書が少しでも役に立つのではないかと考える。

今後、あらゆる産業は、本書のタイトルである「都市５・０」を舞台に勃興していくことになるというのが本書の主張だ。それは、先に述べたような新しいテクノロジーが、単に都市の中で活用されていくだけではなく、現在の都市をめぐる課題を解決し、都市と人間の在り方を変革する可能性を持っているという問題意識に貫かれている。この各テーマの追求は、都市の歴史的な成り立ちを考察し、その中での人間社会が抱える課題と解決の方法や方向性をさぐることである。本書はそのきっかけを読者に提示できるのではないかと思う。

「序章」の執筆は本書の編著者である葉村真樹が受け持っている。筆者は10年以上にわたって、グーグル、ツイッター、LINEといったインターネットテクノロジー企業で、経営企画や各社の中核事業の戦略立案業務に携わったのち、現在は東京都市大学教授を務め、機構の機構長として、都市の未来に関する産官学連携研究を推進している。

筆者が、インターネット企業から都市研究の領域に身を転じたのは、まさに「都市5・0」が勃興しつつある中、次世代産業の成長に悩むわが国がこの機会を逃してはならないと考えたことが大きい理由である。

しかし、政府をはじめ、巷で喧伝、流布されていることは、テクノロジー視点のみの議論に終始するなど、一方的だったり、安直的であったり、多くの陥穽を抱えているのではないかと筆者は考えている。

当機構に所属する研究者の専門領域は多岐にわたり、必ずしも「都市」に特化した研究とは限らない。機構はIoT、AI、デザイン、コミュニティ、環境技術、都市経営と、多様な分野からの専門家によって構成されている。本書は、機構に所属する筆者を含む七名の研究者によって執筆され、各研究者が各々の専門領域の観点から、今後の都市の変革について論じている。

本書と「Society 5・0」

20世紀は鉄道や自動車、航空機など交通の進展や、建設技術の発達に支えられた都市化の時代であった。都市化は産業の高度化、サービス化を促し、かつてない経済成長を人類にもたらした。

だが、21世紀もまもなく四半世紀を迎えようという今、都市は新たなターニングポイントに直面しつつある。それは、都市のあり方そのものを変革しうる内容である。

この変化は、人類の新たな経済成長のあり方を創造していくような歴史的大変革であり、その先駆者となることが、わが国が再興するために現時点で残された大きな最後のチャンスの一つと考えられる。

ここまで述べたことによって「Ｓｏｃｉｅｔｙ　５・０」を思い浮かべた読者は多いかもしれない。「Ｓｏｃｉｅｔｙ　５・０」とは日本政府による科学技術政策の基本指針の一つで、「サイバー空間（仮想空間）とフィジカル空間（現実空間）を高度に融合させたシステム」により、「経済発展と社会的課題の解決を両立する、人間中心の社会（Society）」と定義されている。その社会ではＩｏＴによって人とモノが繋がり、さまざまな知識や情報が共有され、ＡＩによって必要な情報が必要なときに提供されるようになるというものだ。

だが、「Ｓｏｃｉｅｔｙ　５・０」で謳われているＩｏＴやＡＩといった技術的な側面は、都市が抱える課題を解決し、都市のあり方を変革するという観点では、一側面のものでしかない。

本書の基調をなすのは、ＩｏＴやＡＩなどのデータと解析技術（Data & Analytics）がもたらすテクノロジー面での進化だけでなく、都市におけるあらゆるサービスや社会システム、また物理的な都市そのものを人間中心で設計する（Human-Centric Design）ということだ。これが本書と「Ｓｏｃｉｅｔｙ　５・０」との大きな違いとなる。

「都市5・0」とは何か？

したがって、本書のタイトルが『都市5・0』であることと「Society 5・0」とはまったく関係はない。この命名は、世界的な日本人建築家で、今は亡き黒川紀章氏が半世紀以上前に提示した考え方に拠っている。1965年、当時30歳の黒川氏は、その著書『都市デザイン』[1]において、都市はこれまで4つの発展段階を踏んできており、これから5つ目へと発展していくと喝破した。それが次に掲げる5段階である。[2]

①神の都市
②王の都市
③商人の都市
④法人の都市
⑤個人の都市

本書の「都市5・0」という意味は、黒川氏の言うところの「個人の都市」を指している。この5つの発展段階について、第一部で詳細を説明するが、黒川氏は「個人の都市」を未来のあるべき都市の姿と位置付けている。

それに対し、現代の都市は「法人の都市」であり、効率的な企業活動を支える基盤として、人間の能力と欲望を機械化した「機械化人間」ないし「機械人間の都市」であるとした。

〝工場は、労働者を吸収し、そこで量産される製品は消費者としての市民を吸引するという具合に都市が人を運び、ものを見る目の代わりに映画が人気を呼ぶという具合に、人間は自分の能力ばかりでなく、欲望さえも機械化しようとしたのである。〟

（黒川紀章『都市デザイン』より）

「機械化人間」については、たとえば近代建築の「三大巨匠」の一人として知られるル・コルビュジェもまた、機械とは人体の延長であり、住居とは住むための機械であり、住居の群たる都市もまた機械であるとしたように、[3]決して黒川氏に限った指摘ではない。ユニークなのは、現代都市は機械＝テクノロジーによって人間の欲望を拡大し続ける「法人の都市」であるとの指摘である。

黒川氏は、現代都市は、「機械化人間が、自分の手で、自分の首をしめている」状況として、多くの問題をもたらしていることを認めつつ、だからといって、テクノロジーを人間と相対立す

1 黒川紀章『都市デザイン』（1965）、紀伊国屋書店
2 黒川氏は「商人の都市」を「市民の都市」、「法人の都市」を「機械人間の都市」とも称しているが、本書では「商人の都市」と「法人の都市」で統一して呼称する。
3 ル・コルビュジェ（1967）『建築をめざして』、鹿島出版会、および、ル・コルビュジェ（1968）『輝く都市』、鹿島出版会

るものとして、テクノロジー否定につながるのは危険である、と説いた（なぜならば、テクノロジーとは人間そのものの延長であるからだ）。

問題は、テクノロジーではなく、現代の都市が「法人の都市」として、本来の人間から乖離した存在となっていることであり、むしろ新たなテクノロジーによって、「個人」の意識に支えられた都市を再構築するべきであるというのが黒川氏の主張であった。彼の表現を使うと「個人の都市は、個人の意識の造形になる」ということになる。

都市５・０とは、ＩｏＴやＡＩなどのデータアナリティクス技術とヒューマン・セントリック・デザイン＝人間中心設計の掛け合わせによって、黒川氏の言う「個人の都市」を実現することである。ただやみくもにデータアナリティクス技術で、都市の効率化を図っていくだけでは、これまでの「法人の都市」の枠組みから逃れることはできない。言い換えるならば、都市をデータ駆動型で人間拡張の最大形態として設計すること、これが「都市５・０」である。

アーバン・デジタルトランスフォーメーション（ＵＤＸ）

この「都市５・０」という考え方は一般的にいわれる「デジタルトランスフォーメーション（以降、ＤＸ）」そのものである。ＤＸとは、単にデジタルテクノロジーを駆使してデータを取得・可視化、解析したうえで、効率化を図ったり、付加価値を与えたりすることではない。それは単なるデジタル化（デジタライゼーション）にすぎない。デジタルテクノロジーを活用しつつ、人

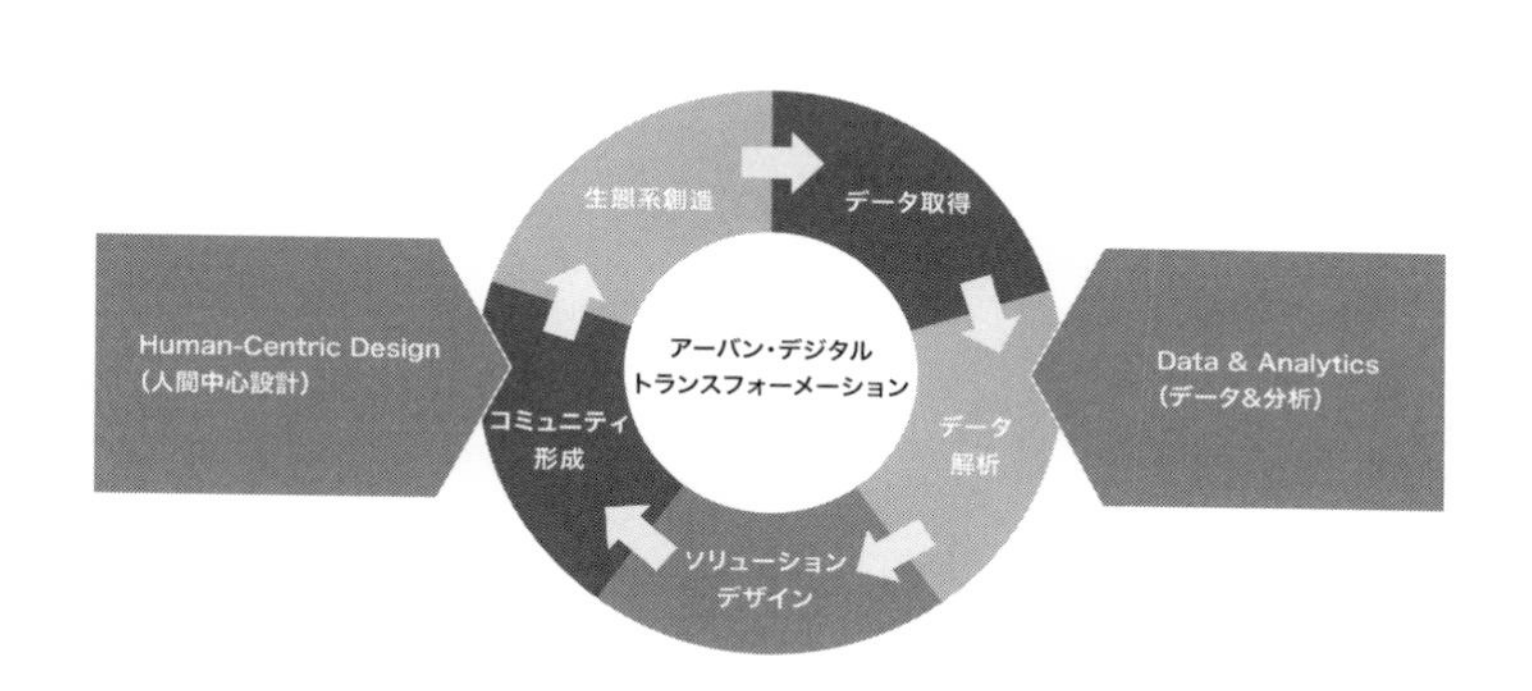

[図表 序-1] **東京都市大学が提唱するアーバン・デジタルトランスフォーメーション**

間中心で再設計することで、あらゆるものごとを根本から変革することがDXの本質なのである。

本書の掲げる一貫したテーマは、アーバン・デジタルトランスフォーメーション(Urban Digital Transformation: 以降、UDX)である。これは、昨今、取り上げられることの多い「スマートシティ」とは異なる意味合いがある。中国をはじめ諸外国が現在進めているスマートシティの取り組みは、デジタルプラットフォームがクラウド上で提供され、行政事務プロセスの自動化、交通機能の制御、エネルギーの管理などの機能がソフトウェアのアプリケーションとして作動されているものを指す。その目的はデジタルデータによる効率化や最適化であり、都市のデジタライゼーションにすぎない。

私たち東京都市大学では、UDXを、多くの課題を抱えた都市を大きく変革させるための基軸テーマとして研究に取り組んでいる。筆者はわが国がUDXの先駆者となることが、わが国に残された最後のチャンスになりうるのではないかと考えている。なぜならば、都市は経済発展のエンジンそのものである一方で、わが国は都市に多くの課題を抱える「課題先進国」でもあるからである。

都市の進化はメディアとともに

都市5・0を可能とするＩｏＴやＡＩの技術の進展は、20世紀末に出現したインターネットの進化の延長線上にある。インターネットは、これまで常識と考えていたことを大きく破壊した。ＧＡＦＡ（グーグル、アップル、フェイスブック、アマゾンの4社の総称）に代表されるインターネットテクノロジー企業はその技術力に裏付けられた、従来なかったサービスやプロダクトによって飛躍的な利便性を提供することで、大きな社会変革をもたらしている。

都市の進化の背景には、常にメディアの進化があったといわれる。このことは太古の昔、黒川氏の言う「神の都市」、本書における「都市1・0」の時代から変わることがない。古代メソポタミアの最古で最大といわれる都市ウルクは、紀元前４０００〜３０００年代に都市として形成・拡大していったとみられる。そこで最も初期の楔形文字が発見されており、文字の発祥の地との指摘もある。

メディア（ｍｅｄｉａ）とは辞書的には、メディウム（ｍｅｄｉｕｍ）の複数形で、中間にあるもの、間に取り入って媒介するものという意味を持つ。一般的には情報を記録、伝達、保管するものを指すが、文字とはまさに人間にとっての初めてのメディアであり、それが世界で初めての「都市」で誕生したというのは必然的なことであった。

その後、都市は都市2・0、3・0、4・0…と進化していくわけだが、その背景にメディアの進化があり、「都市5・0」が、インターネットの「進む先」として胎動しているのは必然ともいえる。センシング技術の進展や、データ解析によるアルゴリズム開発と機械学習によって、文字通り「サイバーがフィジカルに溶けこむ時代」となってきたのである。

本書は一般的な都市に関する書籍群とは異なり、このような「メディア」をはじめとした、あらゆるテクノロジー進化の歴史と、それにともなう人間の生活を取り巻く社会経済的な変化に焦点を当てる。それが都市5・0の時代の「都市」を考えるうえで、極めて重要なバックボーンであるにもかかわらず、多くの「スマートシティ」などの議論において、まったく欠けている視点だと考えるからである。

──グーグルが都市を開発する時代

2019年6月24日、グーグルのグループ企業であるSidewalk Labsが、カナダのトロント市で手がける12エーカー（0・048平方キロメートル）におよぶウォーターフロント再開発の基本計画（MIDP：Master Innovation and Development Plan）を発表した。MIDPは1524ページにおよんで、全体の土地利用計画から交通、建物と住居、公共空間、リサイクルなどの持続可能性や、デジタルイノベーションなどを包括的に盛り込んだ意欲的なものだが、「世界中の情報を整理し、世界中の人々がアクセスできて使えるようにする」というグーグルのミッションステートメントを地で行くように、あらゆるデータを収集することが根幹となっている。街中にセンサーが張り巡らされ、住民の行動はすべて記録される。たとえば「公園でどのベンチに座ったか、道を横切る際にかかった時間はどのくらいかまで追跡されることになる」という。[4] もっとも、あらゆるセンシング技術と解析技術を駆使しても、それで提供されるソリューションの価値が、個々人が提供する情報（データ）と引き換えに得られる価値よりも低ければ、この構想は画餅にすぎないものとなる。

防犯などセキュリティを目的としたカメラによるデータ収集と解析が飛躍的に進んできているのは、それと引き換えに得られるベネフィットが高いという共通認識が得られているからだが、実際にはリアル空間における行動データに関するプライバシーについて、具体的な取り決めは存在しない。

一方、世の中ではフィジカル空間において、プライバシーに抵触する可能性のある数多くのデータが人力でもデジタル技術でも、マーケティング目的で、すでに取得されている。コンビニエンスストアのレジにおける店員任せの性別・年齢データの入力にはじまり、都内のタクシーに増えてきた広告表示モニターに備えられたカメラの顔認識カメラなどである（店舗でもすでにカメラの顔認識による性年齢データ判別を実施しているケースもある）。

これらのデータ収集は現状ではあくまで個々人のＩＤとは切り離されたものなので、厳密には特定個人のプライバシーを暴くものではないが、モバイル端末による個人の行動追跡が可能なように、すべてが都市空間という中で可視化され、情報がより詳細化されるということにすぎない。

都市5・0を考えるうえで大事なことは、都市を人間拡張の最大形態と捉えることであると述べた。それに従えば、センシング技術で情報を入手し、AIで解析したうえで何かしらのアクチュエートでソリューションやサービスを提供するということは、人間が視聴覚や触覚などの神経系を通じて得た情報を脳で解釈・判断したうえで対処するということと同じく、進化したデジタルテクノロジーのあるべきイノベーションの姿ということができる。

ただし、それはあくまで「人間中心」でデザインされるべきであり、このSidewalk Labsのスマートシティが果たしてそのようなものになるのかについては、実際に開発が行われ、人が住むようにならないとわからない面も多い。とはいえ、彼らの取り組みは注目すべき点も多くあり、これについては終章で簡単に触れたい。

都市は人間拡張の最大形態である

繰り返しになるが、都市の持続可能性を担保するうえでは、まず都市を人間拡張の最大形態として捉えることが不可欠である。都市は、人間自らの拡張としてのテクノロジーによって構築される限りにおいては、人間がつくり得る、人間拡張の最大形態といえよう。人類の長い歴史を通

4 WIRED 2019年7月5日記事「グーグルが計画中の未来都市「IDEA」は、徹底したデータ収集に基づいてつくられる」より（https://wired.jp/2019/07/05/alphabets-plan-toronto-depends-huge-amounts-data/）

して、都市が進化していく中で、その時々の都市が破綻していった理由の多くは、人間拡張の最大形態たる都市が、人間から乖離してしまったことにある。黒川氏の論に従うならば、人間をむりやりテクノロジーの枠にはめ込み、人間中心設計の思想がすっぽり抜け落ちてきたことが要因である。

たとえば、現代の都市（「都市4・0」）は、自動車や鉄道といった交通網を中心に設計され、人間は端に追いやられる結果となっている。あるいは、企業活動の効率を重視するあまり、地表はコンクリートやアスファルトに覆われ、その土地を持続可能に再生する生態系を破壊し、ヒューマンスケールを超えた都市景観は、ヒートアイランド現象の原因ともなっている。これは、人間拡張の最大形態たる都市が、生命体として生きるための活力を削がれている状況といえるのではないだろうか。

本書の構成

本書は筆者を含む七名のエキスパートの手によって執筆されている。

第一部は筆者が担当している。ここでは、人類初の都市「都市1・0」の時代から「都市5・0」に至るまでの都市の歴史を紐解いて、人間にとっての都市の本質と、社会経済的な意味合いについて考察する。具体的には有史以来のテクノロジー史と向き合ったうえで「都市5・0」の歴史的必然性を読み解きながら、「フィジカルとサイバーの融合」を捉え直すことを主眼に据えている。

このような内容は、新しいテクノロジーによる都市のあり方に興味を持って本書を手にとった読者には少々まどろっこしいかもしれないが、むしろそういう読者にこそ読んでいただきたい。そこで、「Society 5.0」の議論では見過ごされがちな、本書が提唱するUDXの考え方のベースを理解してもらえれば幸いである。

第二部以降では、「都市5.0」として、これから起こる（あるいは起こしていくべき）UDXについて、「データ&分析」と「人間中心設計」の両方の観点で、それぞれの分野の専門家が、期待される未来の姿と、具体的な研究事例をもとにした現時点での到達点を説明する。テーマによっては今すぐに実現可能なものと、そうでないものがある。実現を阻むものは技術的な問題もあれば、法制度面や社会環境面での問題もあり、それらを明らかにし、わが国、特に企業や産業界にどのような機会があり得るかについて検証する。

また、第二部は「データ&分析」について、三人の研究者によって執筆されている。トップバッターは、マクロデータとしてのデータ取得を研究する新進の研究者である。従来、都市計画で利用されているデータは定点観測的なデータに限られていたが、リアルタイムで動的に捉えることのできるデータの有用性についての論考を加えている。

続いて二人の研究者が、特定のソリューションを目的とした各種センシング技術を用いたデータ取得と具体的なソリューションについて、それぞれの角度から、自らの研究内容も踏まえた議論を展開している。二人の研究者が携わる課題解決領域はそれぞれ大きく異なる。一人は橋梁やトンネルといったインフラマネジメントについて、もう一人は都市部における住民サービスについてである。

前者のインフラマネジメントについては、老朽インフラをセンシング技術と解析技術でモニタリングすることを実践している若手研究者によるもので、インフラの老朽化が進みつつあるわが国にとって、喫緊の課題であり、だからこそ世界に先駆けて発信できる重要な領域と言える。

後者の都市サービスについては、ＮＴＴなどの民間企業の研究所で研鑽を積んだＩｏＴ技術の専門家が担当している。少子高齢化の進展という、これもわが国が世界に先駆けて経験する課題に対して、行政サービスや都市施設・設備が立ち遅れている中、適切なソリューションをきめ細かく設計することが、グローバルでも競争力のあるサービスを創出しうる領域となるであろう。

第三部については、別の三人の研究者によって執筆されている。

一人目は、ユニバーサルデザインの専門家である研究者が、Ｓｏｃｉｅｔｙ ５・０や多くのスマートシティでも注目されている「ＭａａＳ」をはじめとして、あらゆる都市サービスを人間中心に再設計することの重要性について論じる。ＭａａＳは技術的な側面や産業としての可能性についての議論が多いが、都市をプラットフォームとしたあらゆるサービスのあり方について、デザインの観点で論じているのが特徴である。

二人目は、都市におけるコミュニティの重要性とそのあり方について、実践を通じて研究を行っている若い研究者である。実際にあらゆるサービスを運営する背後には、人間が存在する。この観点は今後の都市を考えるうえで欠かせないものであるにもかかわらず、Ｓｏｃｉｅｔｙ５・０の議論に欠けている領域であり、極めてユニークである。

そして、三人目は、都市において積極的に環境を形成していく「グリーンインフラ」研究の第一人者が、その理論的背景と実践、そして課題について論じる。この研究は東京都市大学としても極めて知見の高い領域であり、人間中心設計のベースとなる重要な領域でもある。

終章では再度、筆者が本書を振り返ったうえで、グーグルのＳｉｄｅｗａｌｋ Ｌａｂｓの事例などを紹介しながら、「都市５・０」を実現していくうえでの今後の課題や課題解決の方向について考察を加えている。

本書は、興味のある領域を、それぞれの読者が好きなように読んでいただいてもまったく問題はない。しかし、すべての章をできれば順を追って目を通していただければ幸いである。そうされることで、本章で語った話の本質と、東京都市大学が提唱するアーバン・デジタルトランスフォーメーション（ＵＤＸ）の全体像をつかまえることができるだろう。

第 I 部

都市とは
人間拡張の
最大形態である

第1章 都市は人間の「脳」の拡張として誕生した

1 都市1・0：都市の誕生

都市の進化とメディアの進化

都市の進化の背景には、常にメディアの進化があった。それはメディアが文字通り人と人の情報交換の媒体（＝メディア）であるということと、都市における多様な人々との間の情報交換によって生まれた情報流通が新たな付加価値を生むという、二つの事実に依っている。

ここでいう「情報交換」とは、あらゆる宗教や芸術に関わる文化的交換、商品価値をめぐる経済的交換、また復讐／互酬の政治的交換などを指している。この「情報交換」の類型が都市を形づくる。文化的な情報交換は宗教都市や文化都市を、経済的な情報交換は経済都市を、そして政治的な情報交換は政治都市を形づくる。経済活動を行う人々が集まるのは、そこが都市であるからではなく、経済情報を求めて集まった結果、そこに都市が形成されるということである。[1]

つまり、都市は情報が大量に集積し、処理される場所として生まれた。これを人間という生命体に当てはめると、都市は脳の拡張と捉えることができる。さらに、この「拡張された脳」としての都市により多くの人が集まり、それぞれの人間の知がより多く共有され、より速く処理されれば、都市はさらに多くの付加価値を生むことが可能になる。それを可能としたものが人類にとって初めてのメディア、文字であった。

文字の誕生は、それまで口承伝聞に頼っていた情報の量と正確性、その伝達範囲を飛躍的に高めることで、情報処理によって生まれる付加価値を大きく向上させた。その結果、それまで家長や族長といった目の届く範囲の近親者を中心に、食料を得るための相互扶助コミュニティとして形成されてきた村は、情報を求めて多くの人々が集まることで富を蓄え、さらに人々が集まり、次第に都市へと変貌していったのである。

都市1・0がもたらしたもの＝交易活動

人類初の都市、すなわち「都市1・0」は紀元前3500年頃、現在のイラン、イラク近辺、

1 永井俊哉（2019）『エントロピーの理論』第8章第3節を参照

ペルシャ湾近く、メソポタミア地方南部のシュメール人の都市国家を起源とし、それから人類初の文字として、シュメールの楔形文字が誕生し、都市としてさらなる成長をみせた。

黒川紀章はメソポタミアに加え、エジプト、インダス、中央アメリカ、ペルーなどの古代都市における都市空間の基本的な構成要素として、神殿に加え、寺院、貯蔵庫、宮殿およびこれに付属する住宅を挙げた。その中でも、とりわけ重要な構成要素は神殿と寺院であり、都市を統治する王の宮殿や僧侶の寺院も、都市空間においては神殿に附属する構成を取っていたという。黒川の言葉をそのまま借りると〝神が都市空間の造形を決定〟しており、それゆえに、この時代の都市を、彼は「神の都市」としたのである。[2] 建築家であった黒川の都市への関心は都市空間であり、「神の都市」という表現は適切であるといえよう。しかし、都市1・0の時代において、見過ごしてはならないことが一つある。それは、そこに住む人々の活動として、交易活動が盛んに行われるようになったという事実である。神の都市は、現在に至るまでのすべての都市がそうであるように、交易の結果として生まれ、交易を行うことで成長したのである。

都市住民における分業の誕生

交易活動が行われるようになったという事実は、第一に「自ら食べ物をつくらなくても生きていける人々が現れた」ということを意味する。食料の自給自足が原則の古代村社会では、多少の役割分担はあるにしても、自分で食料を確保する必要があった。狩猟を中心とした獲得経済から農業を中心とした生産経済に移行し、さらにその食料の生産が拡大すると、余剰生産物が生じるようになる。つまり、全員が生産活動をする必要がなくなったのである。

食料をもらう代わりに、農工具や調理のための道具をつくる職人や、外敵から村を守る兵士、交易を管理する役人などさまざまな専門職が生まれ、それぞれに特化して「分業」が進み、さらにさまざまな職業の人が集まることで都市が形成されていった。これを経済学は「比較優位の原理」と呼ぶが、いわば「適材適所」が都市に集まった人たちの中で進展していったといえる。

交易のための記録手段として起こった革命＝文字

より多くの人が集まり、交易の規模が大きくなればなるほど、その記録は人間の「脳」による記憶だけには頼れないようになってくる。そこで最初に生まれたのが「トークン」である。トークンは粘土でできたおはじき状のもので、穀物や家畜と1対1で対応しており、記憶に頼らずとも農産物などの在庫や財産の管理を可能としたのである。たとえば、麦10袋と牛1頭を交換するならば、麦のトークンを10個取り除いて、牛のトークンを1個加える、というような作業を行うイメージだ。

その後、メソポタミアの都市ウルクでは、トークンそのものではなく、湿った粘土板にトーク

2 黒川紀章（1965）『都市デザイン』p.7-9

ンを型押しして数を記録することがはじまった。すると、わざわざトークンをいくつも用意する必要はなく、先ほどの例で言えば、麦5袋を記録するには「麦」を示すトークンの型押しに、「5」を意味する記号を型押しすればよくなり、格段に効率は向上する。[3] いわば現在の「簿記」の誕生である。

簿記の誕生は、文字の誕生に繋がっていく。トークンの粘土板への型押しは、粘土板への葦のペンによる書き込みへと進化する。人類初の文字、シュメールの楔形文字の誕生である。村から都市への進化、そして都市規模の拡大は、交易の拡大とともにあり、交易の拡大は文字を生み、文字は「交易の記録」という記憶を拡張していく。伝達距離が限られ、1秒もしないうちに消える人間の口から発せられる音声と比べ、文字は時間と空間を大きく超えて伝達することを可能とする。すなわち、都市は「文字」という人間の「脳」の拡張を手にすることで、さらに発展したのである。

人類史上最大ともいえる革命的な発明

それぞれが「適材適所」でつくったもの同士を物々交換するという交易は、その記録手段として文字を生み、簿記という概念を生んだ。人類が現在に至るまでの発展の基盤となる「貨幣」にやがて繋がる概念の誕生であった。

貨幣の誕生については、次のような通説がある。交易においてはそれぞれが「比較優位」に基づき所有するもの同士を「物々交換」することが基本だったが、代わりに布・塩・貝・砂金などの比較的価値が下がりにくい物品と交換するという「物品交換」へと移行する。つまり、現在の貨幣の役割を特定の物品が代替していたわけだ。しかし、布や塩、貝などは容易に製造や入手が可能で偽造も容易という欠点があった。つまり適正な価値で「請求」と「支払」という二者間の取引を成立させることが難しかった。そのためにどの条件下でも同じ価値を持った「貨幣」が生まれたという。

これに対して、イギリスのエコノミストであるフェリックス・マーティン[4]は、通説で語られるような「物々交換」や「物品交換」が行われていた確実な形跡はないとしたうえで、それを明確に否定している。彼によると、交易における取引とは債権（請求）と債務（支払）から成り立つもので、メソポタミアのトークンからはじまった簿記の概念は、すでに債権・債務の取引やその根拠となる信用取引が存在していたことを示しており、貨幣はこうした取引をさらに発展させるために生まれたものにすぎないというのである。

言い換えると、貨幣はあくまでも、債権・債務の取引やその根拠となる信用取引を具現化したもので、「物々交換」から進化したものではないということだ。これは「貨幣」というものの本質を考えるうえで、実は重要な投げかけをしている。通説に従うと貨幣とはモノの価値を代替したものにすぎないが、フェリックス・マーティンの論に従うと、譲渡可能な信用という社会的な

3 ルートポート（2019）『会計が動かす世界の歴史』
4 フェリックス・マーティン（2014）『21世紀の貨幣論』p.15-46

技術こそが基本的な力であり、貨幣の原始概念であるということになる。
この原始概念はまさに都市1・0の時代に生まれたという事実はもちろん、現代に至る都市4・0までの都市の進化の源泉になったと言っても過言ではない。さらにはこれからの都市5・0を見通すうえでも非常に重要なものになるということについて、本書をこれから読み進むにあたって、読者には頭の片隅に入れておいてほしい。
人類における最古の通貨単位の一つは、紀元前3000年頃にメソポタミアで使われた「シェケル」といわれている。シェケルはもともと特定の量の大麦を指すものであったと考えられており、最も初期のシェケルは、1シェケルが小麦180粒の重さの単位として使われたという。[5]
しかし、人類最初の貨幣が生まれたのはメソポタミアではなかった。簿記が生まれ、文字が生まれ、当時最先端の革新的な社会システムをもって運営されていた世界最大の都市メソポタミアは、貨幣なしでその経済を運営していたのである。その背景として、貨幣を構成する要素として、フェリックス・マーティンは、

①経済的価値という普遍的な概念
②価値単位で記録する慣習
③譲渡の分権化

の三つを挙げたうえで、メソポタミアは、②の価値単位で記録する慣習しか持ち合わせていな

かったからであるとした。

メソポタミアでは、神官による神権政治[6]が行われており、神官は都市の文化、そして自らが司る宗教の維持を担うとともに、人と自然の力とを繋ぐ媒介者と考えられていた。彼らは、メソポタミアの繁栄の源である大規模な灌漑事業を含む都市の諸問題に取り組み、統治を行っていた。この神権政治に基づく官僚主義的な統治の方法は、①の経済的価値という普遍的な概念を必要としなかったからであるとしている。

シェケルはもともと大麦の量を測定するための単位で、目に見える物理的な何かを表すものであったというのはすでに述べたとおりだ。貨幣の通貨単位は目に見えない「価値」を測るもので、メソポタミアで簿記が生まれたのも「価値」という概念が存在し、それを物理的な単位と組み合わせるという概念が存在していたからである。しかし、神権政治においては、その官僚機構が直接経済活動を統制するシステムを取っていたため、管理階層以外に使われるような、普遍的な価値の単位をつくる必要がなかったのである。

諸説はあるが、貨幣が最初に生まれたのは紀元前6世紀初頭、ギリシアにおいてすでに貨幣単位が使われていた記録があるという。メソポタミアの時代から時を経た都市2・0の時代である。ギリシアにはメソポタミアにあった②の価値単位で記録する慣習はなかったが、メソポタミアに

5 平凡社『世界大百科辞典第二版』【度量衡】より
6 神権政治とは、統治者が神または神の代理者として支配の正統性を主張し、支配する政治形態のこと。神政政治、テオクラシーともいう（三省堂大辞林第三版）

はない①の経済的価値という普遍的な概念が存在していた。そして、メソポタミアとギリシアが交易によって出会った結果、③の譲渡の分権化が進むこととなった。中央統制する官僚機構を介さずに、債権（請求）と債務（支払）を相殺するという、客観的な経済空間という概念が生まれ、その手段として貨幣が発明されることとなる。[7]

神と文字の一体化と階級の発生

話をメソポタミア時代に戻そう。メソポタミアにおける神権政治は、その強力な官僚機構によって、神官自身の権威を高め、さらに神官の中で王的な立場を有する者が生まれ、神官を補佐する官吏が生まれ、と人々の間で階級が生まれることに寄与する。そして、文字はそのような階級を生み出す権威付けとして重要な役割を果たす。

シュメールの楔形文字は、そもそも奴隷や家畜の数、物品、穀物の数量、土地面積を計算するという簿記や勘定を目的としていた。次第に宗教文学や祈り、まじないといった「神」と結びつくようになってくる。文字により神の物語を語り、人々に伝えることは、神官をはじめとした都市の指導者たちだけに許されたものであり、それがあらゆる神にまつわる儀式などとも組み合わさることで、さらに彼らの権威を高めることに寄与することになった。

たとえば、メソポタミア文学の最高傑作の一つと呼ばれる『ギルガメッシュ叙事詩』は、実在したとされるメソポタミアの都市ウルクの王ギルガメッシュを巡る3千行からなる冒険譚である。その中でギルガメッシュは三分の二が神、三分の一が人間という存在で、かつては暴君だったが、冒険を経てウルクの民から讃えられる立派な英雄となっていく。まさに文字によって、より多くの同時代の人々に親しまれ、時間を超えて神が王と結びつき、さらに権威を高めていくことになるのである。

――そして都市2・0へ

都市とは交易とともに誕生し、そこに交易を記録するための文字と、信用を取引するための手段としての貨幣概念が生まれた。都市1・0において誕生した「文字」と「貨幣概念」（原始的なものではあるが）が、このあとの人類の歴史に対して、どれだけ大きなインパクトを与え、現代の社会経済の基盤になっているかということについては疑問を挟む余地はないだろう。

一方で、都市1・0の時代は神権政治に代表される、極めて硬直的で固定された集権型の社会階層で、絶対支配体制が敷かれる社会であった。それは秩序を保つうえでは優位な体制で、じきに都市の支配者は神を超えた絶対的な立場で君臨するようになる。すなわち、都市2・0「王の都市」への進化である。

都市1・0の時代に生まれた「文字」が、都市2・0の時代により多くの人に広がり、概念だけ

7 フェリックス・マーティン（2014）『21世紀の貨幣論』p.76-88

であった「貨幣」が現実に誕生することで、さらに大きな変化を引き起こしていく。

2 都市2・0から3・0へ：文字メディアが都市を進化させた時代

――都市2・0「王の都市」の時代

都市1・0はまさに「神の都市」の時代であった。そこに文字が誕生したことによって、「神」に関わる人々の権威がさらに高まると、その頂点に立つもの＝王の権威が圧倒的なものへと変化していく。

「神の都市」の時代、その都市構造は神殿や王宮が都市の中心を占め、神官や官吏や民衆の住居がそれを取り巻き、巨大な壁が外周を囲むというものであった。古代メソポタミアにおいて特に象徴的なのが、都市の中心に置かれた複数構造をもつジグラットと呼ばれる巨大な神殿であり、そこでは交易を含むさまざまな活動が行われるほか、最上部は神とのコミュニケーションを行う場とされたといわれている。

神とのコミュニケーションを行う存在であったはずの王の神格化が進み、より権威を高めるよ

[図表1-1] 古代メソポタミアの都市ウルクのジグラット（1985年に修復・再建）

出典：https://commons.wikimedia.org/wiki/File:Ancient_ziggurat_at_Ali_Air_Base_Iraq_2005.jpg

[図表1-2] 発掘者オースティン・ヘンリー・レヤードによるニムルドの想像図

出典：https://commons.wikimedia.org/wiki/File:The_Palaces_at_Nimrud_Restored.jpeg

うになると、都市はまず、その構造自体に変化を来していく。象徴的に中心に置かれた神殿に代わって、王が住む宮殿や城、そして城壁が都市空間において最も重要な位置を占めるようになる。この傾向は古代メソポタミアでも、紀元前9～8世紀にアッシリア帝国の首都として栄えたニムルド（現在のイラク北部ニーナワー県）に見られ、古代ローマやギリシアを経て、中世ヨーロッパまで続くこととなる。

都市は、神とのコミュニケーションと外敵や自然災害から身を守るための構造であったのが、支配者である王が被支配者階級から身を守る構造へと変化したということだが、これが黒川紀章の言う「王の都市」、本書における「都市2・0」への変化である。

市民階級の発生と文字

王が被支配者階級に対峙するようになったということは、裏を返せば、市民階級というものが都市において発生したということを意味する。都市1・0の時代に文字は神官と官吏に独占されていたが、都市2・0の時代では市民階級の中に文字を使うものが増えることで、都市は大きな変化を示すようになってくる。

その端緒となったのが、紀元前5～6世紀の古代ギリシアにおける、現代の西欧におけるアルファベットの起源となった文字の誕生であった。[8] ギリシアで生まれたアルファベットは「音」をそのまま文字化する技術で、20数個の文字を覚えるだけで当時のギリシア語を表現することができた。これによって、読み書きはそれまでの言語と比べ、たやすく習得できる技術となったのである。

——古代ギリシア「ポリス」における「アゴラ」

ただし、古代ギリシアにおけるアルファベットには、現代のアルファベットによる言語表記のように、個々の言葉の間に空白を入れて「単語」を示す概念がなく、音がただ羅列されるだけの記述であったため、音読をしないと意味が把握できないものであった。

このことは、人々が一つの場所に集まり、フェイスツーフェイスで文字が書かれた文書を手に、語り合い、議論し、さらにその議論を記述する、といった行為に繋がっていく。

古代ギリシアの「ポリス」と呼ばれる諸都市に特徴的なものとして、「アゴラ」と呼ばれる公共空間としての広場がある。アゴラでは、交易などの市場取引に加え、民会（エクレシア）と呼ばれる市民権を持つ市民が直接参加して開かれる市民総会が開催されたという。民会は、古代ギリシアの民主政の特色である市民による直接民主政を実現したもので、ポリスの重要な政策、外交問題などの最高議決機関だった。

8 「アルファベット」という語は、ギリシア文字の最初の2文字 α，β の読み方である「アルファ」、「ベータ」に由来している。

[図表1-3] 古代ギリシア・アテナイのプニクスの丘に建設された会議場の演壇「bema」

出典：https://commons.wikimedia.org/wiki/File:Pnyx,_Athens_1.jpg

このことから、アルファベットという習得が容易な新たな文字システムは、「単語」概念の欠落という欠点があったゆえに、アゴラでの民会の開催という民主主義の萌芽にも繋がったと見ることもできる。

都市で生まれた民主主義

英語で民主主義を「デモクラシー」という。その語源は古代ギリシア語の民衆（デモス）と支配（クラティア）である。つまり、ギリシアは民主主義の発生の場でもあったのである。

古代ギリシアのポリスの一つ、アテナイ（現在のアテネ）のアゴラでは定期的に民会が開かれた。18歳以上のアテナイ市民権を持つ男子であれば、民会に自由に参加、発言、投票することができた。20歳に満たない者は発言権などに制限があったと考えられているほか、女性、奴隷、在留外国人は民会に参加することはできなかったが、少なくとも彼らによる直接民主主義は実践されていた。

のちにその開催場所は、アテナイのアクロポリスの丘の西1km弱のところにあるプニクスの丘に建設された会議場に移る。プニクスの丘は半径120mの扇形で整備され、そこには最大で2万人の市民が立った状態で集まることができ、さらに、草地は岩がむき出しになっていて、約6千人が立つことができたという。そこに造られた「bema」と呼ばれる平らな岩の演壇では、全市民が演説する権利を平等に有するとされた。[9] 現代に繋がる民主主義はまさに都市2・0の時代、都市において生まれたのである。

貨幣がもたらした社会階層の流動化

都市1・0では日の目を見ることができなかった「貨幣」が、都市2・0の時代にギリシアで生まれたのは前述したとおりである。ギリシアの都市において、文字が使われるようになったのは紀元前7世紀頃であるが、この文字と、ギリシアが有していた経済的価値という普遍的概念が結びつき、紀元前6世紀初頭に「貨幣」は誕生したというのが前述のフェリックス・マーティンの説だ。「貨幣」がもたらした最大のインパクトは、簡単に言うと「金さえあればえらくなれる」

9 橋場弦(1997)『丘のうえの民主政―古代アテネの実験』より

という社会をつくったということである。

「貨幣」の誕生は、市民階級の誕生と民主主義の萌芽を背景として、絶対的支配体制を前提とした伝統的な社会構造の崩壊に繋がっていく。すなわち、市場が取引の原理をつくり、価格変動が人間の行動を左右する、という現在当たり前と思われる経済空間によってもたらされたものは、社会階層の流動化だった。起業家精神を持ち、ビジネスを起こし、経済的に成功すれば、成り上がることができる。それまで人間の価値を計測していたものが、絶対的支配体制下で一方的に定められた社会階層だったのが、「貨幣」という評価に変わることで、お金をより多く持ちさえすれば、より高い社会的階層を得ることが可能になったのである。

「本」の発明とその影響

貨幣の誕生によって、社会階層の流動化が可能になったことに加え、文字がより広範囲に民主化されていくことによって、さらに市民階層が力を手にしていく。時は下り2世紀になると、文字にまつわる「メディア」が大きな変革を迎える。それまで文字は石版に刻まれるか、竹や羊皮紙の巻物に書かれて写本とされることが一般的であったが、この写本のページを束ねて片側を綴じるという、現代では一般的となった「本」の形が誕生した。

この「本」の形態をとった写本のことを「コデックス」と呼ぶ。コデックスの普及にはかなりの時間を要し、巻物に取って代わって主流となるのは、8世紀になってからという。この変化は、取るに足らないことに思えるかもしれないが、巻物よりもコンパクトで、羊皮紙の裏表に文字を書くことができるため、今風に言えば、メディアとしてデータ容量も多く、読むのも楽という画期的な技術進化であった。

そして、コデックスを最初に採用し、普及に貢献したのはキリスト教徒だった。コデックスによるキリスト教写本には、巻物に残すことは難しい多くの挿絵が複数ページにわたって豪華に彩色されたものもあり、ビジュアルと文字という組み合わせでの訴求が、より多くの人を惹きつけたのではないかとも考えられる。

ローマ帝政初期に、領内のユダヤ属州で生まれたイエス・キリストが創始したキリスト教は、徐々に信徒数を増やしていき、2世紀末にはローマ帝国全土に広がっていたのである。

王による市民のための都市、ローマ

3世紀末になると、ローマ帝国の首都ローマの人口は100万人にもおよび、その構成は、宮殿内に17万9千人、市民10万人、奴隷72万1千人だったという。圧倒的な割合を占める奴隷階級から、キリスト教の拡大により少しずつ市民階級へと移行していくにつれ、王や支配階級は、自らの地位を安定させるために、市民のための多くの施設を建設するようになる。[10]

10 黒川紀章(1965)『都市デザイン』p.11

今でもローマに残る劇場、闘技場といったレクリエーション施設から、水道、噴水、浴場、ホテルといった施設まで整備されていった。これは、市民階級における文化を萌芽させ、その文化活動を支える経済圏を形成し、都市内商業と都市間交易の活発化へと結びつき、「王の都市」であった都市が、中世に入って「商人の都市」＝都市3・0へと進化していく基盤となっていく。

都市3・0「商人の都市」の時代

都市3・0を象徴するものとして西欧都市から生まれた「ギルド」がある。わが国にもほぼ同時期に起こった「座」があるが、これらは都市住民（主に商工業従事者）による同業組合のようなものであった[11]。

ギルドや座は、都市を支配する封建領主に対抗する自治権獲得の手段であったが、これを基盤として都市はギルドを仕切る者たち＝商人のものへと変質していく。そのような力を商人に与えたのもまた、文字の変化だったといえる。

6世紀に至るまで、西欧を中心に文字は現在のような単語と単語の間にスペースがある「分かち書き」が行われておらず、発話された音がただ羅列されたものであった。これはアルファベットのような表音文字の場合、発話をして読まないとなかなか理解しがたいものとなる。それが、6〜7世紀頃に「分かち書き」が一般化していく中で、発話をせずに目で追って読むという行為が広がり、より多くの人が書物を黙って読むことを身につけた。さらに発話されたものを記録するだけではなく、自ら考えたことを文字で記すということも広がっていくこととなった。

このような商人たちによる自治都市を「自由都市」と呼ぶが、そこに住む商人たちの経済力を背景に、たとえば中世イタリアのベネチアやフィレンツェといった都市では、ルネサンスが生まれる土壌が育まれ、文化発信地として隆盛を誇ることとなったのである。

日本語の場合は、「漢字」という表意文字と「かな」という表音文字の組み合わせのため、「分かち書き」を行わなくとも内容を目で追って読むということが容易にできる。農村も含めて、漢字とかなとが入り混じった文章が普及していったこともあって、わが国でも西欧と同様に都市住民が自治権を主張して団結するような「知」を持つことができたと考えられる。

グーテンベルグによる一大革命

文字が加速させた都市の進化は、グーテンベルグによる活版印刷の発明によって大団円を迎える。１４５５年のグーテンベルクの印刷技術による「42行聖書」は、それまで手書き版や口頭伝承に頼ってきたキリスト教が急速に世界各地へ布教されるきっかけとなり、ルネサンス期の文化の発展や識字率の向上にも貢献した。

活版印刷の登場は、都市に住む人々に向けた「知」の民主化そのものだった。以前はラテン語

11 日本における「座」は、都市部だけではなく村落内でも結成されたため、ギルドとは必ずしも同じではない。

のみでしか読むことのできなかった聖書が、ドイツ語やオランダ語などにも翻訳される。1522年に登場したルターの聖書の発行数は、20万部ともいわれる。

活版印刷は都市の経済に大きな影響を与えた。印刷所は、人々がこぞって参入する新ビジネスとなり、1500年までのおよそ50年間で250都市以上に伝播。延べ1千100以上の印刷所が開設され、当時の高額所得者ランキングには印刷所経営者の名前が上がった。一方で、活版印刷以前に写本を製作してきた写字生たちの仕事が奪われたことで、労働争議のようなこともあったという。これは、現代のネットベンチャーの席巻、古い企業の停滞という状況に重なる。この破壊的創造を引き起こす都市産業の発生は、大きな経済成長をもたらす。それまで1500年近く、人口と経済の成長を経験していなかった人類は、初めてそれを経験することとなる。

図表1-4は、西暦元年から2000年に至るまでの全世界の人口と一人当たりGDPを示したものである。西暦元年から1000年は世界の人口はほぼ一定かつ、一人当たりGDPについてはむしろ低下しているくらいであったのが、グーテンベルグの活版印刷発明後の1500年には人口一人当たりGDPともに微増していることがわかる。そして、それから産業革命が起こる18世紀中頃にかけて、少しずつ人口一人当たりGDPともに、同様の成長率で増加していることがわかるだろう。[12]

活版印刷の登場によってもたらされた「知」の民主化は、都市の経済成長とともに、そこに住

12 本ページの内容については、葉村真樹（2018）『破壊──新旧激突時代を生き抜く生存戦略』第一部一章を参照している。

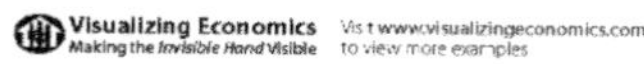

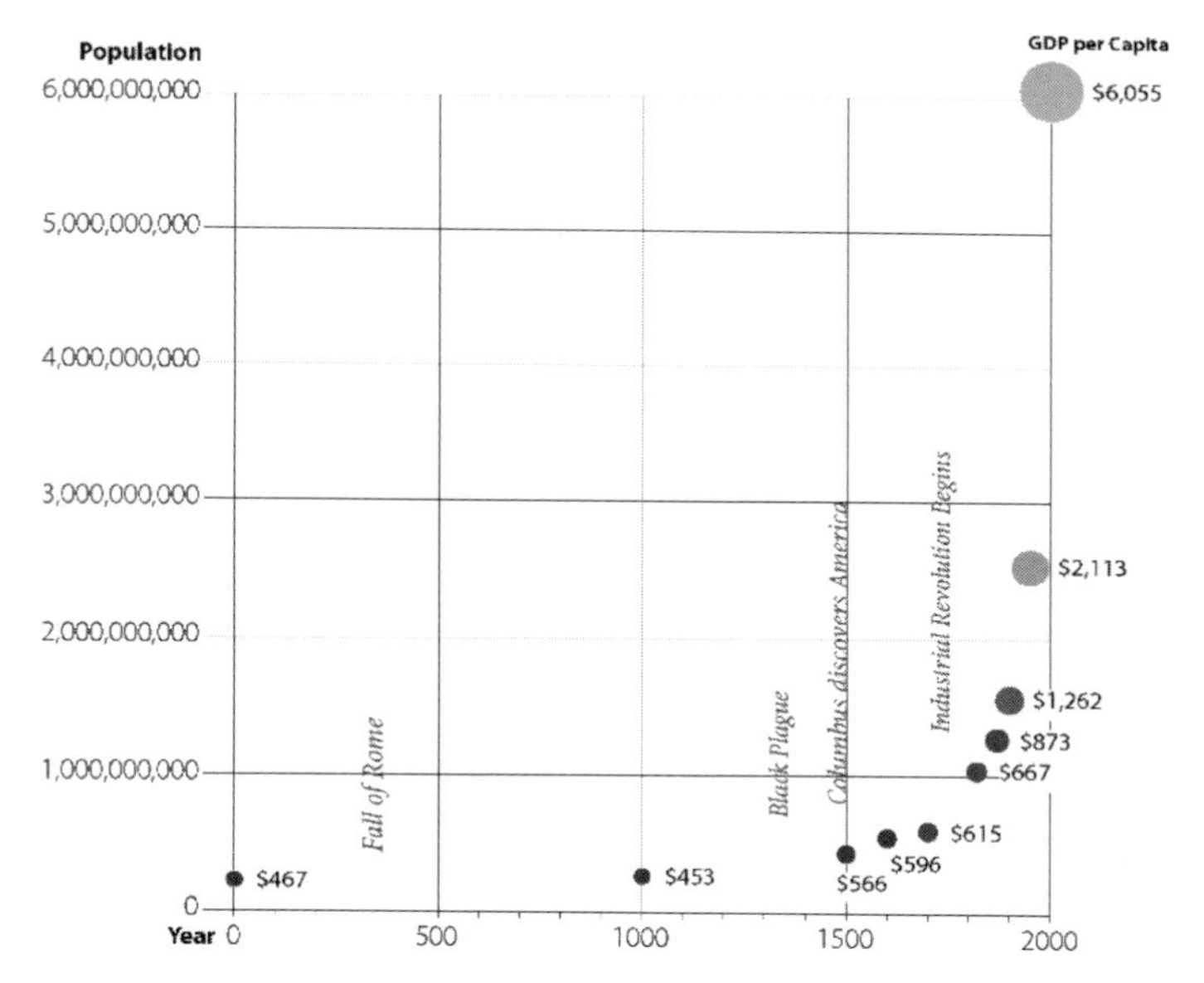

[図表1-4] 西暦元年～2000年 世界の人口と一人当たりGDP

出典: Angus Maddison, University of Groningen

む都市住民自身の民主化をさらに加速させることとなる。

この都市3・0の時代、北イタリアの諸都市を席巻したルネサンスは、そもそもギリシア、ローマの古典文化を手本とし、それを再生することを意味した。しかし、この都市における新たな文化ムーブメント封建社会と神中心の世界観の束縛から、人間性の自由・解放を求め、人間性と個性を尊重するという、まったく新しい社会原理を生み出したともいえる。

3 「人間拡張」と「生命体」としての都市

――テクノロジーとは人間の感覚と機能の拡張である

都市1・0から3・0に至るまでの「メディアの進化」と「都市の進化」について、紙面を割いてここまで描写してきたのには理由がある。それは、メディアとは人間が生み出すテクノロジーの中でも、その進化の根幹をなすものであり、現在起こりつつある都市5・0もまた、このメディアの進化そのものでもたらされる変化であるからである。

カナダの英文学者であり、メディア論の大家でもあるマーシャル・マクルーハンは、その著書『メディア論』の中で、以下の言葉を記している。

〝すべてのメディアは人間の機能および感覚を拡張したものである。[13]〟

マクルーハンにとっての「メディア」とは、文字や本や新聞、テレビやインターネットといったものだけではなく、道路や車輪、家や衣服といった、あらゆる人工物を含む。つまり、人間が生み出したテクノロジーによる人工物すべてが、人間の機能および感覚を拡張すると彼は考えたのである。

これは、序章で紹介したコルビュジエのテクノロジーに対する考察にも通じる。機械とは人体の延長である、という考えがまさにそうだ。そして、コルビュジエに従うと、住居とは住むための機械であり、住居の群たる都市もまた機械である、ということは、都市もまた人体の延長である、ということである。

筆者は、人間の機能および感覚の拡張は、大きく三つのテクノロジーの進化に分類されると考えている。それは、「インフォメーション」、「モビリティ」、そして「エネルギー」である。

まず「インフォメーション」、人間のコミュニケーションを行う機能、すなわち情報を認知するための目や耳、情報を伝えるために言葉を発する口、表情を示す顔や目、これらの拡張としての情報認知伝達技術が該当する。また数や取引といった概念情報も含まれる。具体的には、これまで記した簿記という概念とそれから生まれた文字、コデックスや活版印刷といったアナログ技

13 マーシャル・マクルーハン著、栗原裕・河本仲聖 訳（1987）『メディア論―人間の拡張の諸相』

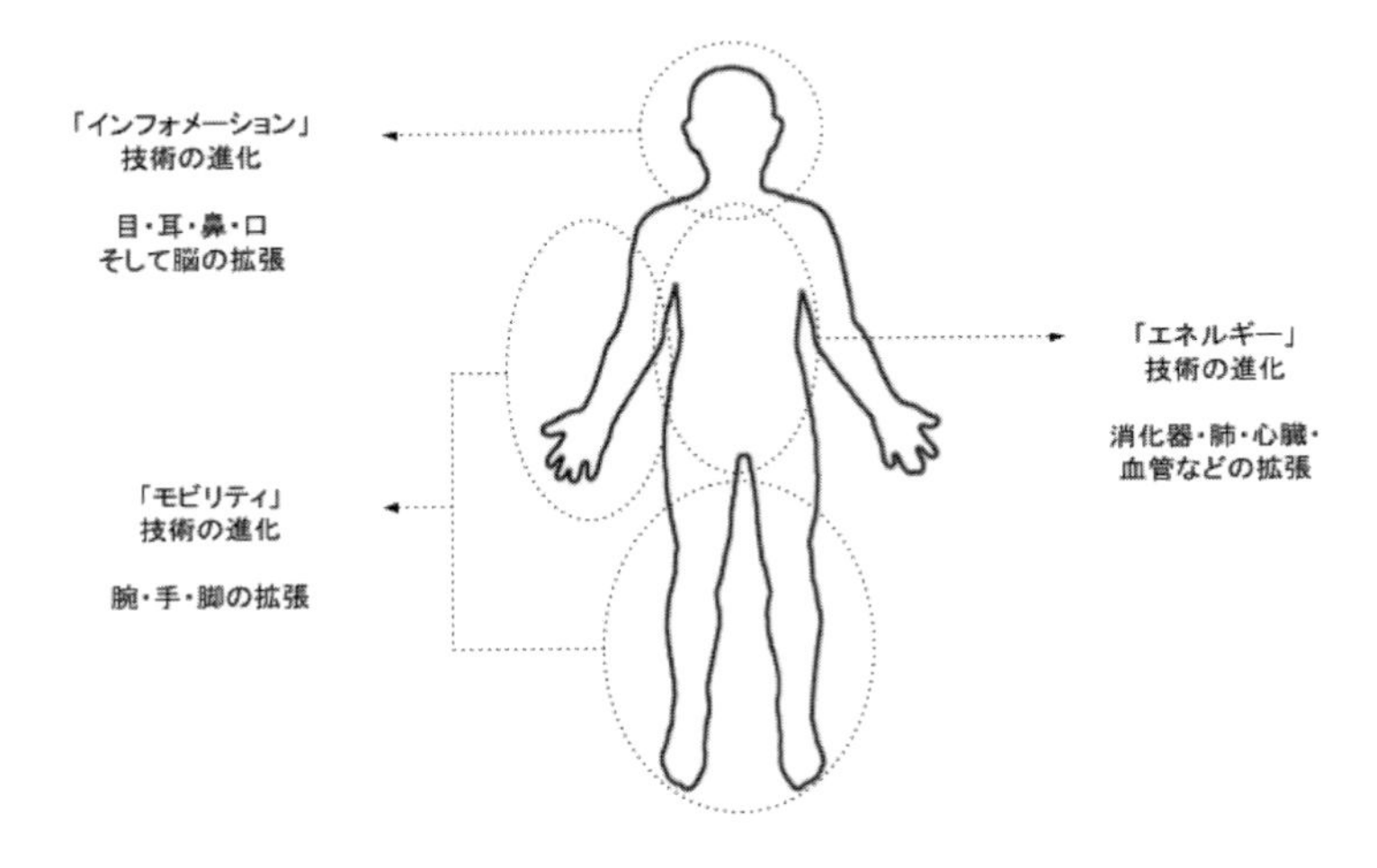

[図表1-5]「人間の機能および感覚の拡張」と「三つの技術進化」

術によるもの、そして、近年のコンピュータやインターネットなどのデジタル技術によるものがある。

「モビリティ」については、機動性や移動性という意味で使われることが多いが、筆者は人間自身ないし、人間が移動させたいと思うモノを物理的に移動させる能力と定義している。自身を移動する際に使う脚はもちろんだが、モノを移動させたり、投げたりする腕力に該当する機能の拡張も意味する。たとえば、車輪などは非常にわかりやすい「モビリティ」であるが、梃子のように人間では不可能だった物理的移動を可能にした技術や、弓矢や銃のように、かつては人間の腕力だけに頼っていたものを、より強く、より遠く、より速く行えるようにしたものについても、「モビリティ」と定義する。

これら二つのテクノロジーの進化の背後には「エネルギー」の進化が存在する。人間にたとえるなら、脳や運動機能のエネルギー源となる食料を消化吸収する消化器と、酸素によってエネルギー転換を行う肺、そしてエネルギーを行き渡らせる心臓と血管といったところだろうか。コンピュータやインターネットも、現在のような大規模な電力供給網なしでは利用不可能であるし、多くの人が持ち歩くスマートフォンにしても、軽量コンパクトで長時間充電が可能なリチウムイオン電池の存在が不可欠である。蒸気船や蒸気機関車は石炭、航空機や自動車は石油というように、多様なその動力を生み出す資源（石炭、石油、原子力など）とその活用はテクノロジーとして極めて重要となる。

人間拡張の最大形態としての都市

これを都市に照らし合わせると、文字を中心としたメディアの進化がまさに「インフォメーション」の進化にあてはまる。文字による情報伝達が、距離と時間を越えてより多くの人々を対象とすることによって、交易による経済規模を拡大し、それに文化が支えられることになった。都市にとっての頭部にあたるのが、まさに文字を中心としたメディアの進化といえよう。

一方、都市1・0の時代から現代に至るまで、一貫してハードウェアとしての都市を成立させるうえで最も重要なテクノロジーとして、建築・土木技術がある。これは、人間単体では切り出したり、積み上げたりすることができない岩など建材のもとになるものを、梃子の原理や車輪を活用することで移動させることを実現した。つまり「エネルギー」の進化でありつつ、それによって実現した「モビリティ」の進化の結果と言うことができる。

都市間の交易は人間以外の動力を使った車両や河川や海上を行き交う船などの「モビリティ」の進化でさらに盛んとなり、都市の規模も拡大し、都市内交通のために街路も整備されることとなる。

このように、都市は人間拡張の結果であり、人間拡張の最大形態とも言うことができるのである。

――川とともに生まれた都市

古来、都市は大規模な河川沿いにあった集落から生まれ、発展してきた。それは人間が生きるうえで必要不可欠な飲料水が得られるだけでなく、食料を確保するための農業と漁猟が可能であるからである。都市の起源となったメソポタミアにしても、メソ＝「間」とポタム＝「川」というように、その地に流れるチグリス＝ユーフラテス川の間、という意味をもつ。世界最古の文明の一つであるエジプトの古代都市はナイル川の下流域に広がり、現在のパキスタン南部にあった古代都市モヘンジョダロはインダス川流域に建設されたが、ナイルもインダスもその語源は「川」である。

川は肥沃な土地をもたらすが、一方で氾濫による災害もひき起こす。そのため、被害を最小限に抑える治水技術を向上させた。その土木技術をもって、川を引き込んだ上水道が整備され、さらには下水道が整備される都市も古代からあった。紀元前2500年頃に現れ、紀元前1800年頃まで栄えたインダス川流域のモヘンジョダロは、下水道を整備した最古の都市と呼ばれる。

モヘンジョダロの下水道はレンガでできており、各戸の水洗トイレや風呂、沐浴場で使い終わった水を川に流す役目をしていた。さらに、インダス川の水量の季節的変動を考慮して、貯水池の整備なども行っていたとされる。人間の体にたとえると、体外からモノを取り入れ、体の中を巡らせ、体外へ排出するだけでなく、肝臓などで調整するような循環器系をすでに有していたといえる。モヘンジョダロは、まさに都市として人間拡張の最大形態としての体をなしていたのである。

圧倒的に先進的だった古代都市モヘンジョダロ

モヘンジョダロの先進性は、古代ローマで下水道が整備されたのが紀元前600年頃と、1000年以上も時を下ってからのことと考えると、圧倒的なものであったといえよう。その先進性は下水道だけではない。多くの都市内の街路は直角に交差し、碁盤の目のように整然と整備されており、そこには厳密な都市計画が存在していたことをうかがわせる。建築に使われたレンガも、日干しではなく窯焼レンガで、しかも一つ一つが同じ大きさに規格化されたものであり、沐浴場で使われたレンガはさらに天然アスファルトで防水加工されたものであったという。

このことは、モヘンジョダロにはすでに確固たる階級制度と中央集権制度が存在していたことを意味する。まさに都市2・0の時代において、最も先進的な「スマートシティ」とも言える存在だったといえよう。しかし、モヘンジョダロは突如滅亡する。

モヘンジョダロとは「死者の丘」を意味し、周辺地域の住民は恐れて近よらない禁忌の場所であった。そこで使われていたインダス文字は、まったく解読の糸口さえつかめておらず、そのため、本来の呼び名すらわからず、その滅亡の原因についても当然のごとく、まったくわかっていない。

なぜ、モヘンジョダロは滅びたのだろうか？

モヘンジョダロ「脳死」説

モヘンジョダロ滅亡の原因には、戦争、洪水、隕石落下等、さまざまな説がある。最も有力なのが、窯焼レンガの燃料に使う樹木の伐採しすぎで、都市の治水能力を大幅に削いでしまい、洪水で滅んでしまったというものである。この説は、現代の都市にも迫られているもので、まさに環境破壊によって都市の循環器系機能を損なった結果、自ら瓦解していってしまった、ということで極めて説得力がある。

一方で、ユニークなものとして、インダス文字が解読されていないことに照らして、その文字が一部の神官や官吏などに独占されていたからではないか、という説がある。実際、モヘンジョダロの遺跡からは、メソポタミアの都市群から出土した、学校で学生が文字の手習いに使った粘土板のようなものは発見されておらず、文字を一部のエリートだけが独占し、読み書きを広めなかったことがうかがえるという。

文字が独占されてしまうことで、本来伝えるべき情報について、場所と時間を超えて伝える人が不足し、その情報を受け取る人も育たないこととなる。その結果、技術が蓄積されて進化するどころか現状維持すら困難となり、最終的に滅亡に繋がったという説だ。

世の中に解読されていない文字は決して少なくはないが、当時としては圧倒的な先進性を誇った都市で、多くの文字遺物の出土があるにもかかわらず解読の糸口がどこにもないというのは、モヘンジョダロくらいである。もし文字が独占されていなければ、どこか別の地域にインダス文字の残滓があるはずだが、さまざまな考古学者がその解読に挑みながらも、依然として何の手がかりも得られていない。

モヘンジョダロ滅亡の原因としては、森林伐採による環境破壊説がおそらく蓋然性が高いだろう。しかし、筆者は「文字の一部エリート独占説」を非常に面白いと感じる。本章では〝都市は人間の「脳」の拡張として誕生した〟として、都市1・0から都市3・0に至る都市の進化を、主に文字メディアの進化に絡めて見てきたが、この説はモヘンジョダロ「脳死」説とも言えよう。

もちろん、これだけが原因ではなく、さまざまな災害や戦争が起こったのかもしれないが、そもそも「脳」の拡張としてつくられた都市の「脳」そのものが完全に機能不全に陥ったことで、モヘンジョダロの持続可能性を奪ってしまったのではないかと筆者は考える。

モヘンジョダロ滅亡の原因として最有力の環境破壊説は、循環器、なかでも静脈系が機能不全に陥ったことにたとえられるであろう。都市は人間拡張の最大形態であることは何度も書いてきたとおりだが、それゆえに都市を一つの生命体として取り扱うことが重要であることを示している。

次章では、産業革命が起こったヨーロッパを中心に、都市が4・0「法人の都市」へと進化して現代に至るまでを見ていく。都市4・0の時代の都市は、テクノロジーの進化とともに、生命体としての力を飛躍的に拡大させるだけでなく、多くの生命の危機にも見舞われてきた。

本章では、古代都市からの都市の歴史を見てきた。読者のみなさんは、本書が都市のデジタルトランスフォーメーションを掲げながら、なぜこのような内容について紙面を割いてきたのか、その理由をご理解いただけたろうか。

――生命体としての都市

スマートシティ、Ｓｏｃｉｅｔｙ ５・０、あるいは都市のデジタルトランスフォーメーションしかり、こうした先進的な響きを持った言葉は、都市を無機質な人工物なのだという印象を与えてしまう。

実際の都市は、人間拡張の最大形態であり、あたかも一つの生命体であるということを前提に考えることが重要である。モヘンジョダロは、都市2・0の時代、最先端の都市であり、まさに当時のスマートシティであったはずだ。けれども、生命体として何かしらの機能不全を起こしたことにより滅亡を招いてしまったことは、これからの私たちの都市を考えるうえで、常に念頭に置く必要があるだろう。

次章では、現代の都市である都市4・0の進化の歴史を概観することで、都市が無機質な人工物ではなく、そこに住む人間そのものの拡張としていかに進化してきたか考察を加えたい。そうすることで、これから私たちがつくり上げていく都市5・0が、単にIoTやAI、5Gといったバズワードとともに頻繁に語られる世界だけのものではないと理解することになるだろう。

第2章 都市という名の人間拡張が加速した時代

1 都市4・0「法人の都市」の誕生

――エネルギーとモビリティの進化が起こした産業革命

中世にはじまった都市3・0の時代は長らく続いたが、18世紀から19世紀にかけて起こった産業革命は、極めて短期間のうちに都市に大きな変化をもたらした。図表2‐1は紀元0年から2000年に至るまでの、日本、米国、西ヨーロッパ、そして世界の都市化率を示したものだが[1]、1800年以降に急激に都市化が加速していることがわかる。

石炭と蒸気機関という「エネルギー」技術の進化によってひき起こされた産業革命は、新たな「モビリティ」技術の進化をもたらす。それは蒸気機関を動力とした力織機であり、蒸気船であり、

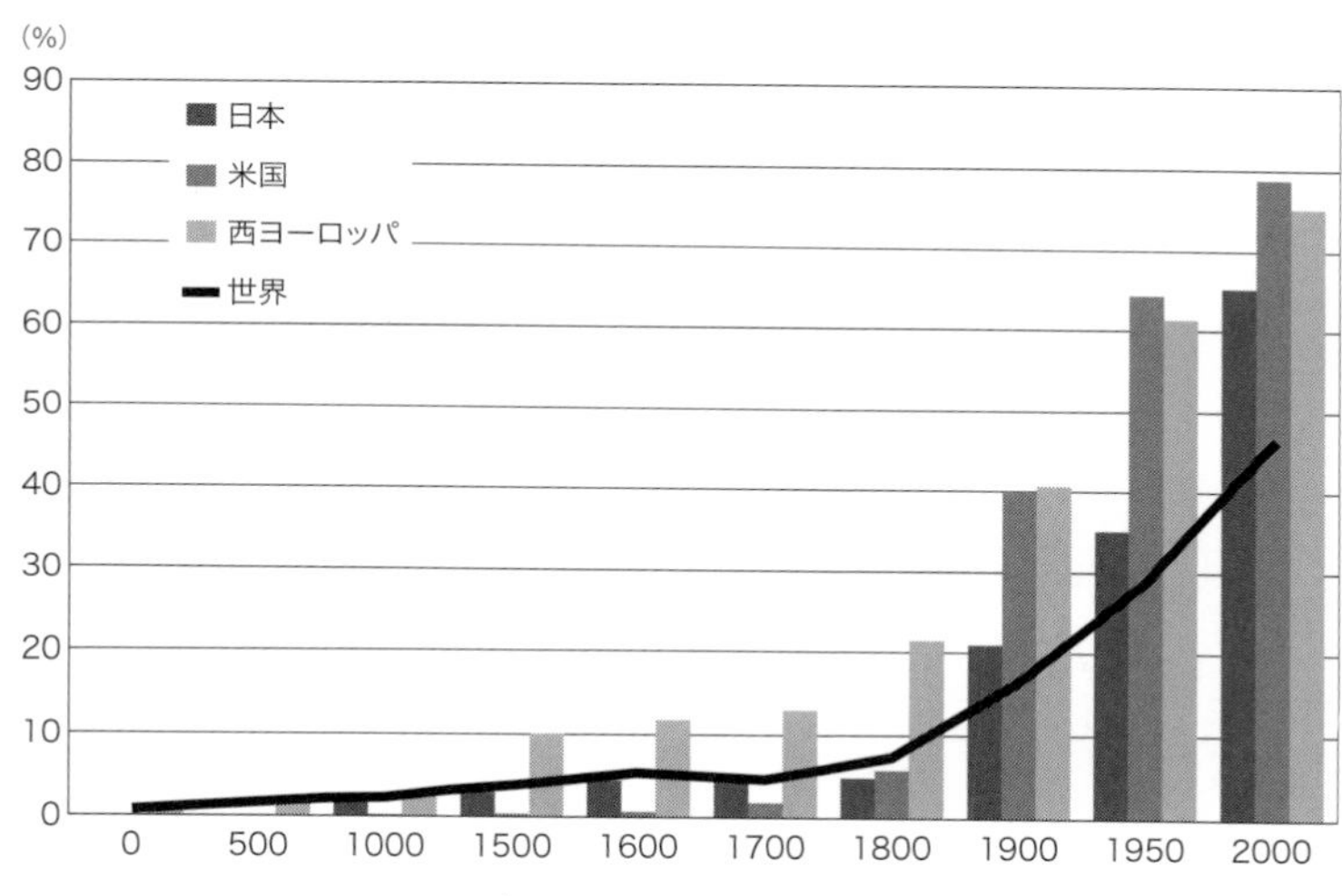

[図表2-1] **日本、米国、西ヨーロッパおよび世界の都市化率の推移** (単位：%)

出典：Klein Goldewijk, K. , A. Beusen, and P. Janssen (2010). Long term dynamic modeling of global population and built-up area in a spatially explicit way, HYDE 3 .1. The Holocene20(4):565-573. http://dx.doi.org/10.1177/0959683609356587

蒸気機関車であった。

かつて、人力や風力や馬力などの自然エネルギーに頼っていたものが、石炭による蒸気機関に変わったことで、人類は飛躍的な進化を遂げるようになる。これまで、時代を画すテクノロジー進化として「インフォメーション」の進化が特に重要な位置を示してきたが、[2] 産業革命は「エネルギー」の進化による「モビリティ」の進化であるという点が、文字通り革命的だった。

1 本図表の1950年以降のデータは、国連の2008年以前の都市人口定義に基づいているため、序章で紹介した日本および世界の都市化率の数値（2011年定義）とは乖離がある。

2 それまでも車輪の発明（都市1・0の時代）や、帆船の発明（都市2・0の時代）、火薬や羅針盤の発明（都市3・0の時代）など、それぞれの都市のあり方を左右するような「エネルギー」や「モビリティ」の進化は存在した。特に都市3・0の時代の商業発展を支えたのは、「エネルギー」と「モビリティ」の進化である

産業革命と資本主義経済

産業革命は人類にかつてない規模の経済繁栄をもたらした。第一章で紹介した図表1－4を見てわかるように、産業革命前後で人口はほぼ倍増、人口一人当たりGDPもおよそ10％増大している。

産業革命以前の1600年には、最初の近代的な株式会社といわれる東インド会社がイギリスで設立され、16世紀から17世紀には生産手段を所有する資本家が、労働者を雇用して商品を生産し、利潤を追求するという資本主義経済は存在していた。それが経済システムとして成立したのは産業革命後のことであった。

なかでも資本主義経済を象徴する株式会社という形態は、産業革命を契機として発展していく。産業革命の初期は、繊維産業のような軽工業の生産手段整備が中心で個人資金でも賄うことができるため、投資家から資金を集める必要は少なかった。しかし、19世紀後半から発展してくる重化学工業には巨額な資金が必要となり、株式を発行し、広く市場から資金を集めることが求められてきた。資本主義経済は産業革命により成長し、その主役は株式会社に代表される企業という組織、すなわち法人となったのである。

都市4・0「法人の都市」への進化

資本主義経済における正義は、生産性と効率性である。投下した資本に対してどれだけの利潤を上げるのかが、投資家の最大の関心事となる。投資を受けた企業という法人は、組織としていかに生産性と効率性を上げるかに注力することになる。そのうえで、高い生産性を上げた企業は事業を拡大し、さらなる事業の拡大をめざし、資金を集めるようになる。

都市には株式を取引する金融市場が形成され、多くの金融機関も設立されるようになる。より効率的にヒトとカネと情報を集めるために、企業も同様に都市にその本社機能を立地する。このようにして、それまで家内制手工業をベースとして成立していた「商人の都市」＝都市3・0は、資本主義経済の形成にしたがって徐々に縮小し、都市は「法人の都市」＝都市4・0へと進化していったのであった。

工業都市としてはじまった都市4・0

産業革命以前、すなわち都市3・0の時代において、人力や家畜以外に人間が頼ったエネルギーは、主に水力や風力であった。そのため、工場は河川や谷間、あるいは沿岸部といった場所に立地し、生産物の売買も帆船などによる交通に優位な河川や沿岸部において行われる、というように都市が形成されてきたのである。

蒸気機関の登場は風力や水力の重要性を相対化させた。さらに蒸気機関車が誕生し、鉄道が整備されてくると、工場立地先として河川域の優先性は大きく低下し、河川の有無にかかわらず立地展開されるようになる。代わって重要になったのは、大量生産が可能となった工場で働く大量の労働者であった。都市4・0における都市は、工場を稼働させるだけの労働者を集める場として、さらにその規模を拡大していくことになるのである。

わが国で工業集積地といえば、「太平洋ベルト地帯」を思い浮かべる読者は多いだろう。明治期から第二次世界大戦後の高度経済成長期を支えた京浜工業地帯・中京工業地帯・阪神工業地帯・北九州工業地帯などで構成されるが、これらの工業地帯には、東京、川崎、横浜、名古屋、大阪、神戸、北九州といった大規模な工業都市が形成されていった。この工業都市の特徴は、沿岸部かつ平野部にあることだが、それには理由がある。

わが国に限らず、産業革命発祥の地であるイギリス、その他の国々でも、農村部は余剰労働力を抱えており、これが工業生産を担う労働力へと移行していった。最初は繊維業を代表とする軽工業を中心にしたものから、工業機械の生産に必要な製鉄業や機械工業へと中心が進展すると、都市はより多くの労働者（と彼らの生活を支える商業従事者）を抱える広範な後背地が必要となり、生産された製品は鉄道網を超えた地域へ商圏を広げ、その出荷のための港湾を建設できる場所が都市として優位性を持つようになってきたからである。

このように都市4・0は、農村を後背圏に河川域に展開する、これまでの都市とは異なる特徴を持った「工業都市」としてはじまったのである。

「都市化」と「都市問題」の誕生

イギリスにおいて、1750年時点で5万人以上の人口を抱える都市はロンドンとエディンバラの2都市にすぎなかった。その50年後の1801年には8都市に、100年後の1851年には28都市へと増加、しかもそのうち人口10万人以上は9都市に上ったという。[3] その間、イギリス最大都市ロンドンの人口は最初の50年で80万人を超え、100年で180万人へと膨れ上がった。

いうまでもなく、都市4・0の支配者は、その都市の形成を主導した工場を経営する企業＝法人である。より多くの資本（生産設備や労働者）を投下して、より効率的により多くの生産を行うことが企業（およびその企業に投資する投資家）の関心事であるため、工場を拡大し、設備を高度化し、より多くの労働者を集めることに集中することとなった。これは、農業従事者の数が激減し、代わって都市に居住する商工業事業者が激増することを意味する。都市化はこのようにはじまり、その後、産業の主役が工業から商業・サービス業へと移った現在に至るまで、途切れることなく続いている。

それと同時に持続的に増え続ける工業に従事する者の中でも、明確な階層分化が起こっていった。つまり、工場を保有する資本家層と、工場で働く労働者層が成立したということである。資本家は前述のとおり、いかに生産性を高くするかが最大の関心事のため、労働者が集まる限りにおいては、その住環境には無頓着であった。いわば、現代の「ブラック企業」どころではなかっ

3 E.J.ホブズボーム（1996）『産業と帝国』p.103より

[図表2-2] **ロンドンのスラム街（1872年）**

出典：https://commons.wikimedia.org/wiki/File:Seven_Dials_by_Gustav_Dore_1872.jpg

たのは想像に難くない。都市部の労働者層は集合住宅に密集して居住し、その生活水準は非常に低かった。

1850年代に人口180万にのぼったロンドンはもちろん、人口10万を超える規模となったマンチェスター、バーミンガム、リヴァプール、グラスゴーといった新興工業都市においては、住宅・道路・衛生・学校などが人口急増に追いつかず、さまざまな社会問題、すなわち「都市問題」を引き起こすこととなった。特に、都市に集中する労働者層は劣悪な生活環境を強いられ、衛生面での問題を多く抱え、頻発する伝染病などの健康被害は甚大だった。

形態は機能に従う

産業革命を発端として生まれた都市問題を、単純に人口過密化という観点だけで理解しようとすると、都市問題の本質を見誤ることになる。第1章から見てきたとおり、都市1・0から3・0に至るまでの都市の歴史において、都市に住む人々の階層分化は、都市を形づくる大きな要素であった。都市1・0では神殿などの宗教施設が主要な空間構成として形づくられ、都市2・0では王や皇帝、領主といった権力機構が城や城壁によって、市民階層との明確な境界線を都市の中につくり、都市3・0ではギルドや座のような商業機構が市場や広場といった空間を都市につくりだした。

19世紀から20世紀に活躍した米国の建築家であるルイス・ヘンリー・サリヴァンは、近代以降の鉄骨建築技術によって、建築様式に左右されない自由な建築が可能になったことを受けて、「形態は機能に従う（Form Follows Function）」という言葉で、装飾を目的としたデザインではなく、機能を目的としたデザインの重要性を訴えた。

この言葉は、もともとフランスの生物学者ラマルクが19世紀はじめに提唱した進化論である用不用説に基づいている。これは、生物個体は多用する器官については発達させる一方で、不要な器官については退化させるというように、後天的に獲得した性質（獲得性質）が子孫に遺伝することで進化の現象を表すというものである。

都市を人間拡張の最大形態、あるいは一つの生命体として捉えると、「形態は機能に従う」とは都市の進化そのものに重なる。都市1・0の時代から都市4・0に至るまで、それぞれの時代で都市を形づくるうえで主体となる権力機構が、自らに都合のよいものを発達させ、逆に都合の悪いものについては退化させていったのが都市の歴史であった。都市4・0の時代は、都市の権力機構である企業＝法人が経済的合理性によって都市を形づくり、そのしわ寄せが都市問題として初めて表出した時代だったといえる。

公害の出現

産業革命以降の都市4・0時代の都市がもたらした負の影響は、いわゆる「公害」として顕在化した。労働力として集められた人々が都市に集中すると、彼らが排出した「し尿」の処理が、それまでの農作物の肥料としての再利用では到底間に合わない状況となる。すると、人々は道路や庭に「し尿」を投げ捨てたため、コレラなどの伝染病が流行し、数万単位の死者を出すようになった。

ロンドンでは、1855年から下水道工事がはじまり、それまでテムズ川に直接流していた下水についても、下水道を通し市街地より下流で流すようになる。これはほかの欧米諸国にも広がり下水道が普及するようになったのだが、さらに人口が増え、工業が発達すると、このような下水処理法では環境の汚染がさらに進むことになった。いくら市街地の下流に下水を排出したところで、市街地が広がれば、またさらに下流に流すといった対応しかできないし、結果的に直接河川に流していれば、河川も時を経るにつれて汚染されるだけだからである。ロンドンに限らず、人口100万を超えるようになったパリやベルリンにおいても、家庭雑排水、水洗トイレの排水、工場排水などあらゆる汚水が、雨水とともに都市を横断する川・水路に流れ込み、河川は強烈な悪臭を発する下水道と化してしまった。

――都市の静脈系技術の進歩

このような状況下、下水を浄化してから河川に放流する技術が研究されるようになり、1914年、イギリスで初の活性汚泥法（微生物を利用した下水処理法）を用いた下水処理場が建設された。今からわずか100年ほど前のことである。

都市の長い歴史において、都市1・0のモヘンジョダロの時代から下水道は存在していた。にもかかわらず、下水を浄化したうえで放流するということは、人類にとって初めてのことだった。この下水処理技術の発明は、テクノロジー史の中で見過ごされがちだが、現在まで続く都市化を支え、都市4・0の時代をつくってきた技術として、非常に重要なものである。おそらくこの技術がなければ、都市は20世紀に入った時点で壊滅していた可能性がある。より多くの人を集め、より効率的に、より大きな成長をと動脈系ばかりを発展させることで進化してきた都市は、そこの住民が数万人規模で生命の危機にさらされたことによって、初めてそれを支える静脈系の重要性に気づいたともいえる。そして、下水処理技術における活性汚泥法は、都市における初めての静脈系の技術として画期的なものであった。

都市の静脈系における課題

産業革命の根源となるエネルギー技術の進化は、もう一つの公害をもたらした。エアロゾル（大気中の微粒子、浮遊粒子状物質）の増加である。エアロゾルは砂漠の砂の巻き上げなどの自然活動によっても生じるが、現在もエネルギー源として大きく依存している石炭・石油などの燃焼被害が大きい。産業革命の発火点となったイギリスにおいては，石炭の燃焼に伴った媒煙による黒い霧であるスモッグ（煙であるスモークと霧であるフォッグの混成語）が深刻となり、ロンドンでは１８７９-80年の冬期のみで約3千人が、スモッグによる肺疾患等で死亡している。[4]

この問題は、現代のロンドンにおいてはほぼ解決されている。ところで最近ＰＭ２・５という言葉を耳にする人も多いと思うが、これは大気中に浮遊する微粒子の粒子径が２・５㎛以下のものを意味している。ＰＭ２・５は健康への悪影響が大きいといわれ、世界保健機関（ＷＨＯ）によると、これが原因となる肺がんや呼吸器疾患などで年間４２０万人が死亡しているという。[5]

産業革命を契機として興った都市４・０は、それが産み出した新たな公害によって、新たな都市の静脈系技術を生み、都市をさらに発展させることとなった。一方で現代になっても解決できず、汚染が拡大するばかりで解決の糸口を見い出すことができないものがまだ多数あるというのが実態である。

2 欲望の拡張としての都市

――絶え間ないエネルギーとモビリティの革命

都市4・0の時代、エネルギー技術とモビリティ技術の革命は、石炭を燃料とした蒸気機関ではじまり、20世紀前後には石油を燃料とした内燃機関へと持続的に進化する。そしてこの革命は、都市に、現代に連なる大きなインパクトを与えた。

図表2-3は、ニューヨーク五番街の光景について1900年と1913年で比較したものである。よく使われる画像なので、ご存知の読者も多いとは思うが、この13年間での変化は一目瞭然だろう。そう、自動車である。

馬車が路上を埋め尽くす1900年に対して、1913年にはすべてが自動車に入れ替わっている。1908年、フォードによるモデルTの量産がはじまると、自動車は瞬く間に米国全土を席巻し、次第に米国のどの都市においても、このような光景が見られるようになったのである。

4 渡邊誠一郎ほか（2014）『臨床環境学』p.32-38より
5 日本経済新聞『大気汚染で年700万人死亡 WHO』2018年5月2日朝刊から、特に屋外汚染による死亡者数について記述した。

[図表2-3] **1900年（上）と1913年（下）のニューヨーク五番街の光景**

出典：1900年の画像 "Fifth Avenue in New York City on Easter Sunday in 1900",
National Archives and Records Administration, Records of the Bureau of Public Roads (30-N-18827) [VENDOR # 11],
1913年の画像は右のリンク先のwikimediaより https://commons.wikimedia.org/wiki/File:Ave_5_NY_2_fl.bus.jpg
参考：5th Avenue, 1900 Vs. 1913（Business Insiderより）https://www.businessinsider.com/5th-ave-1900-vs-1913-2011-3

すでに見てきたように、自動車よりも先に普及したのが鉄道である。鉄道は水運に頼れない場所でも都市として発展することを可能とし、都市と都市を結ぶうえで信頼性の高い大量輸送手段として、都市の交易範囲を急速に拡大した。それまでの都市が人口数万規模であったのが100万規模にまで成長できたのも、都市が鉄道によって交易圏を大きく広げることができたということが大きい。

そこに自動車が登場したことで、人々は鉄道のような大量輸送手段に頼らず、個人で長距離を高速で、しかも出発地点から目的地までドアツードアで移動することが可能となる。さらに、フォードのモデルTはこれまでになかったマスマーケティングを展開。それにより先ほどの自動車に埋め尽くされた五番街の時代から、さらに13年後の1926年には、米国における自動車の登録台数は200万台近く、世帯普及率で30%を超えるという事態にまでになった。ここから米国は、自動車移動を中心とした都市の進化を見せることとなる。

モビリティが都市を形づくる

「形態は機能に従う」ということを端的に示すのが、モビリティの進化が常に都市の構造に大きな変化をもたらしてきたという現実である。馬車が都市内交通の主流となっていた欧米の都市では、先の五番街の変化に見られるように、スムーズに都市内交通を自動車へと移行し、そのまま都市と都市を接続するハイウェイへと進化していくこととなった。

たとえば、米国の都市においては、都市内交通を自動車に依存することを前提として、グリッド状に道路で分割して計画的に建設された都市が多いが、これらの都市では街区単位当たりの規模がヒューマンスケールを超えたものとなった。しかし、１９６０年代以降の高度経済成長期には都市が拡大し、住民の居住地が計画的に建設された範囲を超えるようになると、宅地が道路幹線沿いに虫食い状態で広がるようになり、郊外化が進むようになる。１９８０年以降、さらに都市を環状に取り囲む幹線道路沿いの郊外に発生した住宅密集地が、いわゆる都市へと発展するといった現象が起こるようになった。これを「エッジシティ」と呼ぶ。

エッジシティには、自動車利用を前提とした大規模ショッピングセンター、またそれに付随するようにオフィスも立地し、もともと中心部にあった大都市から多くの企業をひき付ける。さらにヒューマンスケールに欠いた大都市はコミュニティを維持できず、住民も流出し、衰退するという現象が１９８０年代から１９９０年代にかけて引き起こされた。

日本においては、19世紀末になっても馬車交通が発達せず、城下町においては細く複雑な道路が残っていたことから、明治維新後も鉄道・水運を優先せざるを得ず、都市間交通についても都市内交通についても、自動車より鉄道などの公共交通に依存した都市構造となっている。東京をはじめとしたわが国の大都市は、もともと明確な都市と郊外の境界線が存在せず、計画された放射線状に延びた鉄道網に沿って都市空間が無秩序に広がり、鉄道と鉄道の結節点（ターミナル駅）に商業が集積して、中核都市を形成するようになる。都市の経済規模が大きくなるにつれ、鉄道は延伸され、その沿線に住宅が建設され、またターミナル駅ができるとそこに商業集積が起こり、といった次第である。

このように、石油による内燃機関を使った自動車、あるいは発電によるモーターを使った電車というエネルギーとモビリティの進化は、そのまま都市4・0のあり方を規定したが、自動車を普及させ、満員電車での通勤に毎日耐えるという生活を、都市生活として当たり前にしたものは、実は新たなインフォメーション技術の進化だった。

400年ぶりに起こったインフォメーション技術革命

20世紀は、ラジオと映画という二つの「インフォメーション」技術の進化とともに幕が開いた。グーテンベルクからそれまでの400年以上の間、人々は意思伝達手段として文字だけに頼っていたわけだから、そのインパクトは極めて大きい。耳に訴えるラジオと目に訴える映画は、多くの人々により情緒的に語りかけ、心理的に操作することを可能とした。それを最初に最大限活用したのが、アドルフ・ヒトラー率いるナチスである。

ナチスが自らのプロパガンダを喧伝し、国民をコントロールするものとして最も重視したのが、映画とラジオだった。ヒトラーは、自らの著書『我が闘争』において、観衆は映画によって「潜在意識と感情に働きかけ、操作可能になる」として、映画の効果について極めて重視した。また、ドイツ国民のより身近に浸透するメディアとなったのが、ラジオである。ナチスが急ピッチで開発を推進し、実用化当初から大量生産されたのが、「ナチス特製ラジオ=国民受信機」であった。

このラジオの価格は従来の四分の一と格安に抑えられ、国民のほとんどが手に入れることができた。このラジオは、ナチスのプロパガンダで影響力の大きなメディアへと成長することとなったのである。

ナチスのアウシュビッツ強制収容所から生還したイタリアの化学者・作家プリーモ・レーヴィが「史上初めてヒトラーがかくも権力を持ち、暴力的行為を成し得たか、それはマスコミュニケーションという強大な武器を手にしていたからである。」[6]といみじくも語ったように、8千万人におよぶといわれる犠牲者を生んだ第二次世界大戦は、20世紀とともに花開いた映画とラジオというインフォメーション革命によって引き起こされたのである。

文字が都市1・0時代の都市を形づくり、活版印刷が都市2・0時代の都市を形づくってきたことはすでに見てきたとおりだが、史上最悪の被害をもたらした戦争を引き起こすこととなった20世紀のインフォメーションの進化は、ラジオや映画どころではない大きなインパクトを与えるものへと進化する。テレビである。

テレビという名の欲望の乗り物

テレビは大量生産・大量消費・大量廃棄という20世紀後半を象徴する経済社会そのものをつくり出した。これはグーテンベルク以来の一大革命であったと言ってよい。テレビ番組は人間のあらゆる欲望と感情を、毎日競って各家庭に届けた。これはラジオや映画でもある程度可能なものであったが、音と映像がセットになって世界中の家庭に届けられるという事態は、人類はじまって以来のことであった。

マーケティングにおいて、企業が消費者に対して広告などでメッセージを伝えるメディア（媒体）のことを、英語で「vehicle（ビークル）」とも呼ぶ。文字通り、メッセージを乗せる「乗り物」という意味である。20世紀のはじめ、フォードはモデルTの普及を狙って大々的に広告を展開したが、それらの広告が掲載されたのは雑誌や新聞であった。

雑誌や新聞だけでも自動車普及への貢献は大きかったのだが、「テレビ」という新たな乗り物の出現は、メッセージを単純な告知型から人々の欲望を喚起し消費を促す欲望創出型へと変化させることとなった。

テレビの広告（TVCM）は消費者に「消費」の意義を説き、消費を促すコミュニケーションとして作用した。もちろん，その情報発信主体は企業（＝法人）である。利潤の最大化をめざす企業は、人々を対象に購入を促進させることを目的とした一方向のコミュニケーションによって、その欲望をかき立て、思うままに操ったのである。

6 Béla Grunberger, Pierre Dessuant: Der Antisemitismus Hitlers. In: Béla Grunberger, Pierre Dessuant: Narzißmus, Christentum, Antisemitismus. Eine psychoanalytische Untersuchung. Klett-Cotta, Stuttgart 2000, ISBN 3-608-91832-9, S. 409-480, hier S. 474.

[図表2-4] LIFE誌（1908年10月号）に掲載されたフォード・モデルTの広告

出典：https://www.flickr.com/photos/thehenryford/3641577202/in/photostream/

——そして人間の欲望は拡張して都市となった

広告が社会経済システムに取り込まれたことで、人々は欲望を糧に労働し、金を稼ぎ、消費する、という一連の活動に第一義的な価値を置き、豊富な商品＝モノの所有とそこから得られる満足感というスパイラルを生成させ、大量生産・大量消費・大量廃棄というメカニズムが20世紀後半に構築されるようになった。そして、都市はそのメカニズムの基盤＝プラットフォームとなったのである。そこで注力されるのは、このメカニズムをいかにして「より多く、より早く、より効率的に、より確実に」駆動させるかというものであった。

都市2・0時代に貨幣が誕生して以降、人間は「金さえあればえらくなれる」という社会を生きてきた。さらに欲望を刺激することで、金をもっと手に入れ、もっと使いたいという欲望と満足のスパイラルを燃料としてきた。このメカニズムの基盤たる都市は、より多くの人々を引き込むことで、経済成長のエンジンとなった。企業＝法人は自らのリスクで都市開発への投資を行い、より高密度で経済性の高い都市を建設し、また欲望にかられた人間がそこに集まるということが繰り返される。

人間の欲望の拡張体と化した都市は、かつてないほどの歪みがもたらされた。人口の過密、それに伴う交通混雑や大気汚染、廃棄物による環境汚染、治安の悪化、人心の混乱…。挙げはじめたらキリがないほどだが、それを少しでも解消することを目的として、近代都市計画が誕生した。

3 近代都市計画の誕生と挫折

――近代都市計画の誕生

産業革命がいち早く起こったイギリスでは、19世紀中頃には都市の急激な拡大による「都市問題」を抱えていた。特に深刻だったのは、人口過密と住居と工場の混在による極めて不健康な環境である。住民を不健康な環境に追いやることは、産業革命下の経済成長を支える労働者を確保するうえで大きな問題であった。そこで1848年にイギリスで制定されたのが「公衆衛生法」である。公衆衛生法は規制によって都市問題の発生を未然に防ぐことを旨としており、これ以降の都市計画は同じ「未然に防ぐための規制」という思想の下に発展していくこととなる。たとえば、当時、工場と住居が一箇所に混在することで人々の健康が脅かされていたことから、工場から離れた場所で良質な住宅の供給を行うため、住宅関連の法律整備が進んでいった。

現在の都市計画制度はこの時期に生まれた概念に基づいている。すなわち、居住・工業・商業・公共など、その用途に応じて区分けをすることで、問題を未然に防ぐという考え方である。その手法は、計画許可制度によるもの、ゾーニング（用途地域規制）によるものと国や地域によって異なるものの、そのことによって、都市は極めて機能的かつ合理的なものへと進化することとなった。

都市機能を考えるうえで重要なのは、交通との関係である。前述の「モビリティが都市を形づくる」の言葉通り、近代都市計画は特定の建築物の規模を、周辺の交通施設規模に応じてコントロールするための規制を行った。すなわち容積率規制である。

容積率とは土地面積に対する建物の床面積の割合のことである。床面積が大きければ大きいほど、そこを訪れる人や住む人は増えるが、周辺の既存の交通施設の許容規模を超えると大渋滞と混雑が発生することとなる。そのため、周辺の交通施設状況を踏まえて、建築物の容積率を決定したのが容積率規制である。鉄道駅の近くや幅の広い幹線沿いだけに容積率の高いビルの建設が許されるのはそれが理由である。

——世界各国で理想とされた「田園都市」

経済成長とともに増え続ける人口、それに伴って発生する交通量の増大、住環境の悪化といった問題に対し、都市は結局耐えきれなくなってくる。都市4・0は、誕生した19世紀から現代に至るまで、人間が人間らしく暮らす生活を外へと追いやり続けることの繰り返しだった。

19世紀末、このような人間不在の都市に不満を持って「田園都市」を提唱したのが、イギリスのエベネザー・ハワードだった。田園都市とは、人口3万人程度と小規模、自然と共生した職住近接の自立型都市を都市周辺に建設しようとする構想で、都市の社会・経済的利点と、農村の自然豊かな生活を併せ持つ生活環境の実現を目的としていた。

これを受けて、とりわけわが国では、住宅を中心としたニュータウン開発が進んだ。開発を主導したのが、現在の阪急、阪神、東急といった電鉄企業である。東京では渋沢栄一が、現在の東急・東急不動産の母体となる田園都市株式会社を1918年に設立、理想的な住宅地「田園都市」として1922年に洗足田園都市を開発・分譲している。

ただし、渋沢の「田園都市」は「文明の利便と田園の風致」[7]という点を除くと、職住近接の自立型都市ではなく、ハワードの思想とは異なったものであり、それを独自に発展させ、現実化したうえで、経済的合理性も踏まえたものとなっている。渋沢は洗足田園都市の分譲ののち、住民の通勤、買物等の交通の便の確保のために子会社として目黒蒲田電鉄株式会社（現在の東急の母体）を設立しているが、「文明の利便と田園の風致」の下、住宅地を開発したうえで、住民の交通利便性のために鉄道を敷設するという開発手法は、関東に限らず関西における都市圏形成の基盤ともなった。

ハワードの「田園都市」構想はドイツや米国など世界各国に影響を与えた。米国では、ニューヨーク東部のクイーンズ地区にある、ラッセル・セイジ財団によって1908年に開発された「フォレストヒルズ・ガーデンズ」がその一つである。ロングアイランド鉄道でマンハッタン中心地から20分ほどで行ける、チューダー様式に統一された美しい並木通りと小さな公園に溢れた街で、現在もその趣を色濃く残している。

フォレストヒルズ・ガーデンズの開発主体であるラッセル・セイジ財団の研究員であり、その

［図表2-5］ ニューヨーク・クイーンズの「フォレストヒルズ・ガーデンズ」

出典：https://en.wikipedia.org/wiki/File:Forest_Hills_Gardens,_Queens,_NY.jpg

住民でもあったクラレンス・ペリーは、1924年、自らの生活経験からも着想を得た「近隣住区論」を提言した。近隣住区論は半径400m程の範囲に、人口5千人程度を想定していた。具体的には商店が軒をつらねる幹線道路で敷地を取り囲み、敷地内はコミュニティを支える施設として小学校、教会、コミュニティセンター、公園を、幹線道路沿いには商店などを配置するといったものであった。敷地内の道路はスピードが出しにくいよう曲がりくねった道などで構成することで住民を自動車交通から保護し、住民が歩いて回れる範囲内で日常生活を完結できるようになっていた。その狙いは、ヒューマンスケールの都市空間を計画的に形成することで、地域コミュニティを育成することにあった。

7 福島富士子（1997）『田園調布の計画の変遷について』、都市計画論文集32巻 p.55-60

このような近隣住区の考え方は「田園都市」構想とともに、第二次世界大戦後に日本を含む世界中で盛んとなったニュータウン開発に影響を与えた。ニュータウン開発の多くは戦後の人口増への対応として、住宅供給を主眼に政府主導で行われたが、その結果として、現在の都市計画制度はこの時期にできた住宅供給関連の法律や概念からも影響を受けている。

「理想の都市」に対する批判

一方で、1960年代に入って、このような「理想」に基づいた機能的かつ合理的な都市開発に対して、多くの批判が提起されるようになる。米国のノンフィクションライターであり活動家であったジェイン・ジェイコブズが1961年に出版した、その著書『アメリカ大都市の死と生』[8]において、都市を有機体として捉え、近代都市計画に強烈な批判を浴びせた。ジェイコブズは、ハワードの田園都市を「メトロポリスの複雑で多面的な文化生活をあっさり無視しました」と言い切ったうえで、以下のように言及している。

「かれは、大都市が自警したり、アイデアを交換したり、政治的に動いたり、新しい経済的な仕組みを生み出したりする方法といった問題には興味がなく、こうした機能を強化する方法も考案できませんでした。」

つまり、本書でこれまで都市1・0から4・0に至る歴史で語った「都市が都市たるゆえん」を、田園都市の思想はまったく考慮していないとして批判したのである。

ジェイコブズが近代都市計画を批判した1950年代後半から1960年代にかけては、米国の経済が絶好調にあり、米国の都市は郊外へと移転し、人々は自動車中心の消費社会を享受するような黄金時代だった。一方で、大都市中心部は急激な人口増に耐えられるインフラもなく、住環境も悪化、人々が都心から郊外へと転出したあとに残された場所は荒廃しきっていた。

その中で、荒廃した大都市のスラム街の再開発が近代都市計画の手法に基づいて行われたのだが、それにジェイコブズは反旗を翻した。ジェイコブズは、都市それぞれに固有の魅力があると訴え、それを生かすための人的かつ物理的条件を提示したのである。

こうした人的かつ物理的条件という観点でジェイコブズと通じるのが、米国の都市計画家でマサチューセッツ工科大学教授でもあるケヴィン・リンチが、その著書『都市のイメージ』（1960年発行）で提示した考えである。ケヴィン・リンチは、都市に暮らす人々の視覚・心理・行動様式に着目し、理想的な都市の姿とは、人々によってイメージされる可能性を高めやすい形に都市をデザインすることであるとした。つまり、人間中心に都市を捉え、それに合わせて物理的に整備することの重要性を説いたのである。

8 本書におけるジェイン・ジェイコブズ『アメリカ大都市の死と生』に関する言及は、鹿島出版会から2010年に発行（訳者：山形浩生）された翻訳本の内容および訳者解説に拠っている。

「複雑系の創発的な秩序」と「ネットワーク理論」

こうした批判以上にジェイコブズの論における重要な点として、彼女の『アメリカ大都市の死と生』日本版を翻訳した山形浩生は、次の二つを挙げている。

一つは、「数多くの機能や人々の複雑な絡み合いから生じる、複雑系の創発的な秩序」こそが、都市の活力であるという。もう一つは、都市において重要なのは、「何人かやたらに顔の広い人が核となっていること、ほかのコミュニティとの連帯が必要になったとき、重要な役割を果たすのは周縁部にいる、関係の薄い人」であるという、人的ネットワークの重要性についての指摘である。[9]

前者について、ジェイコブズはのちに複雑系の研究に影響を与えたウォーレン・ウィーバーの1958年の論文を引用し、都市の問題は生命科学と同じ「組織だった複雑性」の問題と指摘している。これは2014年にマサチューセッツ工科大学教授のアレックス・ペントランドがその著書『ソーシャル物理学』で提示した都市のビッグデータを解析したうえで導きだした考えにも繋がる。

後者に関しては、ジェイコブズは近隣住区論について「居心地よい内向きの都市近隣という理想」はでっち上げであると断言したうえで、都市空間を作法通りに綺麗につくっても意味がなく、コミュニティを機能させることの重要性を主張している。これは現在スタンフォード大学教授であるマーク・グラノヴェッターが1973年に発表した「社会的ネットワークをまとめあげているのは、まさに〝弱い紐帯の強み〟（"The Strength of Weak Ties"）である」という仮説と同一であり、また1998年に「スモールワールド現象」としてコーネル大学教授のダンカン・ワッツらがモデル化した考えでもある。そしてこれは、都市というフィジカルなフィールドを離れ、現代のソーシャル・ネットワーキング・サービス（SNS）というサイバー上のゆるやかな人的つながりにおいてこそ、相互扶助の意識が高まったり、新たなムーブメントが起きたりするという議論にも通じる。

ジェイコブズが都市の住民の観察だけで、ここまでの考察にたどり着いたのも驚きではあるが、この二つの指摘は、これからの都市5・0を考えるうえで、極めて重要なものである。

理想の都市とは？ そして都市5・0へ

1970年代から1980年代への年を経て、欧米では都市計画の課題が、大都市都心の老朽化・空洞化・スラム化、あるいは歴史的建造物の保全再生に移ったこともあり、ジェイコブスが批判したような機能主義的な都市開発は否定されるようになる。ところが、1990年代に入ると、田園都市や近隣住区が唱えたような、理想的な都市のあり方が再び注目を集めるようになった。それが、イギリスにおける「アーバンビレッジ」、米国における「ニューアーバニズム」、ヨ

9 ジェイン・ジェイコブズ、山形浩生訳（2010）『アメリカ大都市の死と生』p.136-137, p.482

ーロッパおける「コンパクトシティ」である。

わが国では「コンパクトシティ」が最も耳なじみがあるが、いずれも「持続可能な都市」という観点で、住民参加を前提に、さまざまな階層の人々が混在するコミュニティ形成をめざし、過度な自動車依存を解消するために、鉄道やバスなどの公共交通や自転車を基本とし、ヒューマンスケールで職住近接生活を想定した、比較的人口密度の高い都市構造を目標とするというものである。

ところで、近年の「ＭａａＳ（Mobility as a Service）」への関心の高まりというのも、実はそのような潮流が背景にあることは留意しておくべきである。

ＭａａＳとは文字通り「サービスとしての移動」という意味で、つまり「需要に応じてアクセスできる、さまざまな形態の輸送サービスを一つに統合したモビリティサービス」（ヨーロッパの官民団体 The MaaS Alliance による定義[10]）という、もともとフィンランドで生まれた考え方である。具体的には、鉄道、バス、レンタカー、タクシー、レンタサイクル、航空機といった多様な交通手段を、移動したい個々人のニーズと状況に合わせてパッケージ化し、それを定額で提供するというようなサービスをイメージしている。

そのようなサービスによって、人は個々の事情に合わせて好きな場所に効率的に移動することが可能になるだけでなく、自動車を所有することから解放され、環境汚染を低減し、道路や駐車場に用地を多く確保することもなくなる、という考え方であり、あくまで移動において、人の生活の豊かさを阻害している過度な自動車依存の現状をいかに変えていくか、という問題意識が根底にある。

わが国でＭａａＳというと、どちらかというと、自動車産業の生き残り策として、「移動」に関わる産業がどう変わっていくべきか、というような議論になることが多い。ＭａａＳに似た言葉で、ＣＡＳＥ（Connected, Automated, Shared & Service, Electric）という概念がある。これは、２０１６年のパリモーターショーにおいて、ドイツのダイムラー社ＣＥＯでメルセデス・ベンツ社会長のディーター・ツェッチェ氏が発表した中長期戦略の中で用いたのがはじまりである。自動車がネットワークで繋がり、自動運転化され、ライドシェアされ[11]、ＥＶ（電気自動車）化する、ということで、今後の自動車メーカーの戦略として注力すべき技術開発や事業開発分野について述べたものである。

つまりＣＡＳＥの方が、わが国でイメージされるＭａａＳのイメージに近い。こちらは、現状の交通の多くを押さえている自動車メーカーが今後、いかに生き残るか、という移動手段の供給者側からの視点である。反対にＭａａＳは人が移動することで発生するあらゆる問題をいかになくし、特に都市生活において人間らしく自由を享受できるかという移動手段の需要者側の視点なのである。

欧米においては、自動車への過依存という問題意識が根本的な背景にあって、ＭａａＳが提唱

10 https://maas-alliance.eu/homepage/what-is-MaaS/に記載の英語の定義を筆者が翻訳
11 文字通り、ライド（乗ること）をシェア（共有）すること。移動したい人とドライバーを結びつけ、自動車による移動をシェアするサービスのこと。

されているという状況に対し、私たち日本人は無頓着であり、むしろそれを実現する要素技術やビジネスモデルに着目しがちだ。しかし、それでは、都市の理想の姿は何かという議論にたどり着くことすらできない。

人間拡張の究極として全世界を席巻し、未だに拡張し続ける都市は、失敗と成功を繰り返しながら、本当に理想としている姿が何なのか、答が出ないまま現在に至っているのが現実である。ジェイコブズが半世紀以上前に指摘した、都市における人と人のネットワークを完全に可視化することが可能になった現代、果たして都市はどのようにあるべきなのか？　インターネット社会が進展し、「サイバーとフィジカルが融合する時代」が現実のものとなりつつある現在までを、次章で見ていきたい。

第3章　サイバーとフィジカルが融合する時代

1　Web1.0がもたらした都市の変化

インターネットの登場

都市4・0の時代、テレビは人々の欲望の種を刺激し、次から次へと欲望の再生産をすることで、大量生産・大量消費・大量廃棄という経済社会を生み出し、都市は欲望の拡張となった。

テレビが全世界で栄華を誇っていた1980年代、のちにテレビを駆逐することとなるインターネットの研究が、米国を中心とした欧米諸国で進められていた。当初は研究目的の利用がメインだったが、1989年にスイスのジュネーブ郊外にある欧州原子核研究機構（CERN）に所属していたティム・バーナーズ＝リーがWorld Wide Web（WWW）、すなわちウェブを発明し、翌年に世界初のウェブページが公開されると、状況は大きく変わることとなった。特に、1990年代前半に商用目的でインターネットへの接続サービスを提供するインターネット・サービス・プロバイダーが多く現れると、一般的に広く使われるようになる。さらに、ウェブブラウザの普及とともに、1994年にヤフーがアクセスしたいウェブページを探すためのウェブディレクトリサービスを、1995年にアマゾンがオンライン書店のサービスを開始、1998年にはグーグルが検索エンジンサービスを開始するようになると、世の中は一変する。

Web1・0：フィジカルからサイバーへの移行

この頃のインターネットサービスは、フィジカル（実世界）にあったものがサイバー（コンピュータネットワーク）に移ったことによって、インターネット接続端末さえあれば、誰でもどこからでもアクセスできるようになったという点で、極めて革命的であった。言い換えると、従来の新聞や雑誌、会社案内などがサイバー上で見られるようになった、というだけのものであったが、その当時はそれだけで大革命だったのである。

当時のインターネットサービスは、あくまで情報提供側から情報取得側への一方的なもので、双方向性がないということで、のちに古臭いという揶揄的な意味合いも含んでWeb1・0と呼ばれるようになるのだが、この1990年代から2000年代前半のWeb1・0時代に誕生したのが、アマゾンでありグーグルであった。なかでも、都市への影響ということでは、アマゾンがは

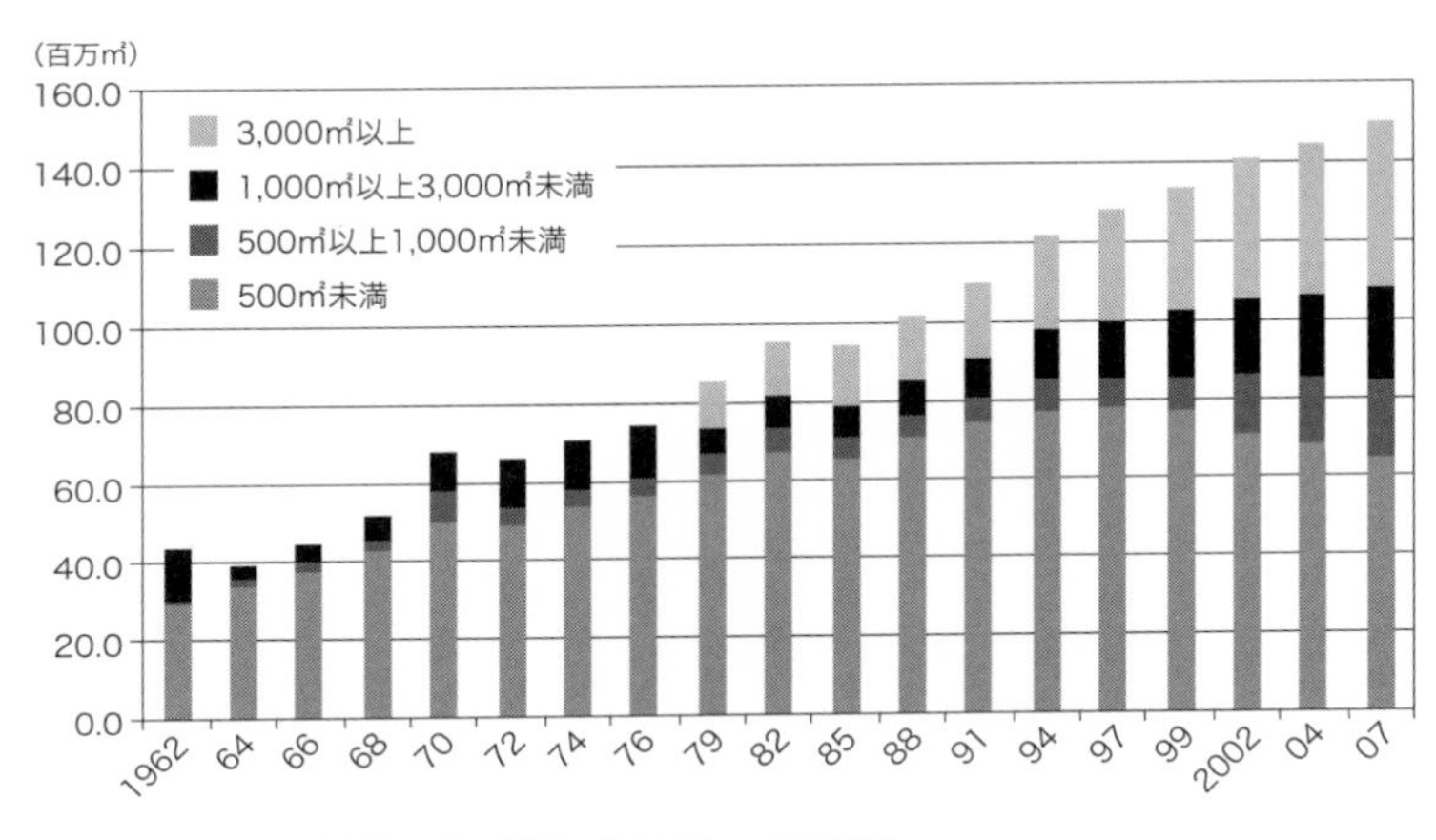

［図表3-1］ **規模別店舗総面積の推移（1962年〜2007年）**

出典：中小企業庁（2007）『2007年版中小企業白書』および経済産業省（2007）『平成19年商業統計表』より筆者作成

じめたEコマース（以下、EC）は明らかに、現在進行形で都市の構造を変えようとしている。

図表3-1は、わが国における店舗規模（床面積）別に見た店舗総面積の推移を、戦後の高度経済成長期からWeb1.0の頃に至るまでのおよそ40年でみたものである。これを見ると、店舗規模を問わず一貫して続けてきた店舗総面積の増大が、1990年代後半になると3000㎡未満の店舗について急激に鈍化している。特に500㎡未満の店舗においては1997年を境に急激に減少しており、小規模店舗が減少していることがうかがえる。[1]

2000年代はじめのEC市場規模は小さかったため、どれだけ実店舗である「フィジカル」に影響を与えたかについては、実感をもって語られることはなかった。それでも、実は早い段階から、着実に「フィジカル」はEC化率（売上に占めるEC経由売上の割合）が急速に進んだ書籍や文房具、家具や家電などを取り扱う店舗を中心に「サイバー」へと移行しつつあった。

――減少するフィジカル空間

図表3-2はこれらの店舗の国内総面積を比較したものだが、小売業全体での総面積は一貫して右肩上がりにもかかわらず、1999年を境にその伸びが停滞し、なかでも書籍・文房具は減少傾向へと移行していっている。この年は、先にみた3000㎡未満の店舗の伸びが停滞し、500㎡未満の店舗の総面積が減少しはじめた年（1997年）の次の調査年である。

ちなみに、書籍・文房具を取り扱う小売店舗は1997年から2007年の10年間でおよそ2万店舗が消え[2]、一方で1店舗当たりの面積は60㎡強から100㎡弱へと1・5倍以上大きくなっている。これは、小規模店舗が次々と廃業し、大規模店へと移行していることを示唆しているが、それでも総面積は減少、というのが実態である。

これらの書籍・文房具や家具・家電等は、2017年時点でEC化率が20～40％となってい

1 同時期に大規模店舗が急激に増加しているのは、日米の貿易格差を問題視して日本市場の開放を求める米国からの政治的圧力を背景に、大型店の出店を規制していた大規模小売店舗法が1990年代に入ってから要件緩和され、2000年には廃止された影響が大きい。この時期、都市郊外のロードサイドに大型店が多数進出する一方で、都市の中心市街地が衰退し「シャッター商店街」などという現象が一気に進んだことは、極めて象徴的だ。

2 商業統計では「事業所」となっており、その定義は「有体的商品を購入して販売する事業所」であるが、ここでは読者がわかりやすいように「店舗」を用いる。

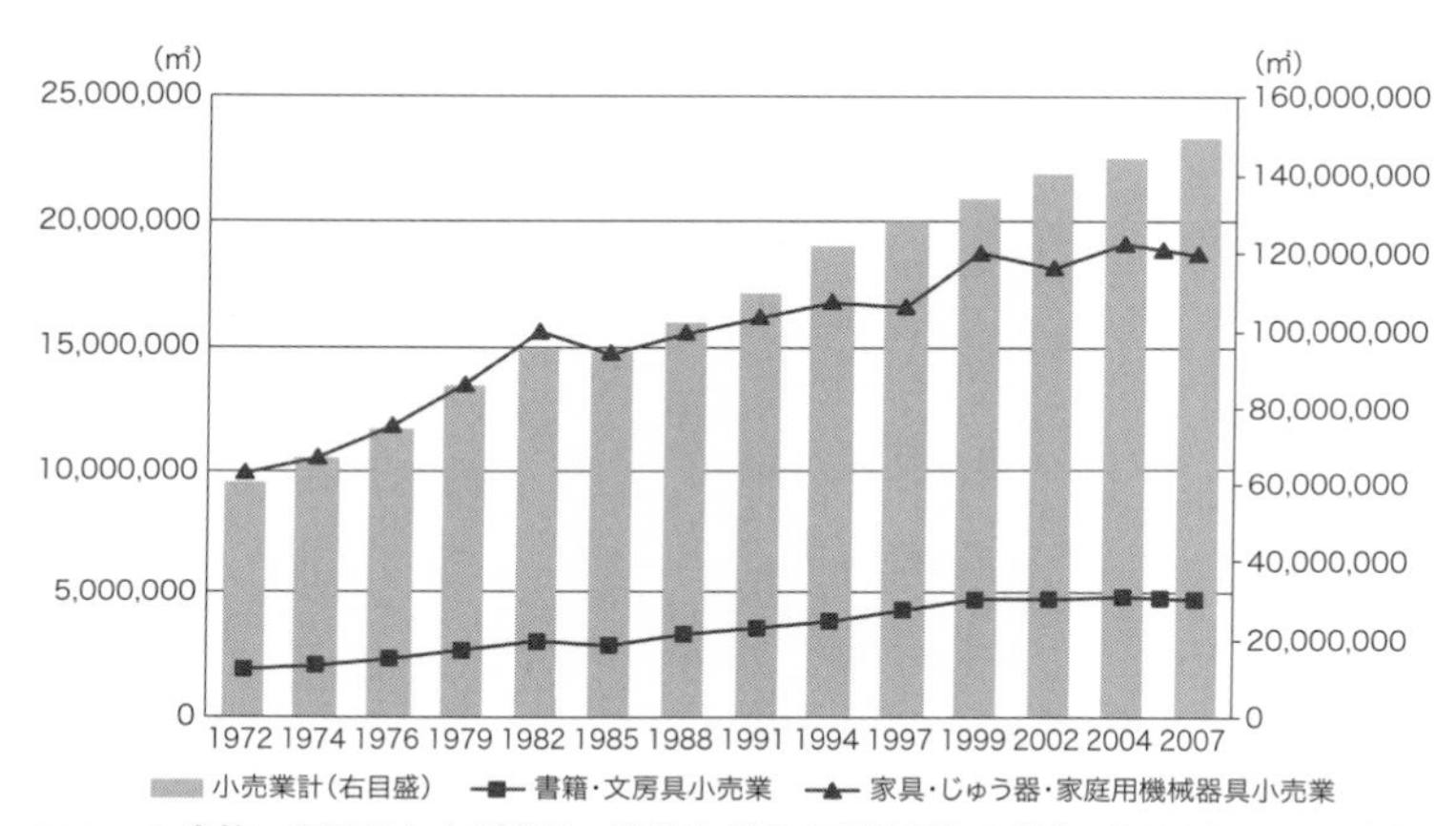

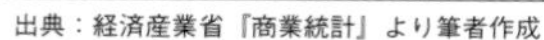

[図表3-2] 書籍・文房具および家具・家電などの店舗総面積の推移(1972年〜2007年)

出典:経済産業省『商業統計』より筆者作成

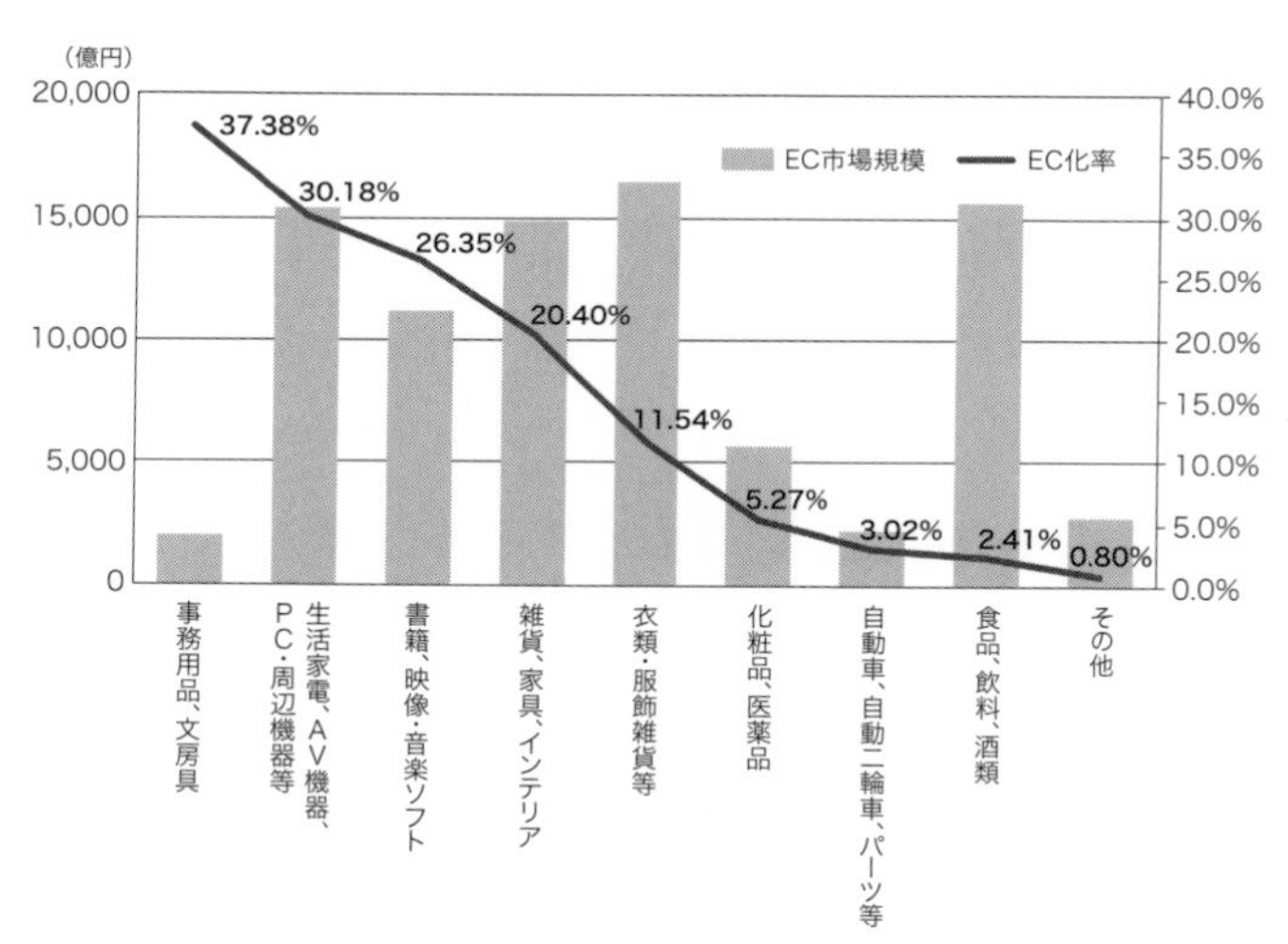

[図表3-3] 物販系の小売市場におけるEC市場規模とEC化率(2017年)

出典:経済産業省(2018)『平成29年度わが国におけるデータ駆動型社会に係る基盤整備(電子商取引に関する市場調査)』図表4-10より筆者作成

る（同じ年のわが国での小売業全体のEC化率は6・8％）。かつてEC化が難しいと言われていた衣類・服飾も、EC化率としては10％程度ではあるが、EC市場規模としては最大となっており、市場の伸び率も7～8％となっていることから、今後もさらに「フィジカルからサイバーへの移行」が進展していくことが予想される。古臭いという揶揄も含めて名付けられたにもかかわらず、Web1・0は現在進行形で都市のあり方に大きなインパクトを与え続けているのである。

とはいえ、都市構造にインパクトを与えるレベルまで、大幅に店舗の床面積が減少しているわけではない。このインパクトが顕在化するのはもう少し先の話になるであろう。現在、Web1・0、あるいはこの時代に生まれたECは、店舗よりむしろ、別の領域で大きなインパクトを都市に与えている。

盛り上がる大都市圏における大規模物流施設需要

ECの最大のメリットは、家に居ながらにして商品を発注し、受け取ることができるということである。買物をするために出かける必要がない代わりに、買ったモノが家に来てくれる。それを可能にしているのが「物流」である。これは日本国内に限らず、世界中の都市で起こっている現象である。

消費需要の高い大都市圏の交通利便性の高い場所に、1万㎡を超えるような大規模物流施設を新たに配置することで、都市住民の買物需要に応える動きが近年加速している。このような大規模物流施設の特徴として、単なる保管目的の倉庫ではなく、高度な仕分け・荷さばきなどが可能な機能を有することが求められている。それは、大都市部を中心に即日配達サービスなどの迅速な対応をする必要があるからである。一部の施設では、ＡＩを搭載したロボットが人もまばらな倉庫内を走り回るといったものもある。

このような大規模物流施設に対する需要は、かつてなかったレベルで盛り上がっている。わが国ではマルチテナント型と呼ばれる賃貸型物流施設の需要が最高潮となり、２０１９年の７〜９月期には、首都圏の大型マルチテナント型物流施設の空室率が過去15年間中で最低の２・４％を記録するなど活況を呈している。[3]

わが国における大型物流施設の需要の高まりを先んじてつかんでいた大手不動産会社の多くは、２０１０年代のはじめに相次いで物流施設開発事業に参入している。三菱地所は三井物産とともに２０１１年に特定目的会社を設立、大和ハウスは２０１２年に大都市周辺に２〜３年のうちに６００億円を大型物流施設開発に投じることを発表、三井不動産も２０１３年に本格参入を宣言し、６年間に２千億円を投じるとした。

加速する大規模物流施設の大都市圏への立地

前述のとおり、このような大規模物流施設は、ＥＣを利用する消費者が多く居住する都市の交通要衝など利便性が高く、かつ1万㎡以上の規模が可能な場所という希少性の高い立地が求めら

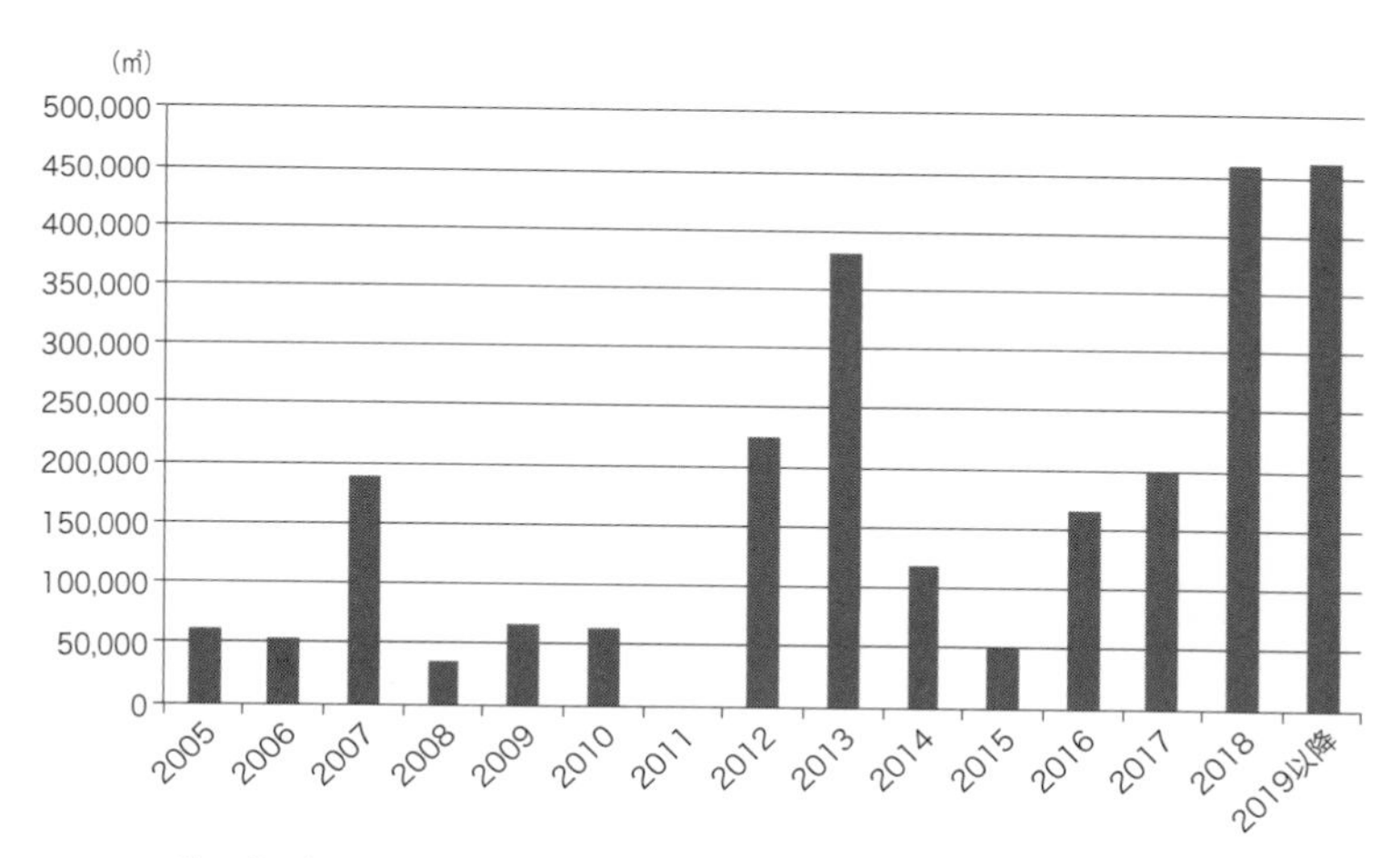

[図表3-4] 竣工年別にみた主要EC事業者による大規模物流施設の延床面積の推移

出典：https://ecclab.empowershop.co.jp/archives/47386より、対象とした主要ＥＣ事業者のうち、竣工面積と竣工年が明らかなものについて、公開データのみを元に筆者が抽出・作成

れるが、その種地になったのが、かつてのわが国の経済成長を支えた工場用地である。

２０１４年、パナソニックがブラウン管カラーテレビやプラズマテレビの主力工場だった大阪府茨木市の事業所用地（約12万㎥）を大和ハウスに売却した。この地は、名神高速道路茨木インターチェンジに近く、関西国際空港や大阪国際空港、大阪港、神戸港へも短時間で到達できるといった好立地となっている。大和ハウスは２０１７年総合物流ターミナル「関西ゲートウェイ」として施設をオープン。規模は敷地面積６・４万㎡、延床面積９万㎡。現在はヤマト運輸のほかに、ＥＣ事業者であるアマゾンなども入居している。

3 CBRE「ロジスティクスマーケットビュー ２０１９年第３四半期」より

ＥＣ市場の拡大によって、従来はヤマト運輸、佐川急便、日本郵政といった宅配事業者の物流拠点に依存していたアマゾンを筆頭とするＥＣ事業者は、ここ数年、自社物流センター構築へと大きく舵を切っている。

図表3-4は楽天、アマゾン、アスクル／ロハコ、ＺＯＺＯ、千趣会、ディノス、ショップチャンネル、ヨドバシカメラ、セブン&アイ、ファーストリテイリング、ＳＨＯＰＬＩＳＴといった主要ＥＣ事業者が、２００５年以降に竣工した（竣工予定含む）大規模物流施設の竣工延床面積の推移を表わしたものである。これを見ると２０１０年代に入ってからの増加が顕著である。

宅配需要の増大とドライバー不足

このような動きの背景には、当然のことながらＥＣ化率の増大に伴い、宅配便の取扱個数が増加し続けていることがある。図表3-5に見られるように、特に２０１０年代に入ってからの伸びは著しい。２０１７年前後には、配送業者のドライバー不足からくるドライバーの長時間労働が問題となり、配送業者が値上げをすることで需要をコントロールしようとしたが、その需要は拡大する一方である。

今後さらにＥＣ化率が高まることを見越して、配送業者とともに、ＥＣ事業者もさまざまな対策を打っている。ＥＣ事業者による大規模物流施設の整備もその一環ではあるが、これは増大する需要に対して処理効率を高めるに過ぎず、絶対的な需要に対する配送能力の供給が必要となる。

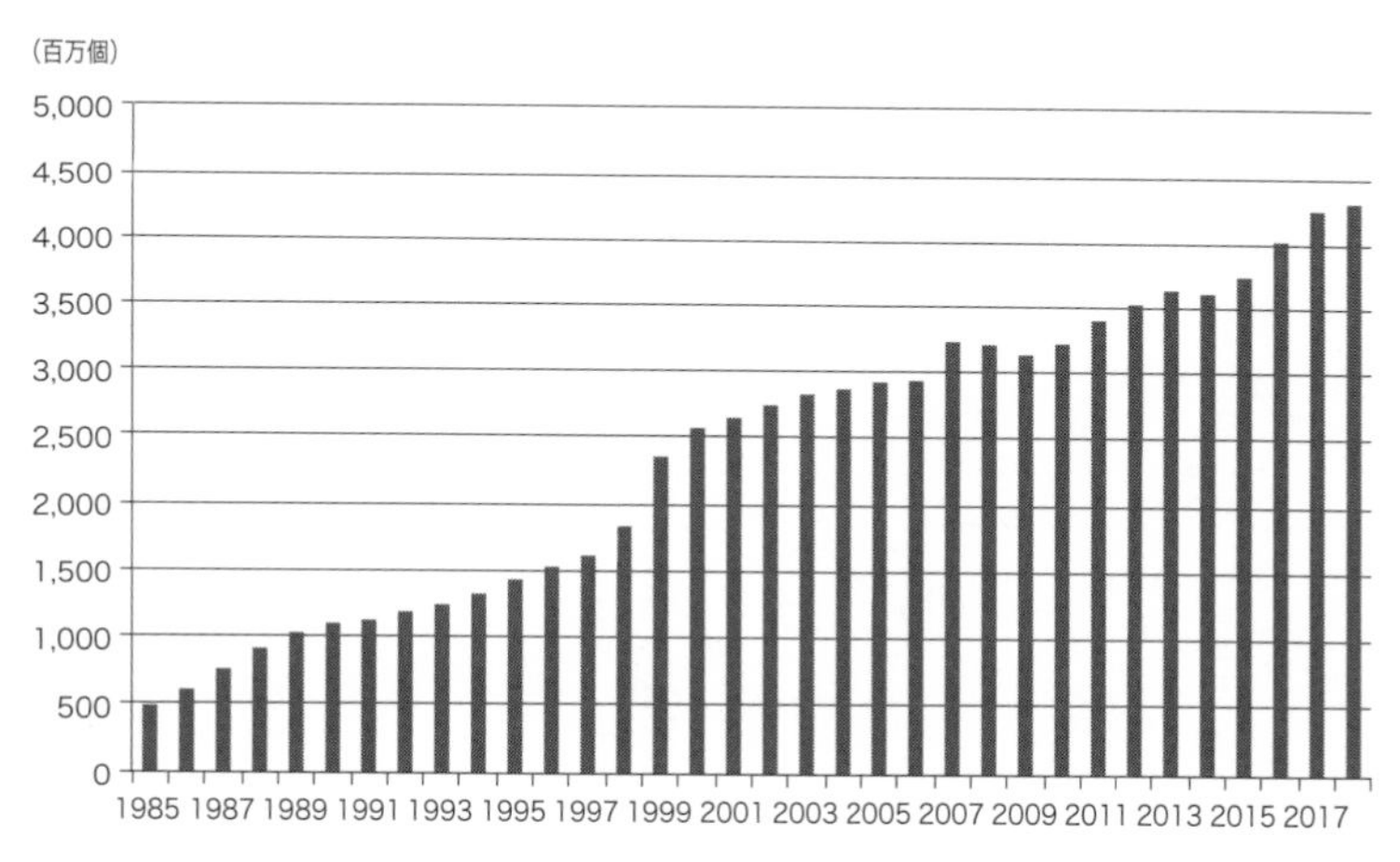

[図表3-5] 国内宅配便取扱個数の推移（1985〜2018年）

出典：国土交通省『平成30年度 宅配便等取扱個数の調査』

たとえば、わが国における配送における非効率性は、配送先不在による再配達率の高さに因る部分が多いとされるが、それが解決されたとしても、ドライバーをはじめとした配送力を大幅に増強する必要がある。

配達力増強に向けた諸外国の取り組み

対策としては、ドローンなどによる機械化も考えられるが、それ以前にやれることがある。

たとえば、ＥＣの普及が早く、ＥＣ化率が日本の二倍となっているドイツでは、わが国でボトルネックとして大きい再配達は基本的に行っておらず、隣人に預ける仕組みが一般的である。そのうえで、都市内の物流センターから各戸への配送人員の確保については、

［図表3-6］ドイツポストDHLのパックステーション

出典：https://commons.wikimedia.org/wiki/File:Schl%C3%BCsselfeld_Packstation_1273116.jpg

ネットワーク化された個人が自家用のミニバンで配達するといったことが行われている。

その背景には、日本と異なり、ドイツでは運送事業に関する営業ナンバー制がないということが大きい。ただし、結果としてドイツの運送サービスのレベルは日本ほど洗練されておらず、トラブルも発生しがちだという問題がある。

そこで現れたのが、2002年にドイツポストDHLがはじめた無人小包自動受け渡しロッカー「パックステーション」である。パックステーションは2017年末時点で、ドイツ国内の1600以上の市町村に約3400台（ロッカー数34万個）が設置されている。パックステーションは事前登録をしておけば誰でも利用可能で、受取人が不在で自宅で受け取れない小包をこのボックスに転送してもらい、24時間いつでも好きな時間に小包が受け取れるシステムである。利用登録者数は同じく2017年末時点で800万人以上、ドイツ人口の90%が10分以内にどこかのパックステーションにはたどり着けるように配置されている。

パックステーションはドイツだけでなく、オーストリアとオランダでも導入されており、現在、パックステーションと類似の装置約4900台からなる欧州ネットワークを展開している。ドイツ国内でも今後、従来型のパックステーションが設置できない場所には、より小型のパックステーションを導入するなど、さらにネットワークを拡大することとなっている。

一方で、EC事業者が自ら配達ドライバーをネットワーク化することで、高いサービスレベルを維持しつつ、増大する需要に対応することで支持を得ているのが、韓国の「クーパン」である。クーパンは韓国で最大の売上高を誇るモール型ECサイトで、2018年11月にはソフトバンク・ビジョン・ファンドから20億ドルの追加出資を得ている。クーパンは、わが国が最近になって力を入れはじめたように、全国拠点の物流センター建設や雇用増に以前から力を入れているが、ユニークなのが「クーパンマン」という配送専門スタッフを自らネットワーク化し、配送専門業者に頼ることなく、「ロケット配送」と呼ぶアマゾンのような即日配送サービスを実現したことである。

韓国のEC化率は12%を超え、世界でも三本の指に入るほどであるが、アマゾンすらも参入できていないほどの競争の激しさである。その中で、クーパンは「クーパンマン」を2016年時点で3千人、それを数年かけて数万人規模でネットワーク化することで、さらにビジネス規模を拡大する方針だ。ここのポイントは「クーパンマン」と呼ぶ個人を全国津々浦々に自らネットワーク化したことが、顧客に対して高いサービスレベルを保証しつつ、拡大するEC需要にも応えているということである。

Web1・0が都市に与えたインパクト

人と人の交易が都市を生み出し、交易のあり方の変化とともに、都市のあり方が変化してきたということは、第1章からこれまで見てきたとおりであるが、インターネット普及の第一フェーズともいえるWeb1・0の時代に勃興したECもまた、都市のあり方を変えようとしている。

その変化はまだ都市4・0の範疇を超えないものである。人間の欲望の拡張として発展してきた都市4・0時代の都市が、インターネットの登場とともに、その欲望を処理するための最適化を進めている段階である。

もっと早く、もっと簡単に、もっと多く、という際限のない人間の欲望に対応するために、都市にどのような機能を付加し、それを運営していくか？　という課題を私たちに突きつけたにすぎない。

2 Web2.0がひき起こしたデータ駆動型分権社会

スマートフォンとソーシャルメディア

2008年7月11日、日本でiPhone（iPhone3G）が初めて発売された。それから十余年の変化は、読者の誰もが実感していることだろう。それより早く世に出たフェイスブック（2004年）やツイッター（2006年）などのソーシャルメディアは、iPhoneやその後に続く数々のスマートフォンによって瞬く間に普及することとなる。

ソーシャルメディアの誕生に先立つ直前の2005年頃、コンピュータ関連の書籍出版などを行う企業であるオライリーメディアの創設者ティム・オライリーによって、Web2.0という概念が提唱された。

〝旧来は情報の送り手と受け手が固定され、送り手から受け手への一方的な流れであった状態が、送り手と受け手が流動化し、誰でもがウェブを通して情報を発信できるように変化した。これを私はWeb2.0と呼ぶ。〟

その頃、すでにブログが存在し、あらゆる個々人が簡単にウェブ上で情報発信を行い、ブログを訪れた人とやりとりを行うということが可能となっていた。そのような変化を捉えて、それまでの情報のやりとりがあくまで一方向だった時代と対比して、Ｗｅｂ２・０と名付けたのである（結果として、それ以前がＷｅｂ１・０と呼ばれるようになる）。

ソーシャルメディアとスマートフォンの登場は、その潮流を大幅に加速させることとなった。人々は文字通り自らのポケットに入った端末から、自分の情報や意見を発し、それが瞬く間に世界中に広がり、多くの人たちを動かすことが可能となった。ソーシャルメディアは、それまでのマスメディアよりも早く個人から情報が発せられ、場合によってはマスメディアより大きな影響を持つ存在となったのである。

――エコーチェンバー現象が招く社会分断

最近のイギリスのＥＵ離脱（Ｂｒｅｘｉｔ）の是非を問う国民投票の結果や、米国においてドナルド・トランプが大方の予想に反して大統領に当選したトランプ旋風などの現象は、この二つのメディアの進化の影響を大きく受けていると考えられる。

この二つの投票の結果は、いずれもマスメディアが行った世論調査に基づく予測とは異なる結果であったが、ソーシャルメディア上の人々の発言をウォッチしていれば、結果は十分に予測できたと言われている。特にドナルド・トランプは、前大統領バラク・オバマがそうであったように、ソーシャルメディアをうまく活用した。特に不特定多数にメッセージが拡散する効果の高いツイッターを使って、自らの支持者に対して頻繁に自らのメッセージを発信（ツイート）した。同時に、メッセージを受け取った人々も、さまざまなメッセージをツイッター上にツイートした。人々が発したトランプに関するツイート数は大統領選の投票開始からおよそ二日の間だけで490万回以上に上り、対抗候補のヒラリー・クリントンに関するツイート数270万を圧倒した。

ソーシャルメディア上では「エコーチェンバー現象」が起こりやすい。この現象は、閉鎖的な空間でコミュニケーションが繰り返されることで、特定の考えが増幅または強化される状況が、音楽録音用の「残響室＝エコーチェンバー」に似ていることからの比喩表現である。特にツイッターやフェイスブックでは、自分がフォローしている人の投稿とフォローしている人がシェアした投稿以外を目にすることがあまりなく、また自分が「いいね」などで反応している人が優先的に表示されるため、自分が求める世界が世の中の趨勢だと思い込みやすい。

ツイッターは、本来は世界に開かれたオープンな場所として「公開討論」を行うことで、かつて民主主義が都市の広場で生まれたようなムーブメントを起こすとして、自ら「グローバルタウンスクエア」と称したこともあった。実際は多勢に無勢、個々人のレベルでは閉鎖的な空間となっているコミュニティ内で異なる意見はかき消され、多勢と同じ意見を発すれば増幅効果となって、まるでこだまのように自分の意見がコミュニティの中で響き渡る、といった状況を生むこととなる。

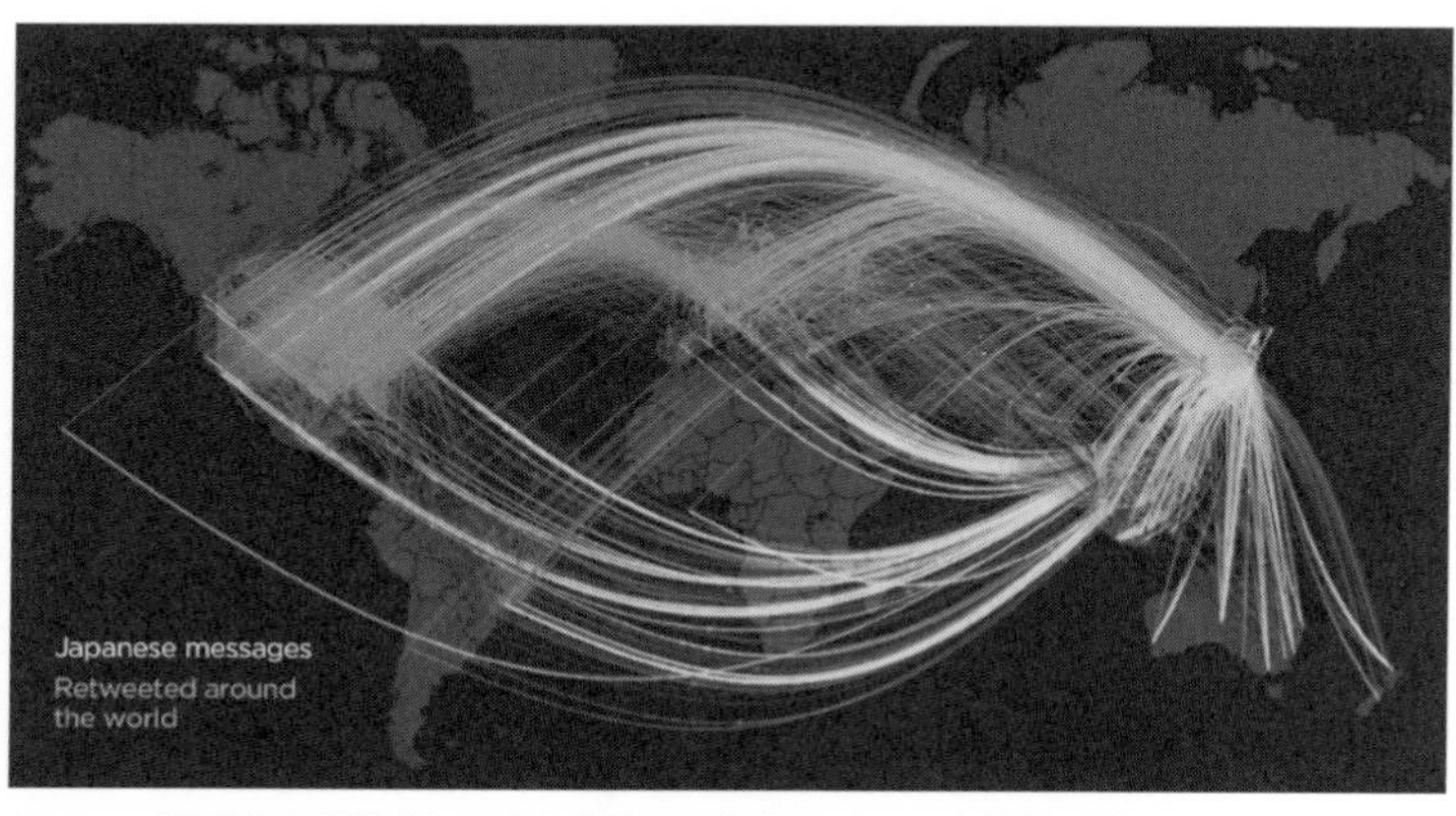
Japanese messages
Retweeted around
the world

［図表3-7］東日本大震災時に日本から発せられたツイートと拡散の様子

出典：https://blog.twitter.com/official/en_us/a/2011/global-pulse.html#

現代のアゴラ＝グローバルタウンスクエア

このような状況は、ソーシャルメディア以前もみられていたが、ソーシャルメディアによって、スピードが圧倒的に加速され、またその影響の範囲も格段に広くなったことが大きな違いである。

図表3-7は、2011年3月11日午後2時46分、東日本大震災が発生した瞬間からわずか30分の間に、日本から発せられたツイートが世界中にどのように拡散していったかを示したものである。このとき通常の5倍以上、1分間に5千を超えるツイートが日本に住む一人ひとりから発せられ、瞬く間に世界中に広がったのが見てとれる。

これだけのスピードと規模をもってリアルタイムで情報が拡散するということは、個人レベルではあり得ないことだった。

人々はこの力を手に入れたことで、それまで都市における居住地や勤務地というフィジカル空間だけに存在していた社会分断をサイバー空間に持ち込むこととなった。そして、それがさらに加速・増幅され、結果的に社会というフィジカル空間にフィードバックされ、社会分断をさらに強固にする事態を生み出した。

皮肉なことに「グローバルタウンスクエア」とかつて自称していたツイッターは、古代ギリシアでアゴラが民主主義を生んだように、それまでの民主主義の担い手たちに不満を持った人々に新たな民主主義の武器を与えたが、それが社会分断を加速する結果となってしまったのである。

――可視化される「都市の脈動」

スマートフォンとソーシャルメディアの組み合わせは、私たちがそれまで知りたくても知ることのできなかった情報を入手することを可能とした。

これまで見てきたように、産業革命は都市の急速な進化と成長を促し、一方でさまざまな問題を引き起こしてきた。それらの問題の対処は、都市を運営する行政府が中央主権的に施設や制度を整備して、時間をかけて行っていくという方法に任されてきた。

しかし、まさにこの瞬間にも事故が、犯罪が、災害が、そして伝染病が発生しているのが現実であり、それを中央集権的に計画的に対処していくだけでは限界がある。けれども、世の中の変動を、それぞれの都市における「都市の脈動」としてリアルタイムに把握し、把握した情報に基づいてダイナミック（動的）に対応できるようなシステムを構築することができれば、自律的に

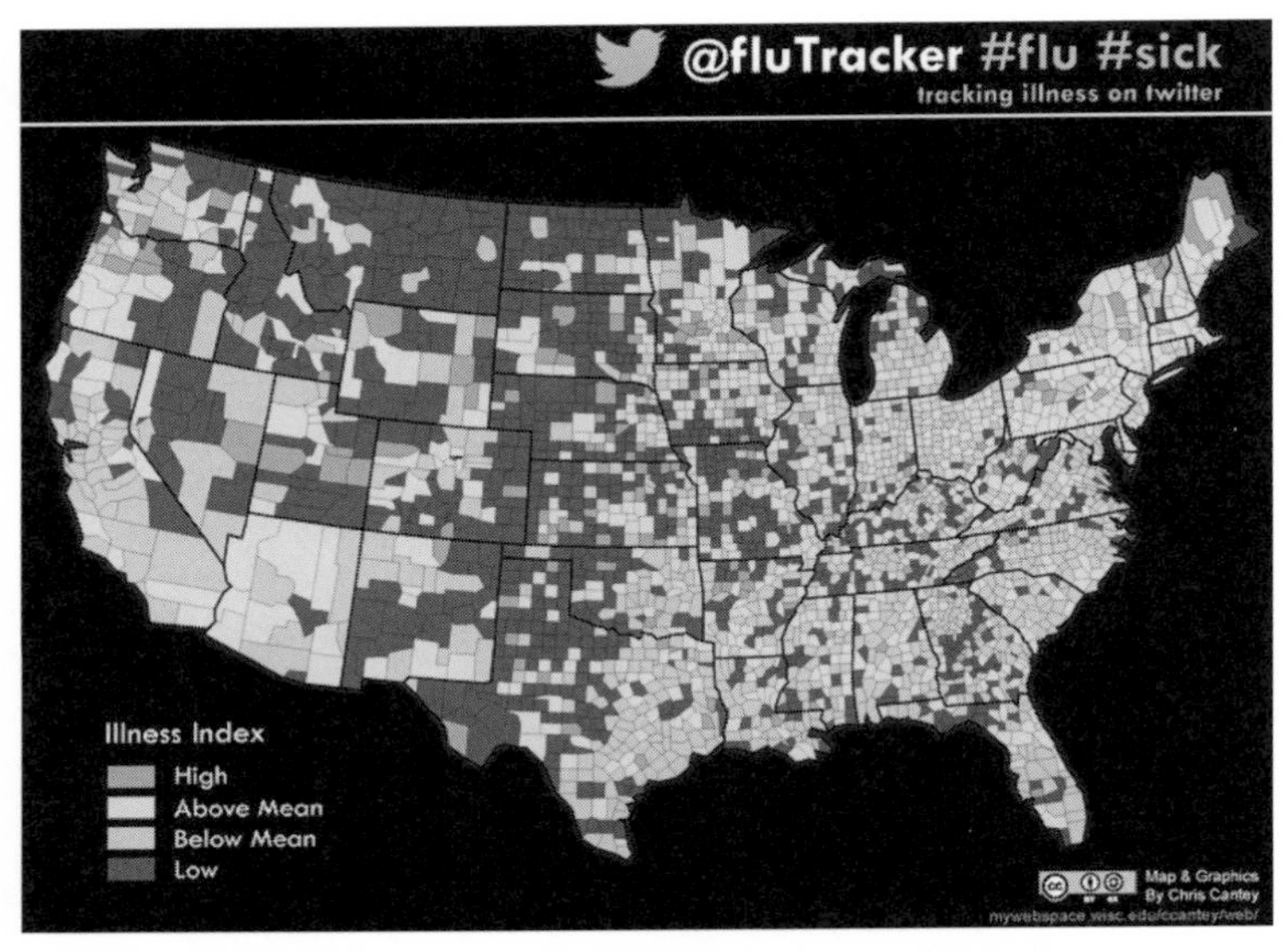

[図表3-8] ツイッターのツイートデータからみたインフルエンザの流行状況

出典：https://www.flickr.com/photos/canteymaps/8384059479/in/photostream/

都市を制御、運営することも可能になる。

「都市の脈動」を把握するうえでの最も重要なデータ入手先が、スマートフォンでありソーシャルメディアになる。スマートフォンは個人のセンシングデバイスであるが、位置情報やアクセス先といった情報に加え、ソーシャルメディアでの投稿データなどから、その人が何を行い、何を考えているか理解することを可能にする。

図表3-8はツイッター上でのインフルエンザに関するツイートデータをもとに、米国国内でのインフルエンザの流行状況を把握したものだが、これは都市の街区レベルにまで落とし込んだ形で見ることも十分可

能である。

現在の企業や行政府が住民に提供するサービスは、定期的に行うスナップショットで得られたデータに基づいて企画され、実施されている。このような「都市の脈動」について、その質的意味も含めて、詳細かつリアルタイムに把握することができれば、都市における交通や電力などの制御をより効率的に行うとともに、犯罪や事故、災害などのインシデントに対しても、蓄積されたデータによる予測をもとにスピーディーに対応することが可能となるだろう。

シェアリング・エコノミーと評価経済

リアルタイムの都市の脈動を活用して提供されるサービスとして、シェアリング・エコノミーの代表格、ウーバー（Ｕｂｅｒ）やＬｙｆｔなどの「ライドシェアサービス」が挙げられる。読者の多くはもう理解されているだろうが、ライドシェアサービスとは、クルマのドライバーと、移動手段としてクルマに乗りたいユーザーを結びつけるサービスのことだ。

ライドシェアサービスでは、今この瞬間に都市を走っている「ライドシェア」がＯＫなクルマを、リアルタイムでスマートフォン上の地図に表示して、ユーザーはどのクルマがいちばん早く来てくれるか、またドライバーが過去に乗せたユーザーからどのような評価を受けているかなどを確認したうえで、乗車を依頼することができるというものである（ドライバーもユーザーがどこにいるか、また、過去にドライバーからどのような評価をされているかを確認することができる）。

ユーザーは行き先を依頼の際に入力しているので、ドライバーも行き先によってユーザーを選ぶことができるし、ユーザーも乗車後にわざわざ行き先をドライバーに告げる必要はない。乗車したあとは、地図上で自分がどこにいるかリアルタイムにわかるし、支払いも事前に登録していたクレジットカードなどで処理されるので、ドライバーとの間で直接金銭のやりとりが発生することもない。

ライドシェアサービスの特徴として、

①リアルタイムでお互いの位置を正確に把握することができる
②お互いの過去の履歴に基づく評価を確認できる
③支払いを含む両者のやりとりで発生しうるリスクを極力低減する

という3点が挙げられるが、①は明らかに「都市の脈動を把握する」ことの延長線上にある。そのうえで、特定の企業が経営するタクシー会社のような中央集権的なシステムとは異なる、ライドシェアサービス会社が単純に個人間で仲介するような分散的なシステムの場合は、繋がり合う同士の信頼や評価の確認と、両者が接する際に発生しうる軋轢の事前回避が可能なシステムを導入する必要があるということを②と③は示している。

シェアリング・エコノミーといえば、個人の住宅やその部屋の一部を一般個人に貸し出すとい

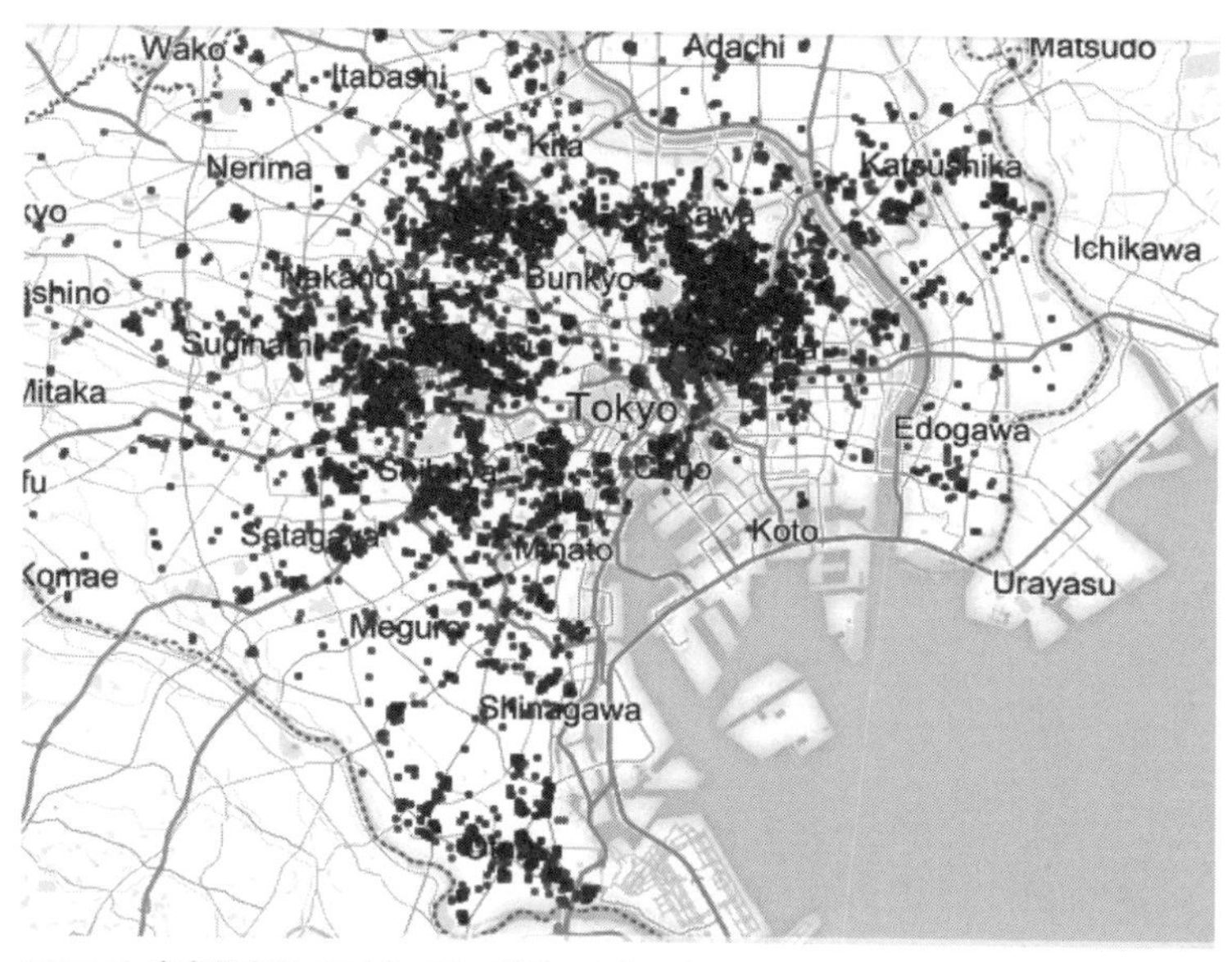

［図表3-9］東京都内のエアビーアンドビーの立地場所

出典：http://insideairbnb.com/tokyo/から筆者が作成

うサービスを展開するエアビーアンドビー（Ａｉｒｂｎｂ）があるが、エアビーアンドビーも貸し出す側、借りる側の双方の評価が取引において重要な要素となっている。個人と個人が取引を行うシェアリング・エコノミーの成立には、個々人の評価という評価経済が不可分な存在だ。

　このような評価経済の仕組みが、都市住民に組み込まれることも、将来ありうるかもしれない。

　筆者はライドシェアサービスやエアビーアンドビーを頻繁に利用しているが、利用にあたって気をつけているのは自分に対する評価だ。ライドシェアサービスの場合は乗車時間も短いため、高評価をる。

得ることは難しいが、エアビーアンドビーを利用する際にはかなり気を使っている。たとえば、事前のやりとりを迅速・丁寧な言葉遣いで行うのはもちろん、利用後に退去するとき、部屋を利用前かと見紛うほど、ベッド周り、水回り含めて清掃し、感謝のメールを貸主に送ったりしている。

客なのだから、そこまでしなくてもよいのではという人もいるかもしれない。しかし、自分が貸す側だったら、そういう風に使ってくれる客の方が気持ちがよいし、少しの善意で喜んでもらえれば自分も気持ちがよい。

それが、システムとしてあらゆる都市サービスに組み込まれるとしたら？

図表3-9に見るように、規制の厳しい東京においても、エアビーアンドビーは大きく広がっている。戸建で全棟貸しするものから、マンションやアパートの一室までさまざまだが、ホテルが密集する都心部の外縁に広がっている。米国の主要都市では、エアビーアンドビーの供給室数はホテルの供給客室数をすでに超えているという。エアビーアンドビーやライドシェアの評価システムの面白いところは、グルメサイトやホテルサイトは利用者からの一方的な評価であるのに対して、利用者側も評価される点だ。この評価システムによって、これらのサービスはサステナブルに維持されている。

渋滞や混雑、事故、あるいは犯罪やゴミ問題などは、個々人のちょっとした振る舞いが発端になっていることが多い。そもそも、都市とは、そこに住む人、働く人、訪れる人が、同じ場所をシェアして使っているようなものである。監視や統制ということではなく、一人ひとりの善意や思いやり、気遣いがシステムとして組み込まれることで、都市をよりよく、サステナブルに維持することに繋がるのではないかというヒントを、シェアリング・エコノミーにおける評価経済の仕組みは与えてくれる。

データ駆動型分権社会

見方を逆にすると、すでに評価経済システムは、都市モビリティサービスあるいは訪問客の宿泊サービスに民間企業サービスという形で取り込まれており、これをほかの都市サービスへと広げていくだけ、ということともいえる。

旧来は、宿泊業法や道路運送法のような国が定める法律に則り、許認可を与えることでその信頼性を担保、さらにそれらの事業を運営する事業者のブランドで、利用者は事業者を取捨選択するというモデルであった。そこには国からのお墨付きという安心（気やすめ）と、ブランドという「イメージ」しか信頼性を判断する材料がない。また、サービスを提供する側は、利用者（客）がどのような人かわからず、お互いの情報の非対称性の中で、サービスの授受が行われていた。

ライドシェアやエアビーアンドビーは、それを大きく変えた。評価を行うのはサービスを提供する側と利用する側の双方であり、それがプラットフォーム上で完全に公開されてスコア化されている。国という中央集権型による保証ではなく、分散されたそれぞれの提供者・利用者からの評価が定量的にデータとして蓄積され、それをもとに判断して、サービスの授受が行われるのである。

Ｗｅｂ２・０の世界では、個々人が情報の発信能力を持ち、それが双方向、さらに多方向へと拡散することを可能とした。その結果、そこで発信される情報＝データが、あらゆる意思決定を行ううえでの材料となった。それは、硬直化した中央集権で管理統制するという形ではなく、そのシステムに参加するすべてのステークホルダーによって動的に管理されていくというものである。

3 ＩｏＴ、ＡＩ、５Ｇ、ブロックチェーン、そして都市５・０

――利便性と引き換えにデータを取得する

Ｗｅｂ２・０は人がスマートフォンというセンシングデバイスを媒体としてインターネットと繋がる世界だった。スマートフォンが提供するあらゆるサービス、たとえば道路案内や交通案内、音楽の聴取、レストランや店の検索、ＥＣでの購買、ソーシャルメディアでの閲覧と投稿等は、データ提供が前提として存在している。そこで吸い上げられたデータは、より洗練されたサービスを提供するために解析され、最適化されたアルゴリズムを構築し、人々はそのサービスをさらに使うようになる。

このような好循環の繰り返しの中、意図せず結果として蓄積されていったのが、いわゆる「ビッグデータ」である。パソコンやスマートフォンなどのモバイル端末などから吸い上げられた人の行動データは横串を通して見ることで、その個々人がどのような人かということがさらに明らかになる。

人間の行動データをお金に変える

人の行動データを、GAFAの一角を占めるグーグルやフェイスブック、あるいはLINEといった企業は自らのビジネスに活用している。彼らのビジネスの多くは「広告ビジネス」であることはよく知られている。

グーグルやフェイスブックは世界最先端のテクノロジー企業ではあるが、彼らのビジネスの実態は世界最大の「広告企業」である。アルファベットの売上規模（2018年）は1368億ドル（約15兆円）だがその70%が、フェイスブックに至っては、売上558億ドル（約6兆円）の実に98・5%が広告事業からの収益である。

これらの企業は、広告に反応する（クリックしたり、広告経由で購入したりといった行動を取る）可能性が高い人に合わせて広告を配信することで、広告配信当たりの効率を高めているが、その精度を上げるのにデータが活用されている。

LINE（売上の6割以上が広告事業）を例にとると、LINE上では友人などと繋がってメッセージをやり取りするほかに、スタンプを購入したり、ニュースを見たり、人によってはLINEが提供するゲームをやったり、音楽を聴いたりする。

LINEのユーザーは、これらの行動を取るたびに、そのデータがLINEに取得されているわけだが、一人ひとりのユーザーがどのような人と繋がっているか、どんなスタンプを買っているか、といった行動に基づいて広告に対する反応を予測し、反応の高いと思われるユーザーに広告を配信しているのである。[4]

フィジカル世界における行動データの取得

このような企業は、さらに人々の行動データを取得することに貪欲になっていく。2019年、フェイスブックはKDDIと、フィジカル空間にコンピュータ映像を重ね合わせる拡張現実（AR）を活用したスマートフォン向け商品販売システムで連携することを発表した。

具体的なサービスのイメージは、たとえばアパレルや化粧品に関するフィジカル世界における実店舗で、気に入った商品をスマートフォンで撮影すれば、ファイスブックが有する写真共有アプリのインスタグラム上で、AR技術を使って自分の画像と重ねた試着イメージや化粧品を実際に使ったイメージがチェックできるといったものである。

これは、ＫＤＤＩについては高速・大容量の次世代通信規格「５Ｇ」における商用化をにらんだ動きであり、フェイスブックについては新しいサービスによって自らのユーザーの利便性を高めることを主眼としているが、そのサービスに対してアパレルメーカーや化粧品メーカーが一種の広告としてフェイスブックに費用を支払えば、それ自体が当然広告事業となる。

そのうえで、フェイスブックは、ユーザーが実際の店舗でどのような商品に興味があるのか把握することが可能となり、さらに広告の精度を上げることも可能となるのである。

このようなサービスは、小売業界では、近年ＯＭＯ（Online-Merges-Offline）と呼ばれ、オンライン（サイバー空間）がオフライン（フィジカル空間）に融け込んだ形での店舗体験の一つである。今後さらにあらゆる場所で同様に、利便性の高い新しい体験とともに、人の行動データはサイバー空間に蓄積され、より高次のサービスが提供されることになっていくだろう。

人からモノへ

ここまで述べたことは、一人ひとりのポケットに入ったスマートフォンに依存したデータでしかなかったが、これからは都市の中のさまざまな機器にセンサーが組み込まれ、データが取得されることとなる。重要なことは、データ取得ではなく、取得したデータに基づいて課題解決を提

4 なお、LINE上でのメッセージのやり取り内容については、「通信の秘密」を厳守しており、データとしては取得していない。

供することが目的であることだ。

都市にセンサーが張り巡らされるというのは、さまざまな感覚器が都市中に配置されるということである。視覚、聴覚、触覚、嗅覚、味覚のような感覚が、画像センサー、音声センサー、振動センサー、気圧センサー、温度・湿度センサーなどで都市に張り巡らされる。

この感覚器の拡散がどのように役に立つのかピンとこないならば、自分が蚊に刺されたことを想像してみるとよいだろう。あなたの腕に蚊が止まって針を刺す。その瞬間、蚊に刺されたと感じるだろう。そしてあなたは腕を見て、蚊が腕に止まっていることを確認する。そのうえで、追い払ったり、人によっては叩いて殺したりするなどの行動に出るわけだ。

同様に都市にセンサーが張り巡らされれば、災害、事故、犯罪、交通混雑などのあらゆる都市問題について、未然に防いだり、被害を最小限にとどめることが可能になるだろう。

すでに産業向けには、業務の効率化や事故防止などを目的として工場や産業機器などに設置、インターネットに接続されたセンサーは2019年で142億個に上るとの試算もあり[5]、およそ全世界の人口の2倍にもおよんでいるが、今後この数が飛躍的に増えていくであろうことは、多くの読者も認識していることだろう。そして、その最大の舞台が、人間拡張の最大形態たる「都市」になるのは疑いのない事実だ。

——モノが作り出すデータとAIが作り出すデータ

センサーだけでは、都市に感覚器が張り巡らされただけにすぎない。センサーで感知されたものが、実際は何であるかを認識する必要がある。蚊に刺された腕の話にたとえると、腕を見るまでは「蚊に刺されたのではないか」と脳が推測しているにすぎない。脳はそのときの触感と過去の経験を照らし合わせて瞬時で判断しているのだが、この脳の役割を担うＡＩが必要である。また、腕を見て「やはり蚊が刺している」と判断できるのは、目に映った物体が「蚊である」と脳が判断しているからである。

ＩＴ専門調査会社のＩＤＣによると２０２５年にＩｏＴデバイスの数が４１６億台に達し、これらのデバイスが年間79・４ゼタバイト（ＺＢ、１ＴＢの約８００億倍）のデータを生成するという。それらのデータには、画像や音声などのデータが多く含まれるが、これらのデータが意味することが何なのか、という解析にはＡＩが必要となる。そしてＡＩによる解析結果はさらにデータとして生成され、というように、最終的に「蚊を叩いて殺すべきか」という判断と指示が出るまで、データは生成され続けるのである。

都市の中に張り巡らされるＩｏＴデバイスに取り付けられたセンサーは、人間では不可能なものも感知することができる。画像であれば赤外線や紫外線のような可視光線外、音声であれば超音波や超低周波などの可聴域外、さらには人間を前提とした触覚を超えたものも対象になるなど、「人間の機能と感覚」を拡張すると、そのデータ量は莫大なものになる。それらのデジタル化さ

5 ガートナー調べ。https://www.gartner.com/en/newsroom/press-releases/2018-11-07-gartner-identifies-top-10-strategic-iot-technologies-and-trends

れたデータを、AIが人間には不可能なレベルで大量かつ多次元に処理したうえで、人間に対して指示やレコメンデーションを出したり、さまざまな機器を制御したりすることができるようになるというのは多くの可能性を秘めている。

5Gへの期待とは一体何なのか？

言葉のうえでは今すぐにでも実現しそうな世界も、現時点では絵空事である。仮に高精度なセンサーを搭載したIoTデバイスが都市のいたるところにばら撒かれたとしても、そこから生成される莫大な規模のデータを処理することはできない。

２０２０年、第5世代移動通信規格（5G）がわが国でもスタートした。「高速・大容量」、「多接続」、そして「低遅延」というのが5Gの売りと言われる。同年開催の東京オリンピック・パラリンピックでVR（仮想現実）による観戦やマルチカメラによる多視点からの観戦といった、5Gだから可能な世界など、本書執筆時点でも「5Gで世界が変わる」と盛んに喧伝されているが、それが一体都市にどのようなインパクトを与えるのか、ピンとこない人も多いだろう。

詳細については、本書の第二部以降で、IoTや通信のエキスパートが解説するが、簡単に説明すると、4G以前と5G以降の世界における最も大きな違いは、IoTによってフィジカルの世界で知覚されてデータ化されていたデータの欠落が圧倒的に減るということである。4G以前では、ネットワークで取得されたデータの解像度を上げるには、欠落部分を補正するか、あきらめる必要があった。それが、もともとのフィジカルのリアルの姿として、解像度が高いままに取得することが可能になるということである。解像度の向上ということでは、「知覚そのものの進化」と「レスポンスの高速化」の大きく二つに分けられる。

前者は5Gの「高速・大容量」に関連するものだが、たとえば人間の五感では不可能な知覚データも含めて、より大容量のデータによって解像度も上がれば、完全に知覚そのものを進化させたということになるだろう。

後者は特に5Gの「低遅延」に関するもので、あらゆるデータをリアルタイムで伝達することの必要性は、都市を本格的にデータで駆動させていく時代には、必要不可欠なものとなる。

わかりやすい例が、自動運転である。自動運転の基本的な仕組みを極めてシンプルに説明すると、走行中の自動車の周辺の地図情報をリアルタイムでアップデートしながら周辺映像を含む情報をあらゆるセンサーで把握、そのデータをコントロールセンターに送り、コンピュータの遠隔制御によって自動車を運転操作するというものだ。ところが地図情報のアップデートや、センサーが生成したデータや制御データの送受信に遅延が生じてしまうと、取り返しのつかない事態となってしまう。

5Gの低遅延性は、単独車両の自動運転だけでなく、さまざまなことを可能にする。たとえば、複数の車両が5G通信することで、事故の防止を実現するように車間距離を制御することが可能となり、歩行者のスマートフォンと走行車両が5G通信で繋がっていれば、スマートフォンを手にした歩行者を車両が察知し、道に飛び出しても回避することができるだろう。

このように、５Gは、ＩｏＴとＡＩが可能とする世界を現実のものとするうえで必要不可欠な「インフラ」なのである。特に5Gの「低遅延」が、「リアルタイム」での制御を必要とする領域では、極めて重要な技術である。

ブロックチェーンが都市にもたらすもの

データが都市を駆動する時代になったときには、そのデータを誰が保有するのかという問題が生じてくる。都市を舞台として、サイバー上のデータに基づき、フィジカルな世界でさまざまな制御が行われるとした場合、そこに生きる個人の意思をどう処理するのかという問題も発生するようになる。

一つ目の問題点は極めて明らかだ。これらのデータを、都市空間上でサービスを提供しているグーグル、あるいはＬＩＮＥのようなプラットフォーマーが保有したとする。しかし、そもそも都市空間という公共空間における利便性を提供するために取得されたデータを私企業が保有して、マネタイズのために利用するということがどうなのか、という問題である。

二つ目の問題は、少しわかりにくいかもしれないので、極端な例を挙げて説明してみたい。たとえば、東京で大地震が発生したとする。住宅密集地で出火があったとしても、もし、その地域にセンサーが張り巡らされ、５G通信でネットワーク化された先にあるＡＩで解析が可能であれば、どのように延焼し、煙などが広がっていくかを予測したうえで、同じくネットワークで繋がった住民に対して避難誘導を促すことができるようになる。個々の住民の年齢や運動能力などもデータとして保有していれば、個々人に合わせた避難誘導をそれぞれに送信することも可能になるだろう。そこでAIによる解析では、当該地域に居住する人全員を助けることはできない、という予測が出た場合どうするのか。そのときに必要なのが、「万一の事態のとき、自分は何を優先するか」といった一種の「社会契約」である。これがあれば、「社会契約」に基づいてAIが判断をし、避難誘導を行うことができるようになる。

地震などの災害で生命の危機にあるとき、自分より若年者を優先するようにしてほしいとか、命は助かっても重篤な後遺症が残る確率が90％以上ならば、ほかの人を優先してほしいとかいった意向を、避難誘導サービスを契約する時点で取り決めておくということである。反面から言えば、そのような取り決めをしていなければサービスは受けられない、ということである。

このような「社会契約」はサイバー上で管理されるが、命に関わるような個人の取り決めが改ざんされるような事態はあってはならないことだ。そこで登場する技術がブロックチェーン技術である。

ブロックチェーンというと、ビットコインなどの暗号通貨を想像されるかもしれない。しかし、ブロックチェーンは「分散型台帳」とも呼ばれ、本質的には自動で取引履歴をつけてくれる台帳のようなものである。ただし、ただの台帳ではなく、世界中の誰が見ても整合性がついていると認識される台帳のシステムと表現することができる。現在のように、フェイスブックが個々人の情報を管理している姿とは異なり、その台帳を管理する主体がなく、個々人に分散管理されているにもかかわらず、改ざんや不正がない状態を可能にしつつ、大勢の参加者が共有できる技術である。

　これが実現すると、自分に関するあらゆるデータは、ＧＡＦＡなどの企業に管理されてマネタイズに利用されることもなく、自分自身で管理したうえで、自由に変更や更新を行いながら、改ざんなどのリスクを回避することができるようになる。

――そして都市5・0へ

　このようなテクノロジーが存在したとしても、それらが現実世界に実装され、都市の姿を変えていくまでには時間がかかるというのは、都市１・０からのテクノロジーの進化と、それに伴う都市の歴史を、都市４・０に至るまで見てきたとおりである。新たなテクノロジーによって人と人との関係性が変化し、取引に対する考え方が変わり、新たな社会経済構造が構築されていく過程で、都市は新たな都市へと変化していく。

　現状で重要な観点は、現在の都市は、依然として人間の欲望の拡張としての都市４・０の延長線上で再編されているということである。小売活動がフィジカルからサイバーへと移行するにつれ、商業床面積が減少し、工場が物流工場へと変化していく様は、実は都市４・０としての最後の進化といえる。ＩｏＴ、ＡＩ、５Ｇが可能とする課題解決は想像がつくだけでも数多い。それを実際に機能させていくという意味では、私たちはやっとその入口に立ったにすぎず、これから

「都市5・0」を形づくっていくうえで多くの課題を有している。

先述の東京における大地震を例にとると、万一の際の「社会契約」は、そもそもどのような主体に対する契約なのか、そのような概念が実際には存在しない。もちろん、エアビーアンドビーやウーバーのようなサービス主体に対して契約をするということも考えられる。しかし、単なるサービスへの評価と異なり、命に関わるような情報を私企業に預けることに躊躇する人も多いだろう。

一方で、大地震の例をみるまでもなく、都市に住む者は、自分の生き方や想いを都市の運営に託していく時代になることも示唆している。前節で、エアビーアンドビーを例に、一人ひとりの善意や思いやり、気遣いがシステムとして組み込まれることで、都市をサステナブルに運営することが可能かもしれないと述べたが、実際にそうした社会システムやサービスデザイン、そしてコミュニティのあり方が求められるようになる。

個人の都市として輝く都市5・0の時代は、ＩoＴ、ＡＩ、５Ｇ、さらにはブロックチェーン等々のインフォメーション技術が切り拓くものではあるが、テクノロジーを駆使する以前に、そこに住む人間がいる以上、これらのサービス、それを動かし維持していくシステムは「人間中心」に設計されることが、大前提となるであろう。都市の歴史はテクノロジー以上に、そこで暮らす人間のあり方によって形成されてきたということは、第一部を通して読まれた読者は十分理解されていることだろう。

第一部では都市の誕生から現在に至るまでの歴史を都市1・0から5・0ということで見てきたが、第二部では主にデータと分析というテクノロジーの観点で、第三部では人間中心デザインの観点で、実際に都市5・0に向けてのさまざまな社会実装の取り組みや課題について、各領域のエキスパートに多いに語ってもらおう。

第 II 部

都市5.0へ向かうデータと分析

第4章 ビッグデータによる「都市の脈動」の把握

1 都市の動きをとらえるために

――高齢化する都市

「少子高齢化社会」の言葉が耳目に触れることは多いが、私たちの普段の生活にどう影響するのか、なかなか実感できない人が大半ではないだろうか。

『令和元年版高齢社会白書』によると、わが国の高齢化率は28・1%、65歳以上人口は3558万人、そして2065年には総人口が8千万人台で2・6人に1人が65歳以上と予測されている。一方、わが国の生活を支えている社会インフラに着目すると、道路は約128万km、橋梁73万橋、トンネル1万本、河川管理施設3万施設、砂防堰堤等10万基や下水道管きょ47万km

など、莫大なストック数である。しかも供用50年以上となる施設が多数…という状況だ。このような状況を踏まえて、国土交通省では、2013年を社会資本メンテナンス元年と称して、社会インフラを賢くメンテナンスして使っていくことが打ち出されている。

都市活動モニタリングの必要性

私たちは、これまで都市を開発することに邁進してきた。少子高齢化といわれている現在でもその勢いはとまらない。また、街づくりや道路事業などの計画論に加え、当該分野の技術者育成の教育カリキュラムも都市開発を基軸にした内容となっている。したがって、メンテナンスの重要性は認識されているが、教育体系や技術体系は多分に従前通りである状況といえる。

そうした中で、人も都市も同時に加齢していく流れはとまらない。現在のところ、これまでの人口規模の税収によって、道路や下水管などいろいろな物が供給されているが、今後は人口が減っていくに伴って税収も減っていくので、現在のすべての道路や公共設備をくまなくメンテナンスすることが難しくなることは容易に想像できる。したがって、時々刻々人がずっと住み続けていく場所はどこなのかということを考え、都市の活動状況をモニタリングする仕組みづくりが重要となる（図表4-1）。

［図表4-1］ 都市活動のモニタリングの仕組みイメージ

出典：地図 株式会社ゼンリンデータコム

エイジングシティの浮上

モノのIT化はすさまじく、現代は多くの人とモノがインターネットで繋がり、情報を活用している。スマートフォンに話しかければ会話のように音声ガイダンスが応答し、目的地までスマートに案内してくれる。外出中に留守番をしているペットの様子が気になれば、すぐにスマートフォンの画面で家の中をモニタリングできる。このように、技術の応用は多岐にわたっている。

IoTの進化が加速し、利便性がどんどん高まっている一方で、わが国では少子高齢化といった社会問題がますます深刻化しているという側面もある。しかし実は、老いているのは人間だけではなく、道路や橋や建物も同様に老朽化しているということを知っておく必要がある。こういったエイジングシティ問題を単に危機としてネガティブに捉えるのではなく、ポジティブに国際協力の維持・発展、居住者の生活の質の向上に努める研究を続けていくことが肝要である。

――ビッグデータの可能性

未来を予測するには、まず現状を知ることが大切である。筆者は、この現状を知り、未来を予測するための素材としてビッグデータに期待を寄せている。ここでいうビッグデータとは、スマートフォンやインターネットを通じて収集された位置情報や行動履歴、パターン、さらにＷｅｂサイトやテレビの閲覧・視聴に関する情報などから得られる膨大なデータのことを指す。今やほとんどの人が一人１台のＧＰＳ機能付きの携帯電話であるスマートフォンを持っているので、さまざまな情報が基地局に集められて、多様なサービスの改善などに役立てられている。

昨今のデータは非常に多様化してきており、そのサイズもどんどん大きくなっている。このような多様、大量、リアルタイムの特徴をもつビッグデータを解析する能力も、情報技術の発展につれて高まってきている。

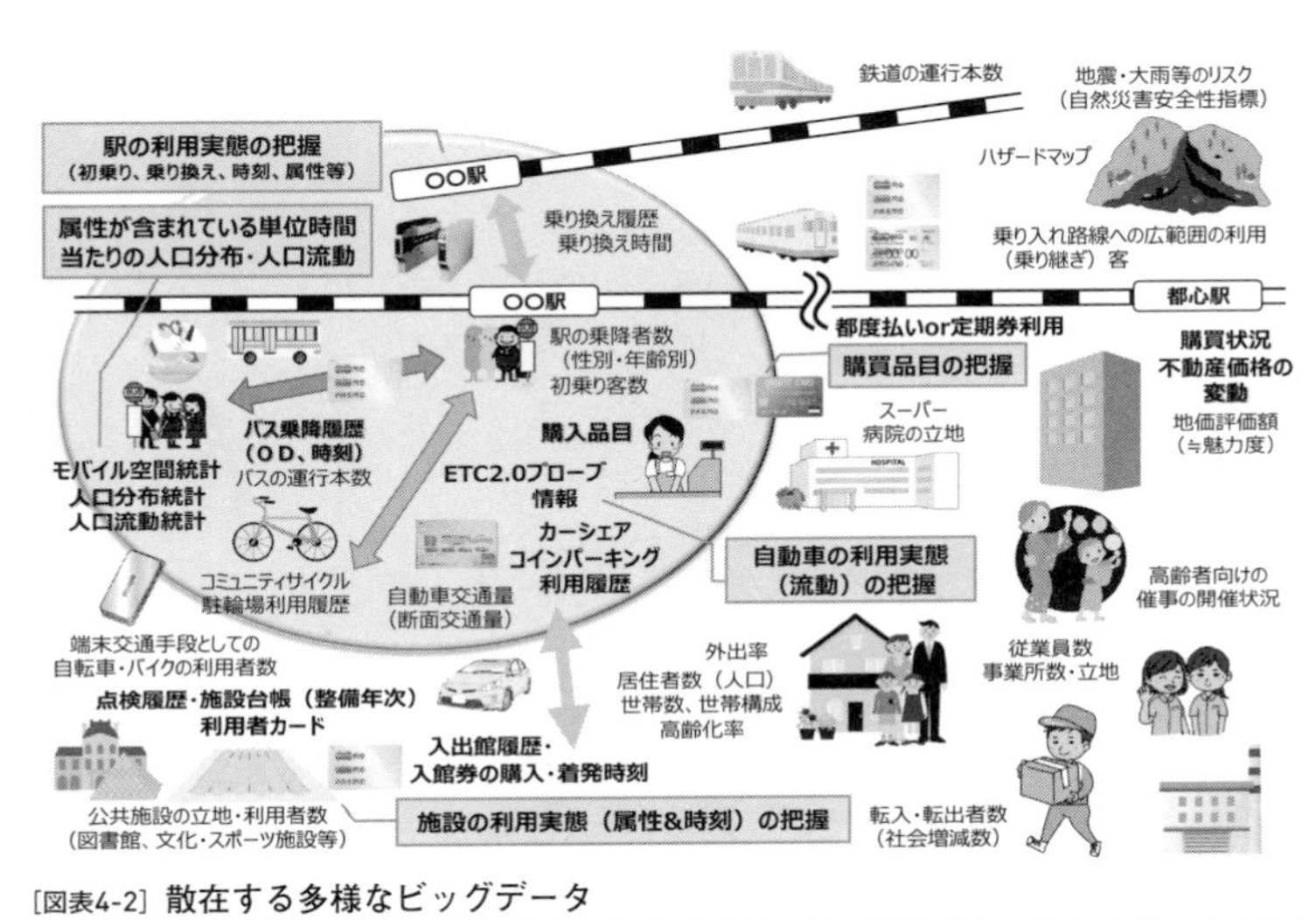

［図表4-2］ 散在する多様なビッグデータ

出典：画像/イラスト 株式会社パスモ、オムロン株式会社、Wikipedia

都市に散在する多様なビッグデータとその活用

スマートフォンではGPS位置情報など、PASMOやSuicaなどの交通系ICカードなら乗降駅・停留所や購買履歴が蓄積され、ビッグデータとして扱われている。それらを集めたり、分析することで、地域の中でどのように人が動いているのかなどを明らかにできる。位置情報は地図上で人の動きの様子をつかみ、人口の移り変わりなどを知ることが可能だ（図表4-2）。

このようなビッグデータを使うことで、都市活動のモニタリングシステムを構築することができる。ビッグデータを利用し、人や車がいつも行き来している道路はどこなのかなどをモニタリングして絞り込むことによって、建物や社会インフラなどの老朽化に対し、優先的に適切なメンテナンスを施していくことが可能になるのである。

わが国は世界において、高齢化のトップランナーであり、都市のスマートエイジング研究は国際社会に先行する重要なテーマの一つだ。今後、果敢に取り組んでいくことが求められる。

2 都市のスマートエイジングに向けて

―シニアライフマーケティングの取り組み

社会インフラがどうなっているのか、人の動きや流動がどうなっているのか、その両方がわかるようなデータをしっかりと収集し、組み合わせて現状を知ることで将来を予測する、というのが私たち情報領域の研究のめざすところである。

私たちが取り組む研究は、情報領域の中でも「シニアライフマーケティング」とも称されている。しかし、それは高齢者のためだけの研究ではない。

たとえば社会インフラの整備で高齢者が使いやすい道をつくることは、育児中でベビーカーを押すような若い世代の人たちにとってもやさしい環境をつくりだす。つまりアンチエイジング対策のみではなく、都市のスマートエイジングをも意味している。私たちは、多くの居住者にとって使いやすく、生活の質の向上に寄与するという観点に基づいてこの研究に取り組んでいる。

このような技術革新とあわせて、制度設計も進める必要がある。たとえば研究上では、個人のプライバシーを守りつつ、どのように都市活動にかかわるビッグデータを利用していくのかというような問題が必ずつきまとう。

東京都市圏には約3千万人の居住者がいるが、その内およそ900〜1千万人が高齢化していくという、世界でも例を見ない状況にある。高齢者が増えると労働人口が少なくなり税収が減るだけでなく、街も老朽化して再構築が必要となる。そこでビッグデータを活用して未来に繋げていこうというわけであるが、データ運用に対して制度上で問題がなくても社会が認めない場合がある。

都市活動のモニタリングシステム

一方、プライバシーが守られすぎて起こる弊害もある。たとえば、独居老人の孤独死などを挙げることができ、集められた情報を利用して行政がどこまで踏み入って、住民サポートとして介入していくのかも議論していく必要がある。

グーグルなどではビッグデータの活用をいわゆるコンシューマーサービスとして提供しているが、私たちの研究は社会インフラの管理者、事業者や行政といった都市経営を担う側で、街づくりの一環として居住者に役立てるために行われている。国土交通省や東京都、鉄道やバスの公共交通事業者などの、街づくりを担うための都市活動のモニタリングシステムの構築もめざしている。

この街が今どういう状態なのか、どれだけの人が今ここにいるのか、どんな状況にあるのか…。そうしたことを知るために統計調査は行われているが、街づくりとなると男女別・年齢別など、細かい階層まで調査する必要があるため、一筋縄ではいかない。２０１８年に東京都市圏でパーソントリップ調査が実施されているが、この調査は10年間に一度の頻度でしか行われない。どのような人が、どのような目的で、どこからどこへ、どのような手段で、いつ移動したのかを明らかにする調査結果は、精査して研究や施策に役立てるまでに2年ほどかかってしまうこともある。その後、次の調査まで10年間更新されないため、都市の現状を毎年把握したいというような場合、鮮度の点で不都合が大きなものとなっている。

24時間365日取得可能な交通ビッグデータ

そこで私たちが着目したのが、24時間３６５日取得可能な交通ビッグデータである。ビッグデータは携帯電話、カーナビ、交通系ＩＣカード、ＷｉＦｉ、ＳＮＳなどによって鮮度の高いデータが大量に集められている。もともとは違う目的で集計されているデータだが、これを人の動きとして捉えるような加工が、これから先は可能になる。

従来の社会調査は紙ベースが中心で、家庭に調査用紙を配布、回収し、それから集計といった流れで進められていた。最終結果が出るまでにかなりの時間を要してしまうので、それを活かして政策へ反映させるまでにタイムラグが生じているのが現状である。

交通ビッグデータを利用できるようになると、リアルタイムに対策をとることができる。つまり「街で何が起きているのか？　誰が困っているのか？」といったことがすぐに把握でき、「どういう対策を練ればよいのか？」といったことが、随時わかるのだ。

携帯電話は概ね1時間に一回は基地局と通信されている。基地局ではその瞬間、その周辺に携帯電話が何台あるのかを捕捉できるので、どれだけの人がそこに集まっているのかも判明する。そこからさらに顧客（個人）情報を照らし合わせれば、男女年齢階層なども捉えることができる。

ビッグデータのプライバシー問題

こういうことを話題にすると、「どこまで個人情報が集められているのか？　都市活動の把握には役立ちそうだが、プライバシーはどこまで守られるのか不安だ…」というような意見が必ず出てくる。しかし、事業者から提供されている交通ビッグデータは、オプトインといって全利用者から許諾を得ている。また、個人情報保護やプライバシーへの対策を講じられているので、個人を特定できないようになっている。さらに、総務省や消費者庁では、現状に即すよう個人情報やプライバシーにかかわる制度に改正したり、ガイドラインを発行したりもしている。

たとえば、人口密度の高いエリアで、100mの範囲内で携帯電話が100台あるとする。女性が50人・男性が50人とし、そこから年齢別に情報が集められても個人の判別に繋げることはできない。地方などで500mの範囲内で家が1軒しかなく、そこに住んでいる家族が1人しかいないとなればデータは公開されない。人口密度が低いところなど、男女年齢階層別で人物を特定できることがある場合などにおいて情報は保護されるのだ。そもそも個人を特定しようという目的ではないので、プライバシーを侵害しないように秘匿処理がなされている。

今後はさまざまな交通ビッグデータを組み合わせた分析がより一層、推進されることと予想されるが、その際には情勢に合わせて、制度の再設計などが必要になってくるだろう。現行では合法的だが、これから先はどうなのかという視点の見直しの必要もある。

人間一人ひとりがセンサーとなった時代に

私たちは一人1台の携帯電話を持ち、GPS機能などによって常に情報を共有できる状態で暮らしている。携帯電話だけでなく、交通系ICカードなどもさまざまな情報技術によってビッグデータが集められている。極論すると、国民一人ひとりがセンサーとなっているとも捉えることができる。

このようなデータを活用するには、多様な交通データの特徴を活かして横断的に組み合わせることが必要となる（図表4-3）。一方で、多様な情報を繋いでいくには、社会からのコンセン

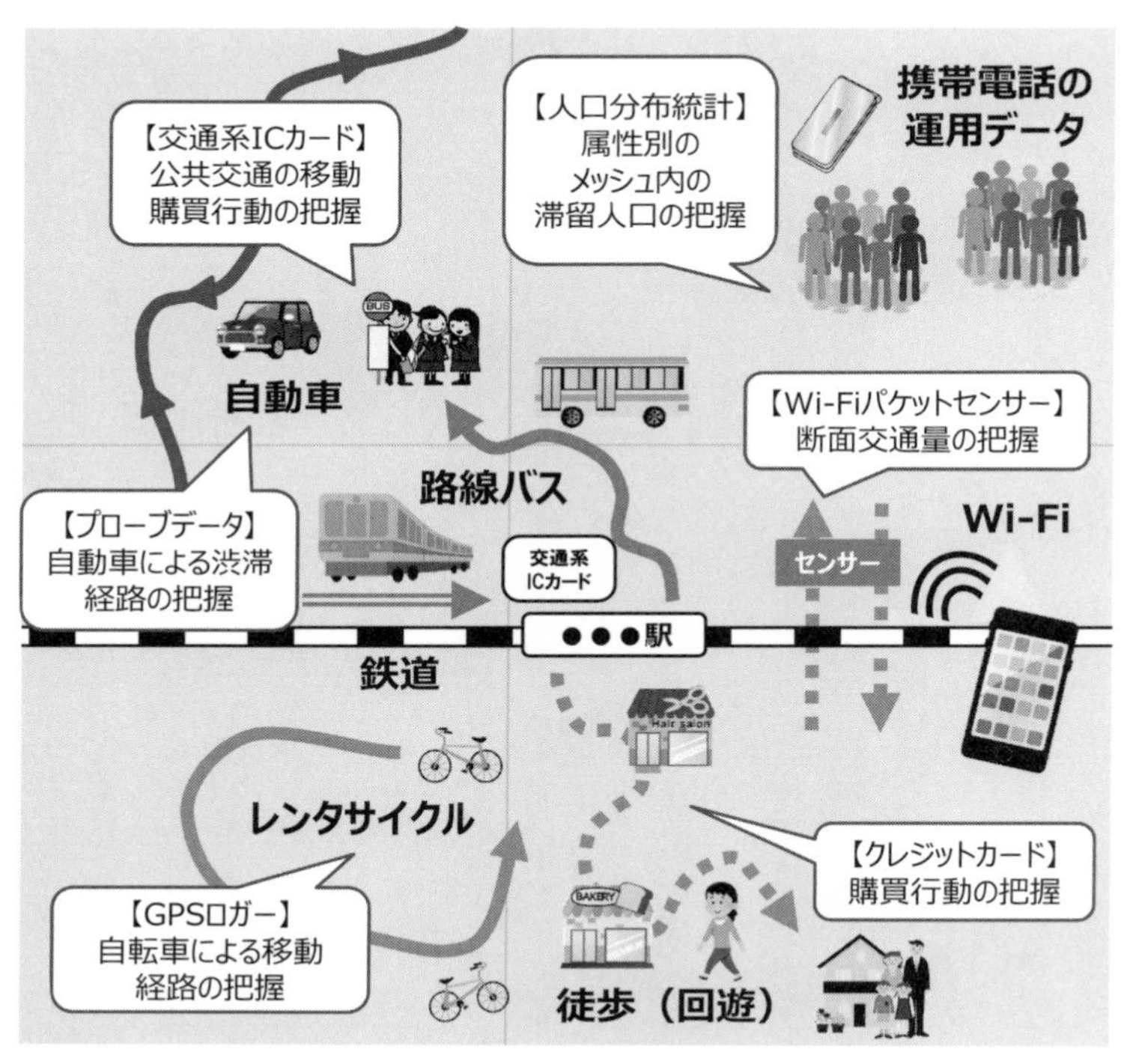

[図表4-3] 多様なデータを繋いで都市活動を把握する

サス（合意）も重要となり、技術・制度・運用の三つの足並みを揃えることが大切である。この三つに取り組むには、産官学の関係者が集まって、餅は餅屋の体制を構築して取り組む必要がある。

社会からのコンセンサスの重要性

このような「社会からのコンセンサス」についてまず認識したいのは、個人にとどまる話ではないということだ。今後、高齢者がさらに増えると、自身を認知できない、自分では責任が取り切れない人ももっと増えてくると考えられる。そういう人自身も自活的、積極的に動いていくことが、超高齢社会をスムーズに回すために求められる。こうした点を考えると、データの活用についでは技術に加え、制度や運用面についてどこまで社会的に認めるかバランスを考えることが必要になってくる。

極端なことを言えば、ある人のプライバシーは守りを弱めて、自らの情報を周囲に伝えるような局面、場面を設定する必要もある。「困った」状況に陥った場合、外（周囲）に対して「困っている」ことをきちんと伝えないと周りの人が気づけず、助けることも難しくなる。このような場合、外部のサポート者（個人や行政に限らず）には交通系ビッグデータの利用などが有効なものとなるだろう。

ツイッターなどのSNSで、自分が今どこにいて、どんな助けを求めているのかを発信するなどの事例も多数ある。

今、高齢者において指摘される問題の一つに、〝個〟になりすぎているといわれることがある。たとえば孤独死などについては、セーフティーネットを繋ぐようなデータ活用の拡大の仕方が必要になると考えられる。ビッグデータを生活・健康・インフラ・環境といった領域とどう連携して繋いでいくのかが、今後極めて重要であるといえる。

プライバシー保護と生命保護のバランス

高齢者ではないが、筆者には、個人情報保護法のせいで一人暮らしの同僚が亡くなった悲しい経験がある。まだ20代の頃の話だが、しばらく連絡がつかなくなり、家で倒れているのではと同僚が住まいを訪ねた。親族の許可なしで鍵は開けることができないというプライバシーの問題があり、結局、発見されたときにはもう手遅れであった。

最近は、高齢者の方や体の不自由な方などが「個人情報を保護してくれなくてよい」として、自分の居場所を第三者へ発信希望される方がいることも既存研究で明らかになっている。このようなことからも、局面に応じて、柔軟に情報をオープンにすることが大切になってくるといえる。

今後、幸せに未来を生きることを考えた際、人の高齢化の問題だけでなく街のエイジング対策・老朽化対策も重要なテーマになる。つまり、ハードとソフトの両方を同時に対策することが必要であろう。インフラ面では都市構造や地形を踏まえ、特に高齢者の回遊特性など、潜在する需要をつかんでいくことが重要である。

現在の交通ビッグデータの課題

前述したように、統計調査は質がよくても10年に1回しか実施できないなど鮮度に課題があるので、交通ビッグデータが生きてくる。交通ビッグデータは24時間365日トラッキングしているため、ヒト・モノ・コトの動き・滞留などがわかるようになるからだ。人口や流動の総量もわかるので、災害時の帰宅困難者の算出など、私たちの生活に密接なところでも活用事例が増えてきている。

今の交通ビッグデータは横断的に集められている情報であるため、交通手段別に分解することができていない場合が多い。現在、私たちは産官学連携でさまざまな機関に協力を依頼して研究を遂行しているが、各機関の保有データを融合し、未来に向けたスマートエイジングシティーづくりとして、相互作用・交流による発展を期待している。

交通ビッグデータは「交流人口」つまり居住者以外の人の流れを分析することにも活用することができる。観光政策などの地域経済活性化にも欠かせないデータであり、自治体や公共団体の施策立案に必須のものとなるだろう。交通分野と経済、社会分野の研究を適切に組み合わせることで、よりパワフルで、より効果的なツールが生み出されると考える。

都市が老朽化し、人の高齢化も加速する時代に、スマートにエイジングしていくにはどうしていくべきか。日々の生活の中にはまだまだ潜在的な課題が埋もれている。その課題を発掘するため、私たちはスマートフォンや交通系ICカード、人流センサー、物体検出といったセンシング技術を用いて、都市活動に関するビッグデータの取得および分析を進めてきた。その結果、データを加工、分析することで、ヒト・モノ・コトの動きや、都市におけるハード面の経年劣化なども見えてきている。

立川駅中心街における実証実験を実施

コンパクトシティが注目される中、短距離移動（トリップ）データに対するニーズが高まっているが、それを現在の統計調査などで把握することは難しい。そこで筆者の研究グループは駅を中心とした1～2㎞圏内にフォーカスし、スマートフォンアプリケーションやＷｉＦｉパケットセンサーなどを用いて常時観測する手法を考案、有用性を検証してきた。

具体的には、モニタリングの可能性を探るため、立川駅中心街をフィールドに実証実験を行った（図表4-4）。その結果、0・5～1㎞メッシュの人口やトリップ数、ＷｉＦｉパケットセンサーによる施設滞在人数や滞留時間、アプリを利用した移動手段と経路情報（オプトインの位置情報）を可視化することで、都市活動の常時観測が可能であることがわかった。都市活動をモニタリングできれば、シニアの方々にもやさしい街づくりに活かせるだろう。

これまでの研究活動から、都市の中における人の流動が、ある程度推測できそうだということがわかってきた。常時観測の手法の確立ができれば、社会インフラの整備やプランニングの基本データとしても使える。今後は民間事業者などと協力してさらに実証実験を行い、都市活動のモニタリングシステムの構築をめざしていく。

[図表4-4] 立川駅勢圏

出典：背景地図 Google Map、道路ネットワークデータ 株式会社ゼンリン

3 組み合わせの観点と制度の革新が課題

──多様なデータを組み合わせることの重要性

これまで見てきたように、筆者の研究グループでは、「都市活動のモニタリングシステム」を確立する手法を模索している。高齢者の特性を探り、都市構造や地形、インフラなどが抱える問題点を抽出し分析すれば、潜在的な将来需要を満たす街づくりや支援に繋げることができるだろう。

世の中には、スマートフォンの位置情報、交通系ICカードの履歴、カーナビゲーションシステムによる車の移動軌跡、人流センサー、運送会社の配送情報、降雪センサーなどさまざまなデータがあるのは既述のとおりだが、適切に分析すれば、ヒト・モノ・コトの振る舞いや動きにとどまらず、インフラ施設の状態までも把握できるようになる。

スマートフォンが普及している現在は、一人ひとりがセンサーになる時代である。今後もコンピュータリーダブルなデータはますます充実していくだろう。都市活動のモニタリングシステムを確立するには、データの収集手段や組み合わせ方を見極め、賢く使いこなすことが勘所になる。

これまでのように目的に応じたデータを取るのではなく、異なる目的で収集されているビッグデータをどのように加工したら都市活動の現状把握や未来予測に利用できるかという観点、さらに単一データを駆使するのではなく多様なデータを組み合わせるといった観点をもって取り組んでいくことが極めて重要である。

実施体制と社会的コンセンサス

筆者の研究グループでは、人の動きを中心とした研究のほかに、ハード面の劣化予測も研究しており、この両方を組み合わせた常時観測、分析にも果敢に挑戦したいと考えている。もちろん、常時観測するための手法も、社会に実装できることが条件である。

そのため、地方公共団体やエリアマネジメントに携わる事業者との連携を強化し、意見交換や実証実験の計画立案、実施に至るまでトータルに関わり、実現性を高めることをめざす。また、コスト面にも着目して、官民連携、産官学連携による常時観測のための実施体制もあわせて議論していく。

現時点での課題としては、制度面の壁が挙げられる。わが国は良くも悪くも制度を強固に築くことに長けており、何かをやろうとするときになかなか先に進まないことが多い。この壁に直面したとき、それに関わる人に理解してもらうにはどうしたらいいかを考えておく必要がある。また、ビッグデータの利用にあたっては、個人や社会からコンセンサスを得なければならない。その同意を得るための進め方を模索することも、今後の研究の肝になるだろう。

第5章　ＩｏＴとＡＩによるインフラマネジメントの一大変革

1　インフラマネジメントとテクノロジー

――インフラの老朽化

橋梁やトンネルといった交通インフラは、都市における経済活動や私たちの日常生活にとって、不可欠な存在となっているが、近年、交通インフラの老朽化が大きな社会問題となっており、新聞やニュース等でもたびたび取り上げられている。

橋梁等の多くの交通インフラは、１９７０年代頃の高度経済成長期に建設され、供用年数が45年間を超えはじめている。長期間にわたって供用された橋梁は、疲労損傷や腐食損傷といったさまざまな損傷が目立つようになってきた。腐食とは、簡単に言えば、金属が錆びた状態である。塩化物イオンが腐食の主な要因の一つであり、沿岸部において多くの腐食損傷が発生している。一方、疲労損傷とは、数回程度では問題にならない荷重であっても、数十万回、数百万回と作用することによって、溶接部等から生じる「き裂」のことである。したがって、疲労損傷は、都市部の高速道路等、交通量が多い橋梁に生じることが多い。

腐食損傷と疲労損傷は、進行速度と見た目に大きな違いがある。腐食損傷は比較的ゆっくりと進行し、腐食している箇所とそうでない箇所を目視にて発見することは容易である。一方、疲労損傷は、最初微小なき裂が生じるまでに時間がかかるが、ある一定の大きさまで進展すると、急激に大きなき裂となる恐れがある。また、疲労損傷は目視にて見落とすほど、初期の段階では非常に小さく、見つけることが困難な損傷である。

交通インフラ（橋梁・トンネル）の維持管理

腐食損傷や疲労損傷に対する交通インフラ（橋梁・トンネル）の維持管理は、熟練の技術者による目視点検を中心に行われている。橋梁の場合、一橋一橋に技術者が向かい、鋼橋において腐食損傷や疲労損傷が生じやすい箇所を「近接目視」にて確認し、該当する損傷を見つけた場合は、記録を録っている。ここでのポイントは、「ただの目視」ではなく「近接目視」である。遠隔からの目視の場合、死角が生じることがあり、近接目視であれば発見できる損傷を見落とす恐れがあるためである。

このように、インフラの維持管理は、熟練の技術者による点検が中心となるため、多くの分野と同様、人手不足が今後の大きな課題である。一度技術の継承が途絶えてしまうと、再度熟練した技術者が育つまでには非常に多くの時間が必要になる。わが国の人口が減少していくことは明らかであり、この状況を踏まえたうえで維持管理の質・量を保つ、または向上させる対策を講じる必要がある。そこで土木工学に他分野で発展している最新技術（ドローン技術、AI、IoT、センシング技術）を活用し、インフラ維持管理の効率化・高度化を進める研究が近年盛んに行われている。

インフラ維持管理におけるドローン技術の活用

橋梁やトンネルといった大きな構造物における点検を行う際、高所等の条件により、点検員が直接点検箇所までアクセスできない場合、通常は点検用の足場を設けるか、高所作業車を利用する。これらの設備・車両を準備することは時間を要するうえに、点検コストの増加に繋がる。そこで近年、活躍が期待されているのがドローン技術である。

点検員が容易にアクセスできない箇所に、ドローンは容易にアクセスが可能である。したがって、足場や高所作業車の準備もなくなり、時間と点検コストを大幅に減らすことができる。さらに、ドローンの小型化が進めば、今までは点検のできなかった狭い箇所の点検も可能になり、その質も向上すると考えられる。

反面、ドローンをインフラ維持管理に活用することの懸念事項もいくつかあると考えられる。たとえば、活用を検討しはじめた当初は、ドローンのプロペラと構造物とが接触し、ドローンが落下することが課題であった。ドローンを球状のガードで囲むことにより直接接触することがなくなり、この課題は払拭されつつある。また、構造物内、特に鋼橋内をドローンが飛行する場合、対傾構・横構・横桁・主桁等のさまざまな部材があり、安定した飛行ができるかが課題となる。この解決策としては、構造物の構造を知っている者が操縦することだが、その操縦は困難なものになると想像される。あるいは、家庭用掃除ロボットのようにドローンに学習機能を持たせることで、インフラ構造を次第に学習し、最終的には操縦者等を必要とせず自立して飛行することが可能になることも考えられる。この場合、対象の橋梁の数だけ学習が必要となるなどの課題もあるが、ドローンによる点検の自動化が実現されれば、インフラ維持管理を大幅に効率化できる可能性がある。

インフラ維持管理におけるセンサー技術の活用

インフラ構造物の点検が適切でない場合、大きな事故に繋がる恐れがある。現状の維持管理においては、定期的な目視点検が主な手法であり、構造物に生じる異常を徐々に検知する技術の開発は十分でない。そこで、構造物の状態や構造物に作用する外力の情報を常に監視する手段として、最新のセンサー技術の活用が挙げられる。

現在では半導体製造技術の向上により、小型かつ高精度なセンサーが開発されている。たとえば、Micro Electro Mechanical Systems（以降、ＭＥＭＳ）技術に基づくＭＥＭＳ慣性センサーは、インフラ構造物の健全度評価への活用が期待されており、多くの研究が進められている。ＭＥＭＳ慣性センサーは、通常低消費電力であり、電源供給の面でもメリットがある。また、非常に低価格な製品も存在する。このＭＥＭＳ慣性センサーを用いて、構造物の固有振動数を計測することや、異常な応答を計測することによって、構造物の健全度を評価できる可能性がある。また、ＭＥＭＳ慣性センサーによって計測した加速度データを二回積分することによって変位応答を算出し、その変位応答から外力の大きさを推定することも可能になる。ＭＥＭＳ慣性センサーを用いた外力の推定に関しては、後節でその事例について紹介する。

ＭＥＭＳ慣性センサーによる計測を通じて、構造物の固有振動数を監視し、豪雨時に生じる橋脚の洗堀等を検知するなどの活用も考えられる。一方、橋梁の上部構造やトンネルといった構造物の場合は、損傷がよほど大きくないと固有振動数から構造物の健全度を評価することは困難であり、何らかの工夫が必要になる。

インフラ構造物の常時計測において、多くの場合に課題となるのが、電源供給である。そこで、センサー部に電源を必要としない圧電素子センサーも、インフラの維持管理において活用が期待される。筆者が取り組んでいる事例を後述する。

通常、インフラ構造物の計測を行う場合、各種センサーを用いてある一箇所の点、あるいは複数のセンサーを用いて複数点を計測することが一般的である。複数点を計測することによって、計測を実施していない箇所を内挿するケースが多々ある。そこで、今後、期待されるのが光ファイバー技術を用いたインフラセンシングである。光ファイバーを活用することによって、従来、点で得られていた情報を、線分布で得ることができる。この技術により、たとえば、トンネルの変形状態を詳細に確認することが可能になる。さらに、インフラ構造物に外力が作用した際に、その外力の大きさや作用位置の特定もできるようになる。光ファイバーを活用した歩行者の歩行位置の同定に関しても後ほど取り組んだ事例を取り上げる。

インフラ維持管理におけるAI技術の活用

震災は、いつ、どこで、どの程度の大きさのものが生じるかがわからないため、常にインフラ構造物をセンサー等で監視し、震災後に構造物の健全度を瞬時に評価することは重要である。この評価ができれば、救急車等の緊急車両の走行ルートを早急に決定することが可能となる。とはいえ、センサーによって計測したデータを常に人間が監視する、といったことは現実的ではない。そこで近年、急激に進歩してきているAI技術の活用が考えられる。震災直後に、センサーを用いて計測した構造物のデータをAIによって分析することによって、構造物の健全性や、緊急車両の走行ルートを決定することが可能となる。

通常時においては、橋梁等の振動データをAIで分析することで、走行車両の台数や走行車線の特定が可能となり、定期的に実施されている交通量調査を省力化し、常時実施することも考えられる。また、ドローン等から撮影した画像をＡＩを用いて腐食損傷や疲労損傷の箇所を特定することなどが考えられる。ここで例を挙げた以外にも、インフラ維持管理の分野におけるＡＩ技術の活用は、さまざまな用途・目的において発展・実装の可能性があり、今後の研究開発が注目される。

インフラ維持管理におけるＩｏＴ技術の活用

インフラ構造物の点検が適切でない場合、大きな事故に繋がる恐れがある。現状では、構造物に生じる異常を徐々に検知する技術の開発は十分とはいえない。常に構造物の状態を監視するためには、リアルタイムに構造物の応答（変位・ひずみ・温度等）を計測し、そのデータを分析・判断する事務所などに転送することが求められる。つまり、ＩｏＴ技術をインフラの維持管理に活用することが一層重要となっている。すでに、携帯通信網やＷｉＦｉ等を使い、構造物の計測データをクラウドにアップロードすることによって、インターネットを通じ、どこからでも計測データの監視や取得ができるインフラモニタリングシステムが開発されている。筆者もＩｏＴ技術を活用したインフラモニタリングシステムの開発に取り組んでおり、その一部を後の節で紹介する。

２０２０年、第5世代移動通信規格（以降、５Ｇ）が、利用開始になると予想されている。５Ｇは第4世代移動通信規格（以降、４Ｇ）と比較し、通信速度が数十倍以上早くなり、さらに通信速度以外にも同時接続数が増え、遅延も解消されると言われている。この技術がインフラの維持管理にどのように貢献できるかを考えてみたい。

常時においては、5Gとビデオカメラや最新センサー等を活用し、詳細な交通流をリアルタイムに把握することが可能になる。たとえば、どの道路の、どの車線で交通流が乱れているかなどの情報や、どの路線の、どの位置で走行速度が低下しているかといった情報である。これらの情報は、落下物や事故発生の検知等に役立つ。また、点検の際に撮影する写真データや、現場での計測データをリアルタイムに事務所に転送でき、現場と事務所での連携がスムーズになって点検の効率化に貢献する。さらに、遠隔地にいる点検員が現場のドローン等のロボットを操縦し、点検するといった技術も開発可能になる。その際には、人が点検する場合と、ロボットが代替する場合の点検の質は同等またはそれ以上であることが求められるだろう。

災害時においては、5Gによって3D画像をリアルタイムに伝送できることから、現地に行かずに状況を詳細に把握することができるようになる。また、広範囲におけるデータ取得がリアルタイムにできることによって、災害が発生する前に異常を検知し、警報を発するなどのシステム開発が可能になる。わが国は、多くの自然災害に見舞われており、防災・減災の観点からも5G技術の活用が期待される。

インフラ維持管理における電源供給の課題解決

インフラ維持管理におけるセンシングの活用において、センシングデータの取得方法の課題と同様に課題となるのは、センシングシステムへの電源供給である。

　電源供給の課題を解決するための有効な方法の一つは、太陽光発電による電源供給である。近年では、一般家庭でも使用しており、使用に対するハードルは低く、有力な解決策であると考えられる。太陽光発電を橋梁やトンネルといった交通インフラに用いる場合の課題は、発電パネルに物がぶつかった際に、使用している部品が飛び散らないような製品を採用することである。これは二次的な事故を防ぐためにも必要なことだ。また、太陽光パネルの柔軟性も課題である。橋梁やトンネルに既設の付属物等は、平面の形状だけでなく、曲線や、柱状などの、さまざまな形状が存在する。そのため、曲面や柱状の条件においても適用できる太陽光パネルが好ましい。

　交通インフラ、特に都市部の橋梁の場合は、車両が常に走行しているため、橋梁は常に振動している。この橋梁振動を活用し、電源を供給することも一つの解決策である。橋梁振動の主な周波数応答は、0.1～3Hz程度となっており、振動発電の観点からすると非常に周波数応答が低いことが課題である。これが解決できると、交通インフラの振動から得られたエネルギーを活用したインフラモニタリングシステムを開発することになるだろう。

2 インフラセンシングの技術開発

インフラセンシングの基本　〝適したセンサーの選定〟の事例

筆者らは、ＭＥＭＳ慣性センサーを用いたインフラモニタリングシステムの開発を進めてきている。[1〜3]本節では、センサー技術を用いたインフラモニタリングを行う際の基本となる、センサーの選定に関して事例を紹介する。

橋梁やトンネルといったインフラ構造物の計測を行う際、まず検討しなければいけないことは、〝何に対する構造物の応答を計測するか〟という点である。この理由は、〝どのような応答（大きさ、周波数帯域、精度）〟を計測するかといった情報が、センサー選定の際に不可欠となるためである。たとえば、図表5‐1に示す二つの橋梁において、車両が走行した際に計測した変位応答と加速度応答を図表5‐2に示す。

図表5‐2に示した加速度応答は、±０・０８Ｇ以下であり、加速度計測範囲が±１・５Ｇ程度のＭＥＭＳ慣性センサーを選定する必要があることがわかる。また、図表5‐2より、車両が走行した際の変位応答は約１・３〜２・２秒であり、１・０Hz以下の低周波数帯の応答となることが

１　関屋英彦、横関耕一、木村健太郎、小西拓洋、三木千壽：橋梁の加速度記録を用いた変位応答算出法の提案、土木学会論文集Ａ１（構造・地震工学）、Vol.72, No.1 ２０１６年２月、p.61-p.74
２　関屋英彦、三木千壽、白旗弘実：橋梁用ヘルスモニタリングシステムに用いる加速度センサーの性能確認、土木学会第69回年次学術講演会、２０１４年９月、I-529
３　関屋英彦、木村健太郎、丸山收、三木千壽：橋梁の活荷重応答計測に必要なＳ／Ｎ比に関する研究、構造工学論文集、Vol.62, No.A ２０１６年４月、p.174-p.184

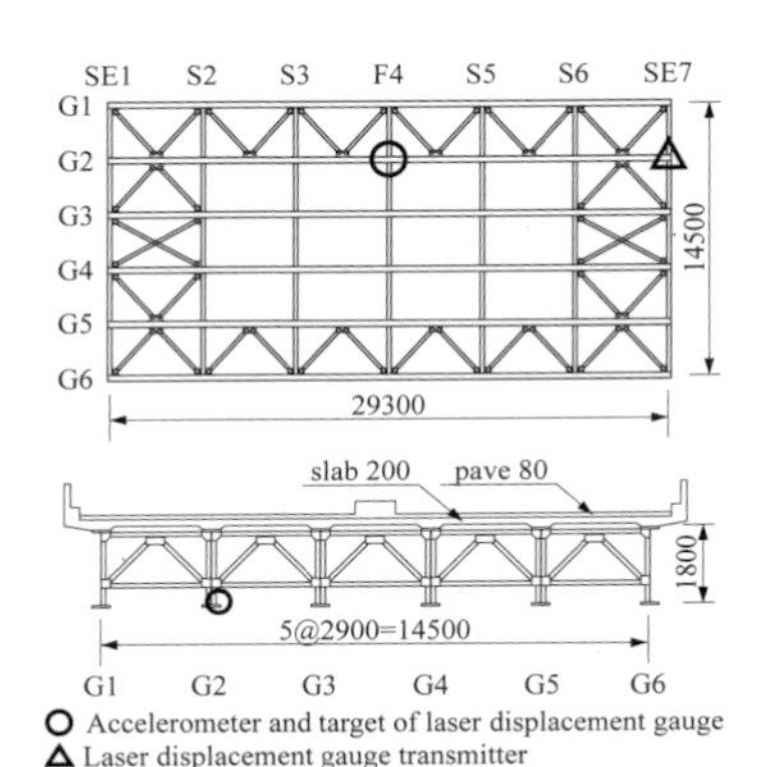

(a) 首都高速道路４号線橋梁

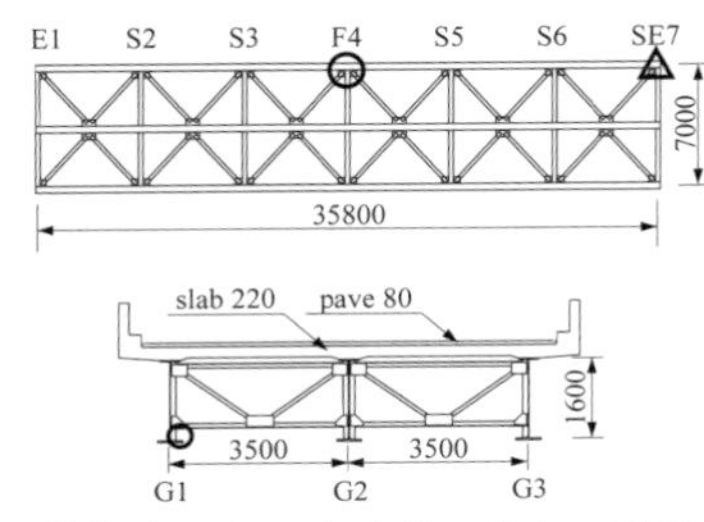

(b) 首都高速道路５号線橋梁

[図表5-1] 試験橋梁の平面図、正面図およびセンサー設置位置 [mm]

出典：関屋英彦、横関耕一、木村健太郎、小西拓洋、三木千壽；橋梁の加速度記録を用いた変位応答算出法の提案、土木学会論文集Ａ１（構造・地震工学）、Vol.72, No.1、2016年2月、p.61-p.74

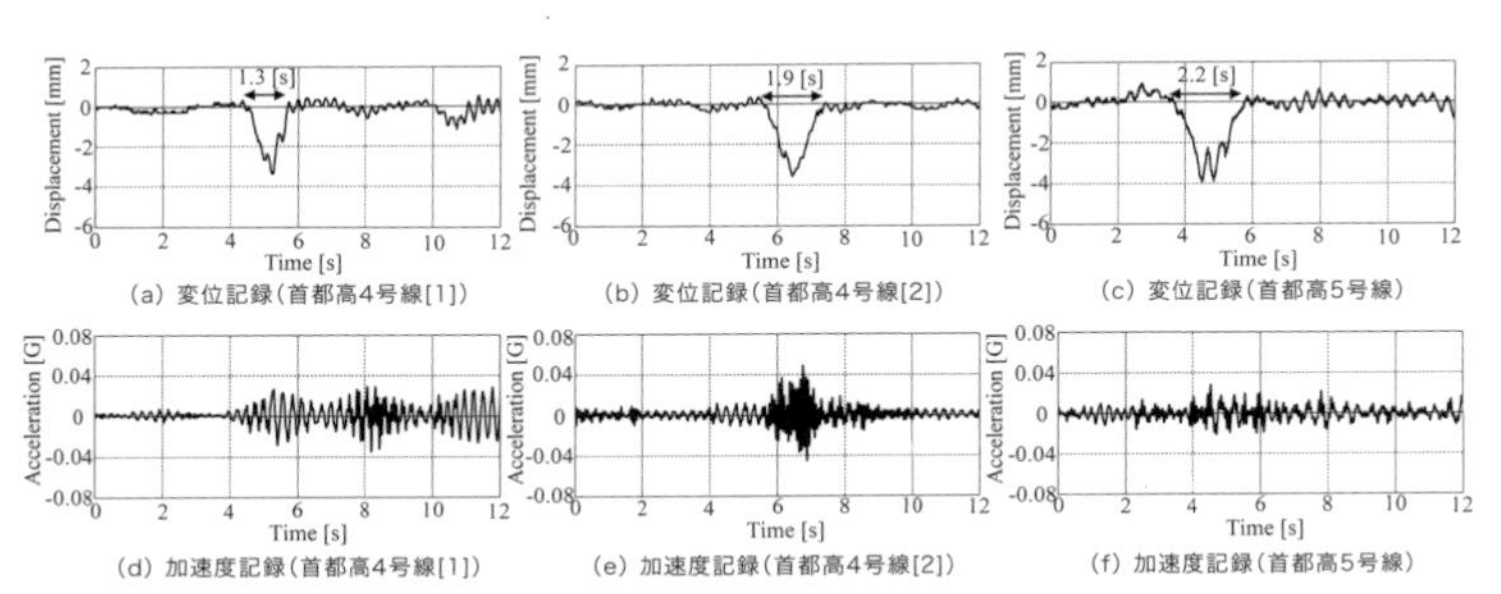

[図表5-2] 試験橋梁における変位記録および加速度記録（主桁下フランジ）

出典：関屋英彦、横関耕一、木村健太郎、小西拓洋、三木千壽；橋梁の加速度記録を用いた変位応答算出法の提案、土木学会論文集Ａ１（構造・地震工学）、Vol.72, No.1、2016年2月、p.61-p.74

確認できる。以上の考察により、図表5-1に示す30ｍ程度の橋梁にて車両が走行した際の応答を計測する場合に選定すべきセンサーの仕様が決まる。

図表5-2のデータを考察することにより、選定した8種類のＭＥＭＳ慣性センサーに対し、静置試験を行った。静置試験とは、図表5-3に示すように、センサーを床の上などに静置した状況で計測を行い、計測データに含まれるノイズの大きさを評価するために行われる試験である。

静置試験の結果、1・0Hz以下の低周波数帯の領域では、ノイズの大きさに数百倍の違いがあることが確認できた。車両重量による橋梁の応答は1Hz以下となるため、ノイズの小さなセンサーを選定することが重要であることがわかる。

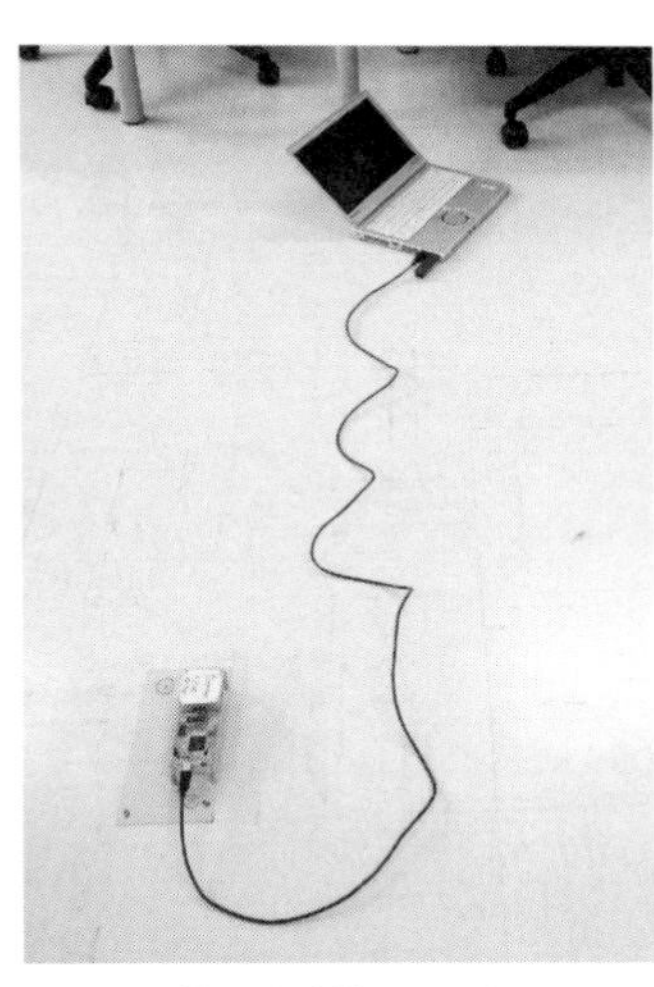

[図表5-3] 静置試験状況の一例

出典：関屋英彦、三木千壽、白旗弘実；橋梁用ヘルスモニタリングシステムに用いる加速度センサーの性能確認、土木学会第69回年次学術講演会、2014年9月、I-529

実際に、静置試験を実施したセンサーを用いて橋梁上を車両が走行した際の加速度応答を計測し、その加速度応答を二回積分することによって得られた変位応答を図表5-4に示す。

図表5-4には、算出した変位応答の精度検証を目的とし、接触式変位計を用いて計測した変位応答も示している。図表5-4より、いくつかのＭＥ

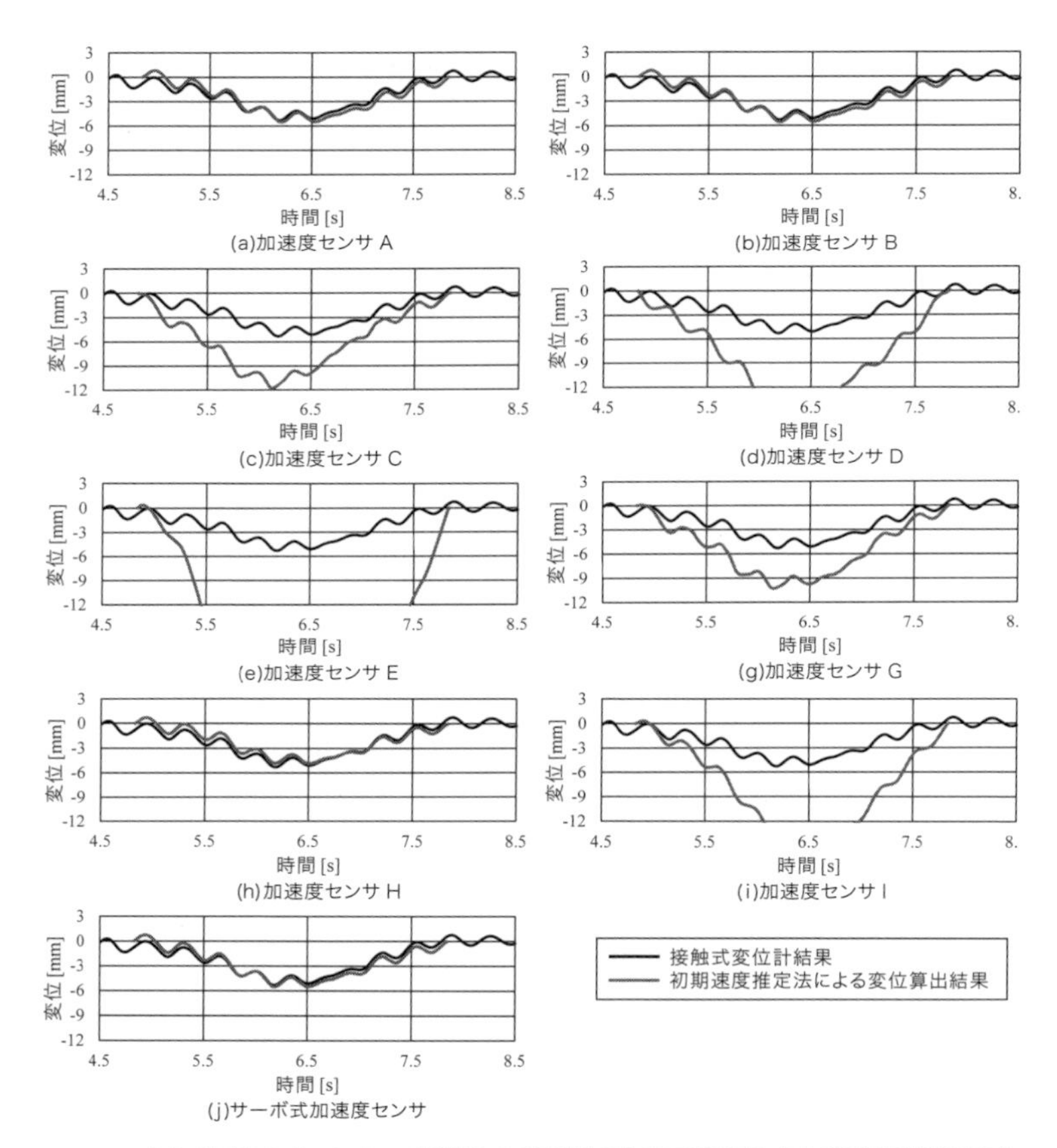

[図表5-4] **各加速度センサーによって計測した実橋梁の加速度記録から初期速度推定法※を用いて算出した変位応答算出結果**

出典：関屋英彦、木村健太郎、丸山收、三木千壽；橋梁の活荷重応答計測に必要なS／N比に関する研究、構造工学論文集、Vol.62, No.A、2016年4月、p.174-p.184

※ Ki-Tae Park, Sang-Hyo Kim, Heung-Suk Park, Kyu-Wan Lee: The determination of bridge displacement using measured acceleration, Engineering Structures, Vol.27, pp.371-378, 2005

MS慣性センサーを用いて算出した変位応答は接触式変位計を用いて計測した変位応答とよく一致していることが確認できる。これらのよく一致した変位応答を算出できたMEMS慣性センサーは、1・0Hz以下における低周波数領域のノイズが小さいセンサーであった。

加速度センサーを活用することによって、インフラ構造物の変位応答を安定して計測できることが明らかになったことは、インフラ維持管理の分野にとって大きなブレイクスルーである。今後は、この変位応答を活用したインフラ構造物の健全度評価等が期待される。

MEMS慣性センサーを活用した走行車両情報の推定

橋梁の維持管理において、橋梁上を走行する車両の重量と、その台数を把握することは重要である。疲労損傷に対する維持管理の観点では、車両重量とその台数の情報を得ることができれば、路線ごとの疲労環境を評価することが可能となるからだ。そこで筆者らは、MEMS慣性センサーを用いた走行車両情報の推定システムを開発してきた。[4~6] このシステムは、MEMS慣性センサ

4 関屋英彦、小西拓洋、木ノ本剛、三木千壽：MEMS加速度センサーを用いた変位計測に基づくPortable-Weigh-In-Motionシステムの提案、土木学会論文集A1（構造・地震工学）、Vol.72, No.3 2016年10月、p.364～p.379

5 Hidehiko Sekiya, Kosaku Kubota, Chitoshi Miki; Simplified Portable Bridge Weigh-in-Motion System Using Accelerometers, Bridge Engineering(ASCE), Vol.23, No.1 2018年1月、04017124

6 Hidehiko Sekiya: Field Verification over one Year of a Portable Bridge Weigh-in-Motion System for Steel Bridges, Bridge Engineering(ASCE), Vol.24, No.7 2019年7月、04019063

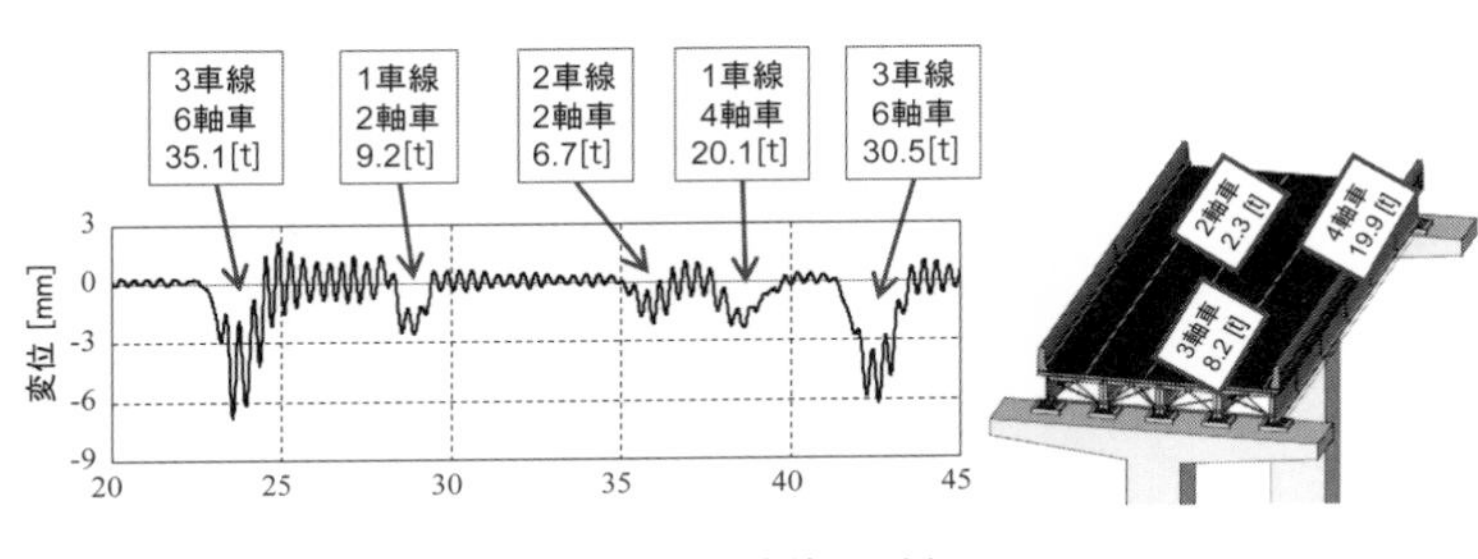

［図表5-5］推定した車両重量、車軸数、走行車線の一例

ーを用いて計測した加速度記録から変位応答を算出し、その変位応答を逆解析することによって、走行車両の重量と、その台数を推定するシステムである。なお、ひずみ応答や変位応答を逆解析することによって車両重量を推定する手法はBridge Weigh—In—Motionと呼ばれ、1979年にMosesによって提案された手法である。[7]本システムによって得られる走行車両情報のイメージを図表5-5に示す。

本システムでは、車両重量とその台数の情報以外にも、走行車線、走行速度、車両種類、車両間隔等の情報を得られることから、橋梁の維持管理以外に、交通流の分析や路面上における異常の検知等における活用も期待できる。また、本システムに使用しているMEMS慣性センサーはマグネット治具等による設置が可能であり、橋梁を傷付けず、容易に取り外しできるため、対象橋梁を変えることで、路線ごとの交通量等の分析も可能である。

――圧電素子センサーを活用した疲労損傷の検知

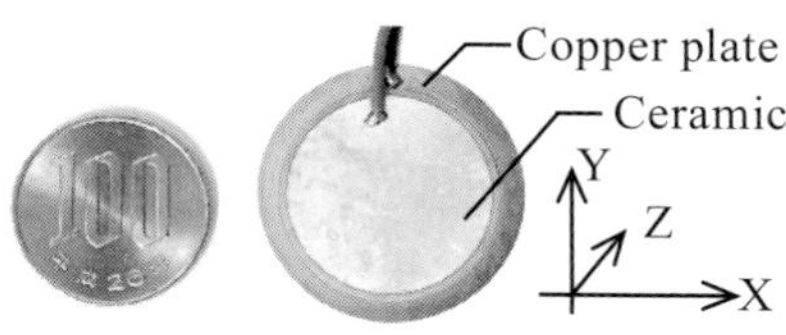

［図表5-6］ 圧電素子センサーの外観

出典：Shogo Morichika, Hidehiko Sekiya, Osamu Maruyama, Shuichi Hirano, Chitoshi Miki ; Fatigue crack detection using a piezoelectric ceramic sensor, Welding in the World, Vol.64, Issue.1, 2020年1月, p.141-p.149

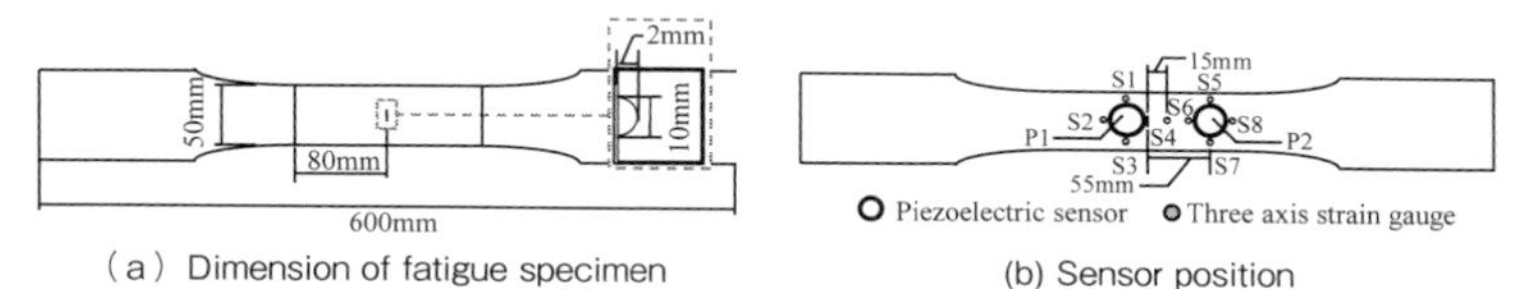

［図表5-7］ 疲労試験片の概要

出典：Shogo Morichika, Hidehiko Sekiya, Osamu Maruyama, Shuichi Hirano, Chitoshi Miki ; Fatigue crack detection using a piezoelectric ceramic sensor, Welding in the World, Vol.64, Issue.1, 2020年1月, p.141-p.149

鋼橋に生じる疲労損傷は落橋に繋がる危険性があり、適切な維持管理が求められる。しかし疲労損傷は、熟練した点検員でないと見落とす恐れがある。さらに、定期点検の間隔の間に発生した疲労損傷は、次の定期点検まで発見されない、といった課題を抱えている。そこで筆者らは、センサー部に電源を必要とせず、長期的な計測に適している圧電素子センサーを活用した疲労損傷の検知に関する研究に取り組んでいる。実験に使用した圧電素子センサーの外形を図表5-6に示す。

圧電素子は、ひずみが生じることにより電気を生み出す性質（圧電効果）があるため、この性質を利用して、疲労損傷が生じたことによるひずみ応答の変化の検知を行

7 Moses, F. (1979). "Weigh-in-motion system using instrumented bridges." Transp. Eng. J., 105(3), 233-249.

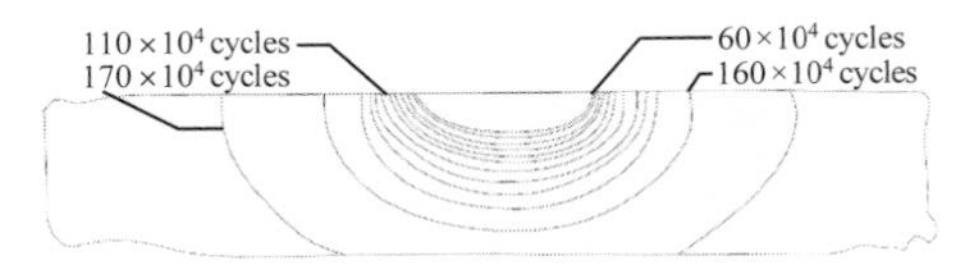

[図表5-8] ビーチマークのスケッチ

出典：Shogo Morichika, Hidehiko Sekiya, Osamu Maruyama, Shuichi Hirano, Chitoshi Miki；Fatigue crack detection using a piezoelectric ceramic sensor, Welding in the World, Vol.64, Issue.1, 2020年1月, p.141-p.149

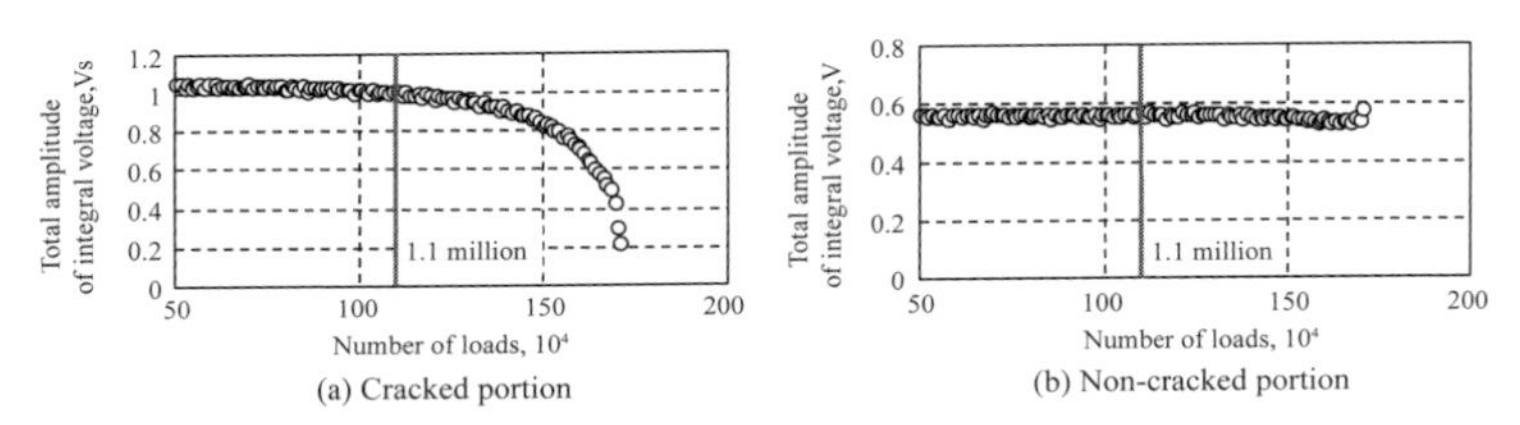

[図表5-9] 疲労試験片の概要

出典：Shogo Morichika, Hidehiko Sekiya, Osamu Maruyama, Shuichi Hirano, Chitoshi Miki；Fatigue crack detection using a piezoelectric ceramic sensor, Welding in the World, Vol.64, Issue.1, 2020年1月, p.141-p.149

った。ひずみ応答の変化を検知することができれば、疲労損傷の発生および進展の検知が可能となる。疲労試験を行った試験体の概要と、各センサー位置を図表5-7に示す。

図表5-7に示すように、試験体の長軸中央部に放電加工による半楕円型の人工き裂を最初に導入し、この人工き裂から進展するき裂の進展状況を圧電素子センサーによって検知する。試験体には、き裂近傍に1枚（P1）、き裂から離れた箇所に1枚（P2）、計2枚の圧電素子センサーを設置した。

疲労き裂の進展状況のスケッチ図を図表5-8に示す。疲労試験が進むごとにき裂が進展しており、さらにき裂形状が大きくなるにつれて、き裂の進展速度が速くなっていることが確認できる。このことからも、疲労き裂はいち早く見つけることが大事であると再確認できる。

圧電素子センサーによって計測した電圧の一回積分値と、疲労試験の載荷回数の関係を図表5－9に示す。圧電素子センサーによって計測した電圧を一回積分している理由は、計測した電圧がひずみの変化率に比例していることから、電圧を一回積分し、ひずみ応答に比例するパラメータとするためである。

図表5－9より、き裂近傍部に設置した圧電素子センサーの反応は、き裂の進展とともに減少していることが確認できる。一方、き裂から離れた位置に設置した圧電素子センサーは、き裂の進展に依らず、一定の値を示している。このことから、実橋梁において疲労損傷が生じやすい箇所に圧電素子センサーを設置し、その応答を監視することによって、疲労損傷の発生および進展を検知できる可能性がある。

―― 光ファイバー技術を活用した移動物体の検知

光ファイバー技術（特に、Brillouin Optical Time Domain Reflectometry（ＢＯＴＤＲ））は、線状のひずみ応答を計測できるため、インフラ構造物の線状のひずみ分布の計測以外にも、車両や歩行者といった移動物体の検知に活用できると考えられる。そこで筆者らは、光ファイバーをマットに設置し、その上を歩行する人間が検知できるか否かについて実験を行った。[8] その結果、

8 Linqing Luo, Hidehiko Sekiya, Kenichi Soga: Dynamic Distributed Fiber Optic Strain Sensing on Movement Detection, IEEE SENSORS JOURNAL, Vol.19, No.14, pp.5639-5644, 2019.

マット上を歩行する人間を検知でき、歩行者の位置を同定することができた。この研究成果により、光ファイバーを路面等に設置することによって、歩行者や車両等を検知できる可能性を示すことができた。しかしながら、光ファイバーから離れた位置を歩行する場合や、実際の歩道等の条件での実験は未着手で、実用化に向けては今後多くの検証が必要である。

――MEMS慣性センサーを用いたシールドトンネルモニタリング

前述したように、筆者らは、MEMS慣性センサーや圧電素子センサー等を用いた橋梁に関するモニタリング技術の開発を行ってきた。特に、MEMS慣性センサーを用いることによって、外力（車両荷重）によるインフラ構造物の変位応答・回転応答を安定して計測できることを明らかにした研究は、橋梁の維持管理に大きく貢献できる研究成果である。筆者はこの研究成果を生かし、MEMS慣性センサーを用いたシールドトンネルの健全度評価の技術開発にFE（Finite Element）解析等を用いて取り組んでいる。列車走行時のシールドトンネルの変位応答・回転応答を計測することによって、シールドトンネルの健全性評価や、設計における仮定の検証等が行えると考えている。

――太陽光発電を活用したインフラモニタリングシステム

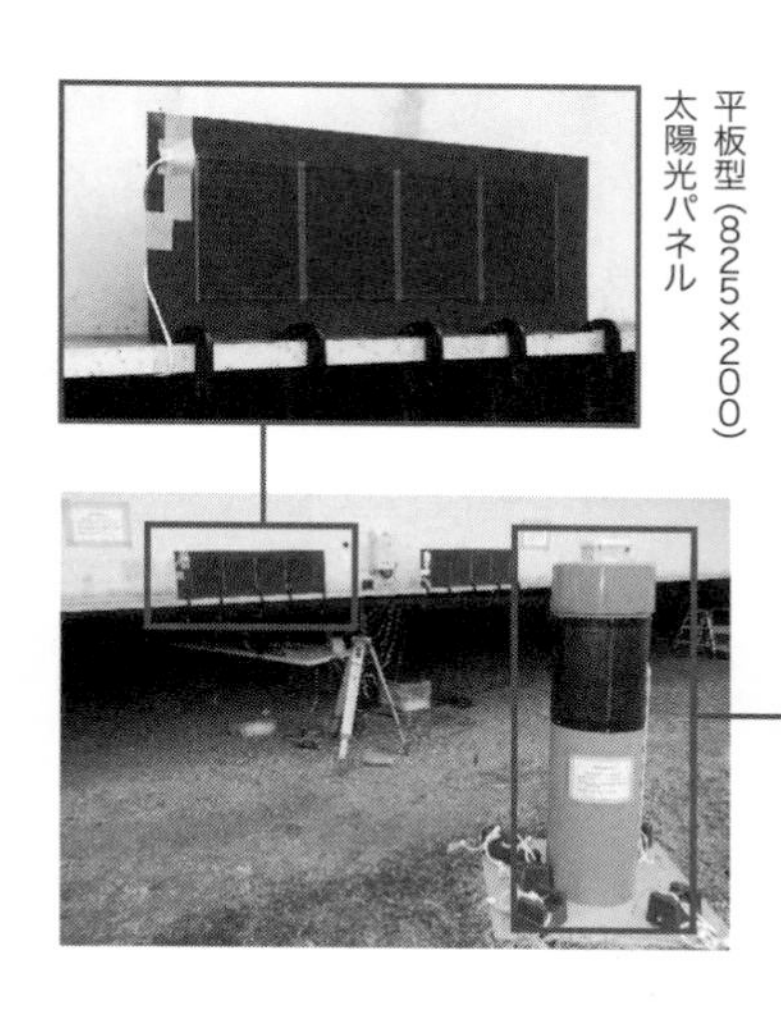

［図表5-10］平板型太陽光パネルと円筒型太陽光パネルの検証状況

災害は『いつ』生じるかがわからない。したがって、災害直後におけるインフラ構造物（橋梁・トンネル等）の健全性を、センサー技術等を活用して評価する場合、災害時のみだけでなく、常時においてもモニタリングシステムは動作している必要がある。常時動作するためには、継続的な電力供給が必要となる。

そこで筆者らは、首都高速道路株式会社、首都高技術株式会社および一般財団法人首都高速道路技術センターとの共同研究にて、太陽光発電を活用したインフラモニタリングシステムの活用を検討している。このシステムは、太陽光発電によって得られた電力をバッテリーに溜め、バッテリーから電力を得ることで常時動作することが可能となる。また、筆者らは、平板型の太陽光パネルと円筒型の太陽光パネルの発電量の違いも検証しており、インフラに設置するうえで最適な形状・大きさの検討を行っている(図表5−10)。

3 インフラマネジメントの未来のために

――データ分析手法の確立

インフラ維持管理の分野で活用が期待されるセンシング技術、ＩｏＴ技術、再生可能エネルギー技術は、近年大きく進んでおり、すでに社会実装されている技術もあるが、まだ定着した状態にあるとはいいがたい。

この理由は、現場にて得られるデータ、ケースによってはビッグデータとなるが、このデータを分析する術が成熟していないことが原因である。有益なデータが得られても、そのデータの分析手法が確立しなければ、データを得るためのシステムが定着しない。

――ＡＩ活用に対する二つの期待：検知と意思決定

　このような状況の中、産官学のそれぞれの研究所等で、インフラのデータ分析に関する研究が盛んに行われており、特に、データ分析にＡＩを活用することには大きな期待が持たれている。人間は休みなくデータ分析を行うことは不可能であるが、パソコンであれば常にデータ分析を行うことが可能であり、人為的ミスもない。ＡＩを活用したデータ分析に関して、そのインフラ維持管理における活用法は二つに大別できると考えられる。

　一つ目は、（動）画像データや、時系列データ（ひずみ応答、加速度応答、変位応答等）から異常な箇所・異常なデータを検知するといった活用法である。コンクリート構造物表面の画像データから、ひび割れを検出するなどのＡＩ活用例は最もよく知られた活用例の一つである。また は、ひずみ応答や加速度応答等の時系列データをＡＩを用いて分析することによって、人間の感覚・経験では検知できない異常を検知する活用が考えられる。

　二つ目は、データに基づく評価・意思決定に対する活用法である。たとえば、現場で計測したひずみ応答や加速度応答に基づき、ＡＩによってインフラ構造物の健全度を評価するなどの活用が考えられる。また、災害時における車両交通流をＡＩによって分析することによって、緊急車両の走行ルートを一瞬で決定するといった活用が考えられる。一方、インフラ維持管理の判断をＡＩ・パソコンに頼ることによって、人間であれば決してしない根本的な判断ミスや予期しない誤った判断が生じる恐れがある。このような誤った判断が起こらない、といった保証は難しいと考えられるため、ＡＩはあくまで人間の判断をサポートする、といった活用法も一案である。

――いまだ発展途上のAI・IoT・センサー活用

インフラ維持管理におけるAI・IoT・センサー技術の活用はいまだ発展途上であり、今後ますます多くの新しい技術・システムが開発されるであろう。図表5-11に筆者らが現在取り組んでいる研究内容の一部を示すが、これらの新しい技術・システムによって、インフラの老朽化に対する課題や、防災・減災に対する課題が少しずつ解決されるように、今後も研究開発に取り組みたい。

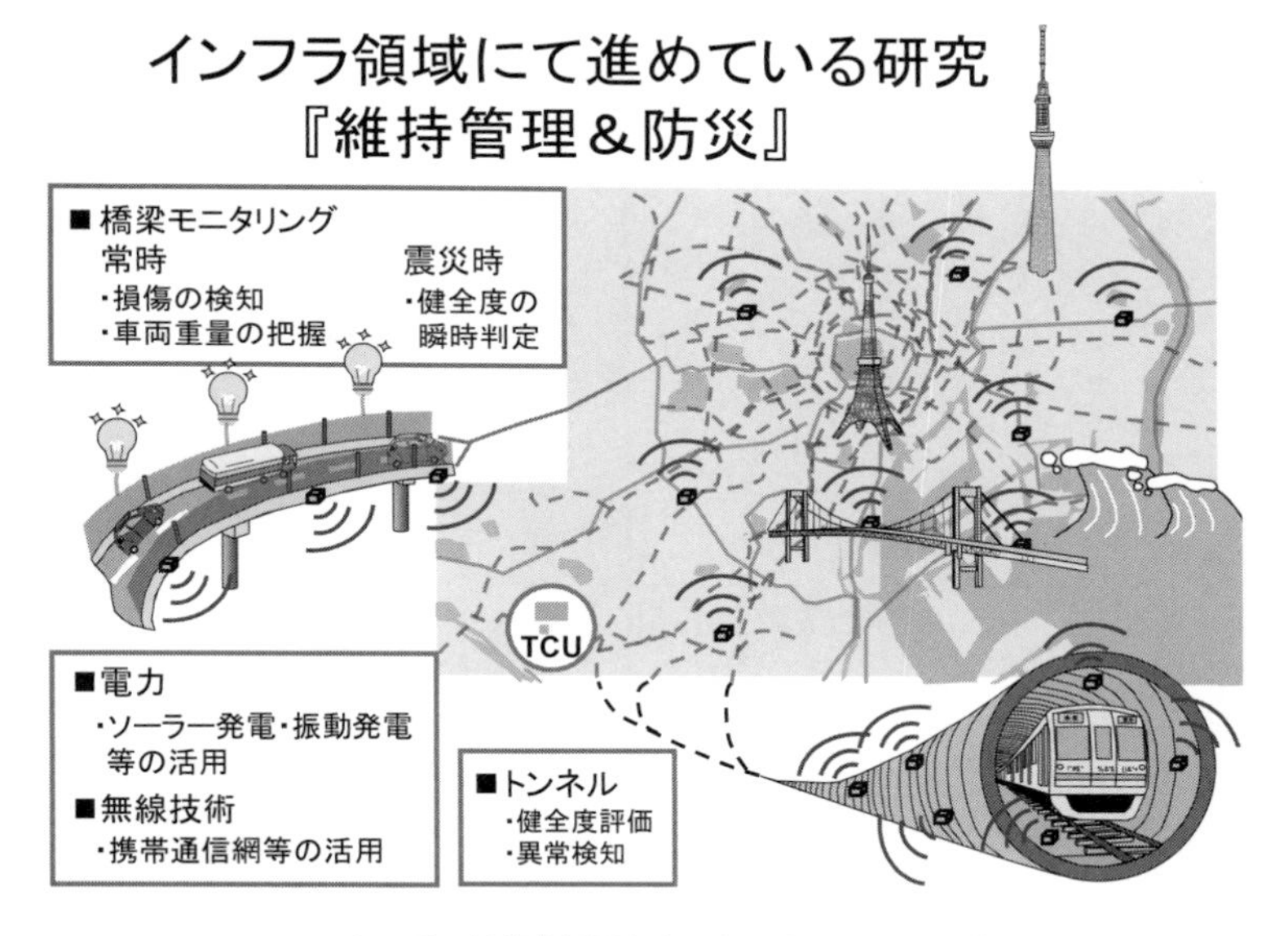

[図表5-11] AI・IoT・センサー技術を活用したこれからのインフラ維持管理

第6章　IoTとAIによる人間中心の都市像

1　都市5・0と情報通信技術

都市における情報通信技術の重要性

本書の主題である「都市」は、多くの人が集う場である。人々が共生する場、生活の場であり、安らぎを得る場であるとともに、仕事の場でもある。個人の持てる才能が最大限に発揮される場、協業により新しい価値を生み出す場であり、また、他者から刺激を受けて自らを高める場でもありたい。

チームを組んで仕事をするときに「報（報告）・連（連絡）・相（相談）を欠かすな！」とアドバイスを受けることがある。他者と力を合わせて最大の成果を挙げるためには、関係者同士の密な「コミュニケーション」が重要ということを伝えようとするのだ。そもそも、人間に限らず、すべての生物は、その体内の各組織や細胞同士が常に情報交換することによって、複雑かつ巧妙な生体機能を維持し、個体としての活動を行っている。五感を通して外部から受けた刺激を脳に伝え、脳でその情報を処理して何らかの反応を各部への働きかけとして伝達する神経網は生体内の通信網にあたる。そうした個体の集合体としての人間のコミュニティにおいても情報共有のネットワークの重要性は固体中のそれと同様であり、その手段としての「報・連・相」が大切な役目を果たすというわけである。

都市の通信網の発展を振り返ると、人類が情報通信技術の活用を通して自らのコミュニケーションのおよぶ範囲を拡張し続けてきた歴史を見ることができる。わが国の通信技術の発展の歴史は、東京都武蔵野市にあるＮＴＴ技術史料館に膨大な資料が展示されているので、興味のわく読者は見学に行かれるとよいが、ここでは簡単にその歴史を振り返ってみたい。通信技術の活用によって人間社会におけるコミュニケーションの範囲の拡大が、空間、時間、通信内容、そして通信相手といった幅広い軸で追求されてきたことがわかる。

人類による通信の利用は古代の烽火に遡るとされている。現在の中国に、秦から明の時代にかけて建設された世界最長の古代建造物とされる長城は、山岳地帯の尾根の起伏に沿って烽火台を備え、そこから立ち上る煙のリレーで敵の侵入を素早く周辺の兵士や都へ伝えた。時代は下り、１８００年代になると、電信・電話機の発明が近代通信技術の発展の端緒となる。１８７６年にグラハム・ベルが電話機を発明、翌年にはベル電話会社を設立している。距離の隔たりを越えて急を要するコミュニケーションを可能とする電信や電話の利便性が認知され、わが国では1890年に東京―横浜間で電話サービスが開始され、これより都市の通信インフラの構築が始動することとなった。

近代の通信技術の発展は、繋がる人の数を増やす歴史でもあった。1950～60年代、各世帯への電話の普及が進んだ時代には、電話回線の申込から設置まで2カ月かかるという時期があったという。当時、これを加入者電話の「積滞」と呼び、積滞の解消が社会的課題とされた。そして1978年にようやくその解消が達成されている。また、回線接続も時間のかかる手動交換の時代があったが、1979年に電話接続の全国自動即時化が実現すると、待たずにつながる時代が訪れ、国内のおよそ6千万世帯への通信回線の普及が進む。いつでもどこの世帯ともダイヤル1本で通話ができる社会が到来した。

平成の時代に入ると移動体通信の普及が加速する。携帯電話は1996年から2002年にかけて毎年およそ1千万件加入のペースで増加し、2000年には固定電話の契約数を上回った。通信端末の主役が固定電話機から携帯電話機へ、そしてのちにスマートフォンへと移り変わり、ネットワークに繋がる端末の数は、世帯で1台の6千万台から一人1台の1億台へ、さらに一人が複数台の端末を持つようになると人口の何倍にも拡大する。通信のパーソナル化、いつでも、どこでも、誰もがネットワークに繋がっている時代の到来であった。

この時期、同時にパーソナルコンピュータが家庭にも普及しはじめた。コンピュータ間通信は、電話の音声中心サービスからデータ通信サービスへと通信の中身を変革していく。通信媒体もアナログからデジタルへ移り変わった。１９８８年には世界初のデジタル回線ＩＳＤＮ（総合デジタル通信網）サービスがはじまる。これによりエンドツーエンドでデジタルデータをそのまま送ることができる通信が実現した。さらにＤＳＬや光によるアクセス回線のブロードバンド化が進展し、データ通信のコスト低廉化が進むと、それまで主に研究者や技術者の間でのみ利用されてきたインターネットの活用が急速に一般へと拡大する。携帯電話でも１９９９年に電子メールの送受信やウェブページの閲覧ができるＩＰ接続サービスｉ－ｍｏｄｅがスタートした。インターネットの普及は通信の内容を音声から画像、動画、データ等のマルチメディアへ広げ、通信ネットワークは人と人を繋ぐものから、人と情報を繋ぐものへと広がっていく。情報通信を嚆矢とした都市のデジタル化とその後の変容へのインパクトについては、本書の序文および第一部に記されているとおりである。

近年話題のＩｏＴは、人と人、人と情報だけでなくさまざまなモノがインターネットに繋がることによって、モノとモノが通信を行い、協調しつつものごとを処理する世界を招来する。情報端末だけでなく、家電製品、自動車、電気・ガス・水道メーター、防犯カメラ、工場や農場の生産設備や機器類、そして家畜までがネットワークに繋がって通信をするようになってきている。こうなるとネットワークに繋がる端末の数は人口の何百倍、何千倍にも拡大していくものと考えられている。

コミュニケーションの拡張と都市

近代の通信技術の歴史を簡潔に振り返ってみたが、それは社会インフラの構築を通した人間のコミュニケーション能力の拡張であった。人は、原始の時代より狩りの道具を工夫して自らの狩猟能力を拡張し、鍬や鎌、鋤を改良して農耕の効率を高め、蒸気機関や電気を操って物を動かす力を拡大し、また移動能力を拡張してきた。そのような人間能力の拡張の歴史の中で、人は情報通信技術を進化させることによってコミュニケーション能力の拡張を行ってきたと言えるだろう。電波や光に情報を乗せることにより空間と時間の壁を超え、今まで不可能であった遠隔の人とあたかもその場で話すようにコミュニケーションをとることができるようになった。また、デジタル化により音声だけでなく画像や映像、さらには振動や臭いなど、五感に訴えるマルチメディアのコミュニケーション能力を手に入れた。ついにはモノとモノとを連携させてものごとを自動的に正確に処理させせる術まで身に付けたのである。

人間情報学の教えるところによれば、この、人間のコミュニケーション能力の拡張は、自らの体内にもつ細胞や生体組織間の情報伝達からはじまって、個体間の人と人との関係へ、さらに人と人の集合体としての地域社会へ、そして人と地球全体への果てなき拡張でもある。ＮＴＴの先端技術総合研究所所長を務め、のちに国立情報学研究所の副所長へ異動された故東倉洋一氏は、２００１年に彼の編著『22世紀への手紙』の中で、情報技術（インフォメーションテクノロジー）が人間の能力を拡張することによって社会に変容をもたらすとして、その可能性を秘めたＩＴ

(Information Technology) をX－IT (eXtended Information Technology) と呼んだ。人が体を覆う衣服を着て、足元を守る靴を履き、視力を補う眼鏡をかけるのがいつしか当たり前になったように、今日、多くの人がスマートフォンを肌身離さず携帯し、ネットワークに繋がっていることが当たり前になっている。この人間能力の拡張は着実に進展し、形を変えて進化することはあっても、決して後戻りすることはなさそうである。

都市において情報通信による人間能力の拡張を実現してきた具体的な構造物といえば、マンホールの下に敷設された光ファイバー網や、街中のあちらこちらに見つけられる無線基地局のアンテナ群であろう。それらは、都市を形づくる社会インフラの一部である。それ自体は無機質な構造物に思えるが、そこに流れる情報は社会の動きを反映してダイナミックに変化している。情報通信インフラは、生体にたとえればその活動を司る神経網である。そして人間の脳の能力を拡張するものがコンピュータであり、それを集積したデータセンターということになる。このような情報インフラが整備された都市は、人間の活動範囲を広げる機能を持ち、言ってみれば人間は都市を衣服のように身に纏うことによって自らの能力を拡張することができる。その意味で、都市は人間の拡張体なのである。

都市のネットワーク化による変容は進んでいる

すでに述べたように、通信網の発展の過程でネットワークに繋がる端末の数は劇的に増え、今後、あらゆるモノがネットワークに繋がる時代が来るとされている。ＩｏＴの進展だ。これとともに、ネットワークで共有されるデータ群を上手に処理して、解釈し、利用するための人の頭脳の拡張体としてのＡＩの応用が進んでいる。ＩｏＴを広義にモノとモノが繋がって効率的なタスクをこなすシステムやサービスまで包含する概念と捉えれば、ＡＩはその重要な一部を構成する要素とみることもできるが、以下では、ＩｏＴとＡＩをそれぞれネットワークと知能という文字通りの独立の概念とし、その連動によりシステムが構成されるイメージを持って話を進めることとする。

インターネット上のＷＷＷの仕組みの出現は、人と情報を繋ぎ、多くの人の間で容易に膨大な量の情報を共有することを可能とした。そのときに必要とされた人の脳の情報処理能力の拡張を果たしたのが、ヤフーやグーグルでおなじみの情報検索エンジンだった。コンピュータネットワーク上に実装されたソフトウェアにより、求める情報を即座に見つけ出す技術である。人々は、誰もが自分が持っている情報を発信でき、ネットワーク上に公開された膨大な情報の中から必要な情報を得ることができる。何か調べ事をするときに辞書や辞典を買い求めなくても、ネットワークを介して常に膨大な情報にアクセスできるようになった。

ネットワーク上のコンピュータでＡＩが処理するデータの世界は、サイバー世界、あるいはデジタル世界とも言われる。これに対してＩｏＴがセンサー等でデータを収集したり、アクチュエータによって働きかけたりする実世界をフィジカル世界、リアル世界などとして対比させることがある。現在、その実現に向けて国を挙げて取り組んでいるＳｏｃｉｅｔｙ　５・０の仕組みの一つがこのサイバーとフィジカルを巧みに連動させる「ＣＰＳ（Cyber Physical System）」だとされている。連動の一例としては、実世界の膨大なデータをもとにコンピュータ上にそのコピー（デジタルツイン）を構築し、ＡＩによりその実世界のコピーをシミュレーションして、その結果得られる改善を実世界へ施すというものである。このようなＣＰＳの活用は世界的に検討されており、Ｉｎｄｕｓｔｒｙ ４・０として知られる製造業への応用やスマート農業への応用が注目されている。世界に誇れる日本食文化を持つわが国では、農研機構でこうしたデータ駆動型の農業の研究を推進していると聞く。わが国の産業拡大に向けてＣＰＳの活用が期待されるところである。

こうして見るとＩｏＴとＡＩの連動は、工場や圃場の生産性を高め、産業競争力を強化し、経済発展を促す秘策となると期待される。この効用こそがあらゆるモノがネットワークで繋がることの第一の目的と考えられる。しかしながらそれと同時に、そのインパクトは都市機能としての新しいサービスの創造にも波及し、私たちの生活様式を変革してさまざまな社会的課題の解決を得る可能性をも持つものである。

あらゆるモノがネットワークに繋がることのインパクトは、ＷＷＷの仕組みによる知識ベースの情報共有とは少し異なる側面を持ち得る。その一つは、常に繋がっているという常時性、情報のリアルタイム性にあると思われる。ＩｏＴとＡＩの連動において、この側面はＩｏＴがもたらす特長と言えるかもしれない。防犯用のネットワークカメラは実世界の街角の様子を定点観測する。街中や人が多く集まるところの様子がリアルタイムで見えるようになるのだ。ほかにも公共交通機関の運行状況の確認等、街中での応用事例は多数ある。高速道路のサービスエリアでトイレの空き状況をモニターして利用者にどこのトイレが空いているかを伝えるサービスも常時接続性を生かした一例である。走行中のバスのＧＰＳ端末がネットワークに繋がることによって、目的地に向かうバスが今どこを走っているかがわかり、その時間に合わせてバス停に向かうことでバスを待つ時間が短縮された。鉄道についても、たとえば東急電鉄はすべての電車の走行位置と駅改札やホームの混雑状況をリアルタイムで配信している。このところ地震や台風の影響で公共交通機関の運行が滞ることがしばしばあるが、そうしたときに遠隔から運行の復旧状況や駅の様子をビジュアルで見ることができるメリットは大きい。このような街中の様子のデータ化とそのデータ処理による活用は、社会活動の効率化だけでなく人々の安心・安全にも大きく貢献する可能性を秘めている。ＩｏＴとＡＩによる都市のネットワーク化は着実に進んでいる。

空間を繋ぎ、時間をたどる

情報のリアルタイム性に加えて、ＩｏＴとＡＩの連動のもう一つの際立つ特長を挙げれば、それは記憶の拡張ではないだろうか。これはどちらかといえばＡＩに託される機能であるが、その技術基盤には半導体の微細化によるデジタル情報処理とメモリ回路の大容量、低廉化がある。ＡＩの主要技術分野である機械学習には、データを入力したときにそのデータが示す意味を分類して言い当てる機能がある。近年、応用研究が進むディープラーニングによれば、さまざまな画像データを入力して、その被写体が猫なのか、犬なのか、あるいはまったく違う何かなのかを判別することができる。これは膨大な数の画像データを機械的に学習し、その分類の記憶を処理回路やメモリ回路に回路パラメータとして蓄えることによって実現される。ディープラーニングが脚光を浴びる以前にもさまざまな分類学習アルゴリズムが提案されているが、いずれも学習結果をアルゴリズムに即した表現方法で記憶することでこうした機能が実現されている。

記憶の拡張については、AIの機能の話に深入りしないまでも思い当たることがある。多くの人が自分の脳の記憶の拡張として通信端末の中の、あるいはネットワーク上の記憶容量を利用しているのではなかろうか。手帳代わりにスマートフォンにメモを書き込み、クラウド上のスケジューラーに一カ月先の予定を書き込んで、約束の日が近づくとリマインドを受け取るなど、人間の記憶の場所を脳から常時接続可能な外部メモリへと広げている。

2018年から19年にかけて、高齢者を対象としたAIスピーカー活用の実証実験が新聞や業界紙のニュースで話題となった。読者もそのような記事をご覧になったことだろう。AIスピーカーはスマートスピーカーとも呼ばれ、マイクロフォンを内蔵し、音声認識技術により対話型のヒューマンインターフェースをもって人間をアシストする。グーグルのGoogleアシスタントやアップルのSiri、アマゾンのAlexa等が有名だ。たとえば「アレクサ、今日のニュースは？」と聞くと即座にネットを検索してニュースを読み上げてくれるというものだ。近い将来にはAIスピーカーが黙って人の会話を聞き取り記憶していて、後日、その昔話に相槌を打って話し相手になってくれるかもしれない！

以上のように、現在の技術の延長線上に見えてくるＩｏＴとＡＩの連動が生み出す新しいサービスや私たちの生活様式の変革のキーワードとして、「遠隔からのリアルタイムの情報共有」、および「過去と現在、未来を繋ぐ記憶共有」の二つがあるように思われる。つまり、ＩｏＴとＡＩの連動により、空間を繋ぐこと、時間をたどることによる都市生活の変容が期待できるはずである。

周知のとおり、携帯電話やスマートフォンを収容する携帯ネットワークについては、３Ｇ、４Ｇに続き２０２０年より第5世代の技術が順次展開されていく計画になっている。５Ｇは、年々増大する移動通信トラフィックに対する通信容量拡大の対応とともに、大きく以下の三つを特長とするネットワークの開発をめざして研究開発が進められてきた。すなわち、大容量なリッチコンテンツを素早くやり取りできる通信速度の向上、ＩｏＴに対応する収容端末数増大のための多数同時接続機能の実現、そしてリアルタイム化を極限まで追求する超低遅延通信の実現である。大容量なコンテンツのやり取りについては、マッシブＭＩＭＯと呼ばれるアレイアンテナを利用した通信相手の効率的な選択制御技術や、今まで携帯ネットワークでは使われてこなかった数ＧHzを超える周波数帯の利用技術が研究開発されてきた。

今回、初めて26ＧHz帯からミリ波帯に至るより通信帯域の広い超高周波数の移動通信への利用が開発され、従来のＬＴＥ比で１００倍の高速化、映像でいえばハイビジョンを超える４Ｋ、８Ｋの映像のやり取りなど、大容量コンテンツの高速伝送が実証され、今後の普及が期待されている。収容端末数の増大についても、都市空間の面積辺りの収容数で比較して現行ＬＴＥの

100倍が見込まれており、インフラ維持管理等の端末収容への活用が進む見込みである。

三つ目の遅延時間については、情報伝達に要する時間の遅れを「レイテンシ」と呼んでいる。5Gではこのレイテンシをミリ秒のオーダーに縮める研究開発が行われてきた。人間の反射応答時間、すなわち目で見て、耳で聞いて、即座に行動を起こすまでの時間は0・2秒程度とされている。通信にこれと同程度のレイテンシがかかると人間はその遅れに違和感を覚えることになる。そこで通信にかかるレイテンシを人間の反射応答速度と比べて桁違いに下げる技術開発が進められたわけだ。これにより、遠隔からの外科手術などの医療行為や機械システムの制御等、厳格な制御を要する遠方からの作業が可能となる。このように、IoTの仕様策定にあたってはリアルタイム性も強く意識されている。

2 センサーネットワークの運用から見た都市5・0

――令和時代の日本が抱える課題

ここまでIoTやAIが人間の能力を拡張するものであるとの観点から、人間中心の都市像のヒントを探ってきた。あらゆるモノがネットワークに繋がることによって、実世界の情報を収集し、その情報の分析や学習によって今まで見えていなかったものが見える形で共有できるようになる。これは言い換えればＩｏＴとＡＩの仕組みを利用した「報(ほう)・連(れん)・相(そう)」の強化だ。このＩｏＴとＡＩの連動を、産業分野だけでなく私たちの日常生活へも活用することにより、生活の利便性が向上し、さまざまなコミュニティでの活動の効率化が図られ、暮らしの安心・安全が向上することが期待される。実際に都市のネットワーク化が着実に進んでいる歴史を調べ、都市機能の利便性が向上している状況を確認したが、著者の研究グループでは、さらにこのネットワーク化を推し進めてその利活用を図っていくことによって、未来に向けての社会的課題解決のための糸口を見出すことができるはずだと考えている。

現在のわが国は少子高齢化が進み、世界の課題先進国とまで言われる状況にある。ここでその状況を確認してみよう。わが国の人口高齢化の状況は、内閣府が毎年発表する高齢社会白書に詳しく分析されている。5年に一度の国勢調査によれば、２０１５年にこの国の総人口が減少に転じた。一方で65歳以上の高齢者人口は着実に増加し、その数が全人口に占める割合を表す高齢化率は２０３５年には33・４％（３人に１人）になるとされている。また、65歳以上と定義されてきた高齢者の中でも、すでに75歳以上の人口が65〜74歳の人口を上回る状況にある。

世帯構成を見ると、昭和、平成と核家族化が進み、この間に高齢者の単独、あるいは夫婦のみの世帯も急増した。２０３５年には一人暮らしの高齢者が７６２万人に達するとした推計がある。こうした高齢者世帯の見守りは令和の時代の社会全体としての大きな課題であり、地域のコミュニティや街を挙げての取り組みがますます必要となるだろう。そこではＩｏＴやＡＩを活用した安心・安全の取り組みが重要と考えられる。

一方、高齢者を支える側の年齢層に着目すると、人口減少とともに労働者層の減少傾向が見てとれる。国全体の産業競争力、経済成長を担う力の強化が課題だ。わが国は、先進諸国の中で女性の就業率がまだまだ低い状況にあり、いっそうの女性の活躍が期待されているが、それに伴い夫婦の共働き世帯が安心して暮らせるような支援が求められている。特に、子育て世代への支援が重要だ。また、障害を持つ人の社会進出も大事なテーマであり、街中での行動支援が求められる。政府は海外からの労働者の受け入れも強化しているため、外国人に対する暮らしの支援も必要である。

労働者層人口の地理的分布に着目すると、これも人口減少とともに都市部への集中傾向が見られる。地方産業の創生も課題であるが、都市を中心に多世代共生型の働き方支援、安心・安全のための生活支援が必要となると考えられる。

著者の研究グループでは、こうした暮らしにかかわる社会的課題解決の一助となるべく、IoTの活用、特に街中や住居において人と環境に対する情報を収集するセンサーネットワークの運用とデータ活用の研究を進めている。以下、その内容について少し紙面を割いて紹介したい。

センサーネットワークの運用事例

先に述べたCPSの仕組みにおいて、IoTがサイバーとフィジカルの二つの世界のインター

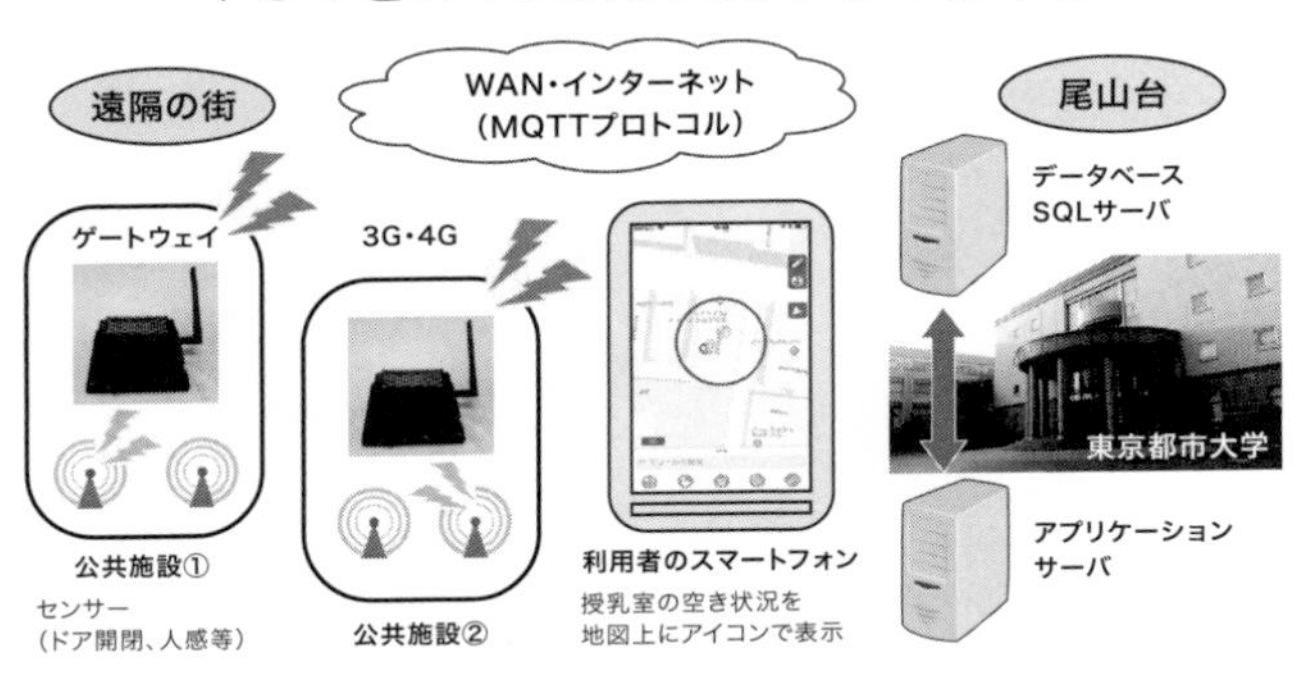

[図表6-1] フィールド実験時のネットワーク構成

フェース役を果たす。その役割には、実世界の情報を収集するセンシング機能と、得られた知見をもとに実世界に働きかけをするアクチュエーション機能の二つがあった。ＡＩスピーカーを例にとれば、情報収集するセンサーがマイクロフォン、ＡＩスピーカーに声をかけた者に会話を通して働きかけるアクチュエータがスピーカーになる。アクチュエータは、機械や装置の制御をする場合であればスイッチであったり、モーターであったりもする。人の行動支援を目的とするものであればＡＩスピーカーのようなスピーカーであったり、ディスプレイ装置であったり、あるいは視力の不自由な方の支援のためには触覚に訴えるデバイスであったりするだろう。一方、センサーもマイクロフォンのように音を感知するものから、映像を捉えるカメラ、温度、湿度、照度、加速度を測定できるセンサー、窓の開閉や人の気配を感知するセンサー等、さまざまな種類がある。多数のセンサーを接続してデータを収集するネットワークをセンサーネットワークと呼んでいる。センサーネットワークは、測定しようとする物理量やセンサーの設置条件に応じて、センサーの設置位置もさまざまであるため、設置の容易性から配線の要らないワイヤレスセンサーネットワークの採用が有効である。そこで、私たちの研究室でもワイヤレスセンサーネットワークの構築と運用を行っている。そのネットワーク構成の一例を図表6-1に示している。

これは、乳幼児を連れた子育て世代の人々の街中での行動を支援することを目的としたフィールド実験を企画した際に構築したネットワークの構成例である。乳幼児のオムツ替えや授乳のできる施設の利用状況をモニターして利用者にその空き状況を知らせるシステムを考えて、東急電鉄大井町線の自由が丘駅周辺にてその検証を行った。施設の出入口のドアの開閉や室内の人の気配を感知するセンサーを複数の施設に設置して、ワイヤレスセンサーネットワークで授乳室の利用状況を常時モニターした。各センサーは、人の入退室を感知するとそのイベント情報を同じ施設内に設置したゲートウェイへ転送する。ゲートウェイは多数のセンサーを収容するセンサーネットワークの要になる装置であり、センサーからのデータを集約して広域網を経由して所定のデータベースサーバへ送り出す役割を担っている。ゲートウェイ装置は、小さな箱の中に複数の通信インターフェースを具備したプロセッサ（コンピュータ）を搭載したものであり、そのプロセッサで処理するソフトウェアによってセンサーデータの集約方法を定義することができる。このシステムでは、センサーからのデータに時刻情報や電波の受信状態の情報を付加し、比較的短いデータの大量送受に適しているといわれるMQTTプロトコルへ変換して転送する機能を実装した。ゲートウェイから尾山台にある大学に設置したデータベースサーバまでは、携帯ネットワークの公衆網を利用してインターネット経由で通信を行う構成としている。データベースサーバはアプリケーションサーバと連動して各施設の空き情報を街中のスマートフォンからリアルタイムで確認できるようにした。

このような街中の施設案内サービスは、子育て世代に限らず、高齢者や障害を持つ方々、外国人、そして子供たちにもそれぞれに大きなニーズがあると考えている。商店街が連携してちょっと休憩できるベンチやカフェの空き状況を案内すると、街歩きの利便性が高まり、賑わいのある街づくりに役立つのではないだろうか。

ワイヤレスセンサーネットワークの構成について少し補足しておこう。自由が丘の例のような据え置き型のゲートウェイを利用する構成は、多数のセンサーを安定して収容することができ、大きな施設内でのネットワーク構築に向いている。一方、個々人の健康管理や運動支援によく使われているウェアラブルタイプの心拍計や活動量計等は、スマートフォンを介して公衆網に接続する構成が多い。スマートフォンと連動するリストバンド型のセンサーがそのような例の一つである。もともとスマートフォン自体も多くのセンサーを内蔵しており、単独で通信端末として広域網に接続する形態である。今後5Gが普及すると、直接携帯ネットワークに接続できるセンサー端末が多く利用されるようになるだろう。街中でのシステム構築がさらに容易になることが期待される。

――センサーデータから情報をあぶり出す

センサーネットワークの活用にあたっての重要な研究テーマの一つが、ＡＩによるデータの分析だ。一昨年前、卒業研究に取り組む学生が研究室に設置したワイヤレスセンサーネットワークを利用し、多くの学生が出入りする研究室でドアの開閉頻度のデータを長期間にわたって取得した。これをＣ４・５と呼ばれている古典的な機械学習アルゴリズムを使って分析した。Ｃ４・５はデータ群を二分して決定木を生成していく分類器である。データの分割分類は、データに付随する属性、即ち曜日であったり、時間帯であったりに着目して行うが、その際、分割により得られる情報量が最大になるように二分していくアルゴリズムである。この分析により、学生の入退室データに対する特徴的な様子（たとえば、この研究室ではある曜日のある時間帯に必ずゼミが開催されるので、そこでのドアの開閉頻度が高くなるといったような特徴的な事柄）を示すデータが見えてくる。こうした学習による分類結果から、たとえば、ある日ゼミが中止となり学生の出入りがなかったときにその状況を発見することができるわけだ。普段と違う異常事態の状況を発見する用途に活用できる可能性がある。

私たちの研究室では、前述の街中の施設利用状況の共有ネットワークによる行動支援の研究のほかに、高齢者の見守りを目的とした一般住宅や介護、リハビリテーション施設でのセンサーネットワークの活用研究も行っている。住居内で小型のセンサー端末を携帯する人の位置を、そのセンサー信号の受信強度データを予め学習しておくことで割り出す技術を検証している。今後、独居の高齢者や施設で暮らす高齢者の様子を遠隔に住む親族がさりげなく見守りたいというニーズはますます高まるだろう。ワイヤレスセンサーネットワークを一般住宅に設置して家の中の人の動きをＡＩに推測させ、異変が起これば通知するシステムが、高齢者世帯の安心・安全に寄与できるのではないかと考えている。

3 都市5・0に向けた変革のために

誰が投資していくのか？

本章では、人間のコミュニケーション能力の拡張という視点で都市5・0「個人の都市」を捉え、ＩｏＴとＡＩという技術による都市の変革の可能性について考察した。

現在、産官学を挙げてＩｏＴやＡＩによる産業競争力の強化と社会的課題解決の試みが進められているところであり、こうした情報技術の活用による持続可能でよりよい社会の創造が期待されている。そして、こうした社会の変革に併せて都市の機能も拡張、変容していく必要があるだろう。ＩｏＴやＡＩの実装による都市機能の拡張に対しては、誰がこれらの投資をしていくかという議論がつきまとう。これを都市の共通インフラと考えると公共的な要素も強く、大型の投資には自治体や国の支援が必要と思われる。ビジネスベースで進められるものは民間に任せつつ、それぞれの街や自治体と連携した計画の策定が必要になると思われる。

「仕事」の消滅と情報格差

ＡＩについては、私たちの社会活動を効率化し、顕在化している多くの課題を解決、安心・安全な持続的社会を実現する切り札の一つとして研究開発が進められてきている。しかし、そうした技術の持つ光の側面と同時に、技術発展がもたらす闇の面も忘れることはできない。たとえば、今まで人間が行ってきた多くの仕事をＡＩが代行してしまうことによって仕事を失う人が溢れ、失業率が高まるとの論調がある。また、情報技術に対する個々人のスキルの違いや世代の違い、生活環境や場所の違いによる情報格差（デジタルデバイド）の問題も常に議論されてきている。こうした将来に対する懸念に対しては、私たち一人ひとりが社会を構成する一員として常に注意を払い、誰も取り残されず、その恩恵を受けられるように工夫し、運用していく必要がある。

新しいヒューマンインターフェースの技術開発

情報格差の解消には、ヒューマンインターフェースの技術開発が今後も貢献できる余地がある。究極には情報端末等の機器類の操作をまったく意識せずに、情報を活用できる社会をつくることであり、そのために都市が持つべき機能の検討も必要となるだろう。また、センサーデータについてはプライバシーへの配慮が常に必要である。データの管理、運用をどの組織がどういった方法で行うか、ルールづくりやプライバシー侵害等の問題発生への対応シナリオの研究も大切になるだろう。

社会全体でこうした課題を一つ一つ解決しつつ、すべての人に平等であり、多世代にわたって、また多様な人々が共生する持続可能で活力のある、安心・安全な社会の実現に向けて進んでいきたいものである。

第 Ⅲ 部

都市5.0を実現する設計思想

第7章 都市を人間中心で設計する：MaaSからCaaSへ

1 都市生活者の変容とユニバーサルデザインへの国際的注目

――都市におけるバリアフリーへの要請

今日、わが国は、高齢者の増加とそれにともなう障がいの種類の多様化、また国際化による外国人の生活支援、さらには女性の社会進出による子育て支援などの社会的課題に関心が高まっている。こうした社会環境の変容を先取りするように、1975年頃から都市創造のプロセスでバリアフリーが重視されるようになった。バリアフリーは既存の空間や製品、サービス等にあったバリアを特別な装置や人的対応で補う、あるいはバリアそのものをカットする考え方である。たとえば、既存のバスの乗り降りにはステップのみが設定されていたが、車いすの方が乗れるよう、１９９０年代には車いす用のリフトをあとから特別に付けたバスが登場、普及した。「あとから特別な対応でバリアを補う」のがバリアフリーの要点である。しかし、環境ごとに特別対応を続けると多額の費用と時間がかかる。そこで「最初からより多くの方が使いやすい空間・製品・サービス等をつくり、生活環境に波及させる」ことを旨とするユニバーサルデザインが注目されることになった。バリアフリー型が「リフト付きバス」ならば、ユニバーサルデザイン型は、今日普及している「ノンステップバス」である。誰もが使いやすいものを最初から大量生産するので、コストメリットも大きなものとなる。

ユニバーサルデザインとは？

ユニバーサルデザインは、１９８０年代に、自身も障がいを持つロナルド・メイスが提唱したデザイン哲学で、７つの大原則がある。

原則１：誰もが公平に使える
原則２：使うときの自由度が高い
原則３：使い方が簡単かつわかりやすい
原則４：必要な情報が簡単にわかる

原則5：誤って使用しても大きな危険に繋がらない
原則6：身体への負担が少なくて小さい力でも使える
原則7：使いやすい大きさおよびスペースがある

これからは、健常者だけでなく高齢者・障がい者・外国人・子どもとその親の存在を意識し、7原則を包含したユニバーサルデザイン型の空間・製品・サービスを前提とした都市創造が求められる。また、7原則に加えて「価値観」、「技術」、「制度」のバランスを意識することがポイントになる。誰にでもやさしい環境をつくるうえで、根源にあるのは、生活者の価値観に寄り添うことである。その価値観を把握してから技術開発・制度構築を行うことで、最大の効果を実現することができる。ユニバーサルデザインは環境を俯瞰的・学際的に見つめ、多様な生活者に着目するところに原点がある。

国際的なユニバーサルデザインへの流れと人間中心設計への世界的関心

1980年代中盤、ユニバーサルデザインへの関心が世界的に高まった。この時期に、「モノのデザイン」とともに「コトのデザイン」が注目されるようになった。そこで作り手中心で使い手軽視のモノづくりが、問題として浮上することとなった。高齢者、障がい者、子どもとその親、そして外国人など、多様な人々が都市で生活することが意識されると、こうした多様な生活者の価値観に触れることで、それを取り入れて誰もが利用しやすいモノをユーザー志向でデザインする認識が高まったのである。さらにはモノを繋ぎ合わせて有機的なシステム＝コトとして、俯瞰的に空間・製品・サービスを開発・提供する重要性が問われるようになった。まさに「システムデザイン・マネジメント」の世界観が国際的にも重んじられるようになったのだ。

平成に入る頃から、わが国でも従来のシーズ志向のモノのデザインでは、多様なユーザーを満足させられず、システム自体を効果的に動かすこともできないと意識されはじめた。多様な人々のことを深く調べ、深く知り、その知見からボトムアップで製品・環境・サービスをユーザー志向で創造することが重要なテーマとして問われるようになってきている。

米国では、ユニバーサルデザインと並行する形で、ドン・ノーマンが１９８６年頃からユーザー中心設計（User Centered Design）を提唱している。ドン・ノーマンは、認知心理学者・認知科学者・認知工学者であり、利用者の立場から製品を設計するべきであると強く訴求した。認知心理学を背景とする認知工学の立場から、利用に際してのわかりにくさを最大限排除することに注目している。この考え方は『The Design of Everyday Things』という名著で知られるようになり、情報の認知という観点から、多くの生活者が使いやすい空間や製品、サービスを提供することの重要性が世界に波及することとなった。

一方、ヨーロッパでは第二次世界大戦後の１９４９年に、イギリス人間工学会（Ergonomics Research Society of Great Britain）が創設されている。イギリス人間工学会は、人間とその人が生活・作業をする環境との関係を解剖学や生理学、心理学的等の多様な側面から研究することを目的としている。これを起点として、ヨーロッパ各国で人間工学関係学会が相次いで設立された。1961年には国際人間工学会（International Ergonomics Association）が組織され、今日の人間工学の一大潮流が形成された。ヨーロッパでは、労働科学的な学問分野として「労働者と職務者の関係」、「職務での労働者の諸特性の理解」、「職務の労働者への適合可能性」、「職務での労働者の疲労軽減策や健康確保策」を主軸に置き、人間工学が発達していった。昨今の電車のすわりやすいシートやにぎりやすいつり革は、こうした流れから広がった都市生活者向けの人間工学的研究の成果である。1980年代になると、イギリス等のヨーロッパエリアでも米国と同じく情報技術および認知工学に根ざす人間工学（ITE：Information Technology Ergonomics）の研究領域が生まれた。これはブライアン・シャッケルが1985年頃から提唱したものである。ユーザー、作業活動、機器、環境（社会的環境および物理的環境）という4つの要素をベースに使いやすい製品を開発しようとする立場の学問の誕生である。

こうして概括すると、日本でつくば科学万博が開催された1985年頃を境に、ユーザーである人間に着目して、ユーザー志向でボトムアップ型の空間・製品・サービスをデザインする人間中心型設計が国際的に広がりはじめたこととなる。35年程度の蓄積ではあるが、米国とヨーロッパの双方から、旧来の人間工学と認知工学を融合した人間中心のデザインを波及させていく国際的な流れが形成された。多様な人間の特性や心、ニーズに着目し、デザインしたもののインストールは、もはや都市創造において無視することができない。

「参加型デザイン」の動き

このような流れを受け、１９９３年頃からスカンジナビア諸国では、設計プロセスにユーザーを参加させる「参加型デザイン（Participatory Design）」の動きも生じた。また、特別なニーズを抱えた消費者を、デザインのプロセスの上流工程へ積極的に巻き込んでいく「インクルーシブデザイン」の手法も国際的に注目されている。インクルーシブデザインの世界的研究センターを持つイギリスの英国王立芸術学院（Royal College of Art）では、市民団体やＮＰＯなどと積極的に協創的関係を築いている。特別なニーズをもったさまざまな消費者が引け目を感じることなく、市場のメインストリームを占めるデザインへと結実するように、ボトムアップ型で誰もが使いやすい製品・環境・サービスが絶えず考えられている。こうした国際的な流れは都市創造においても重要な要素となっている。

人間中心設計時代の未来都市創造に向かう際に求められる姿勢

わが国の戦後の復興過程において、都市のインフラストラクチャーの整備やサービスの構築は、市民生活の必要最小限の基準を満たす「シビルミニマム」や「ナショナルミニマム」の考え方に則って進められた。その結果、必要最低限の社会基盤やサービスの量が、国や地方自治体から安定的に供給されるようになった。たとえば、マイカーを持たない市民でも移動が簡単にできるように、公共交通のインフラストラクチャーやサービスが国内各地で供与されてきた。この量的な安定を経て、平成に入ると「アメニティミニマム」の実現が注目されるようになった。これは、必要最低限なインフラストラクチャーやサービスの質を担保して、生活者にとっての快適な環境をつくり上げ、さらにその質の最低基準を上げていこうという考え方である。多くの生活者にとって快適な環境を創り上げることとユニバーサルデザインとは同じベクトルを向き、親和性も高い。ユニバーサルデザインの7原則は、都市生活者の生活の質を上げることにも役立ち、たいへん重要である。

ユニバーサルデザイン志向の人間中心型の都市を実現するうえでは、前述のとおり「価値観」、「技術」、「制度」のバランスがポイントとなるが、生活者の価値観が技術と制度の方向性を決める最も大きい要素となる。また、ハードとソフトの融合による空間・製品・サービスの改善姿勢も大切である。観光都市を例にあげると、各所の段差がなくエレベーターが設置されていても、主要な外国語で接遇ができるスタッフがいない、緊急時の介助ができないというような状態では、真のユニバーサルデザインのおもてなしができているとはいいがたい。私たちがユニバーサルデザインを都市に投入するうえで大切な姿勢は、機械まかせにせず、人間的な対応や接触を厚くすることである。まさに、未来の都市づくりではハードとソフトの一貫性・両立化が重要であり、意識されるべきと考える。

人間中心設計の時代に人々が求め、応えていくべきことは「時間的な継続性」や「点から線・面に広げること」の意識である。長期的な視座で誰もが使いやすいものを街に取り入れる姿勢、

[図表7-1] 電動低床フルフラットバス

周辺の環境との連続性を重視し、誰もが使いやすい環境を同じ水準で広げる姿勢や、ハードとソフトの一貫性を担保していく姿勢こそが、ユニバーサルデザイン志向の人間中心設計の都市の要件である。

筆者はこうした姿勢を重視して、さまざまな研究開発に参画してきた。図表7-1はエンジン式のノンステップバスで必ず発生して、車内事故の要因になっていた後部の段差をカットするために研究開発された「電動低床フルフラットバス」である。小さいインホイールモーターを8輪すべてに配しつつ、車内の段差を完全に除去している。図表7-2は自動運転方式の「電動パーソナルモビリティ」である。病院やショッピングセンター、駅、空港等の屋内空間の移動を支援する。図表7-3のように屋外用電動パーソナルモビリティも自動運転方式で研究開発を行ってきた。

また、図表7-4のような石英石を砕いて最適

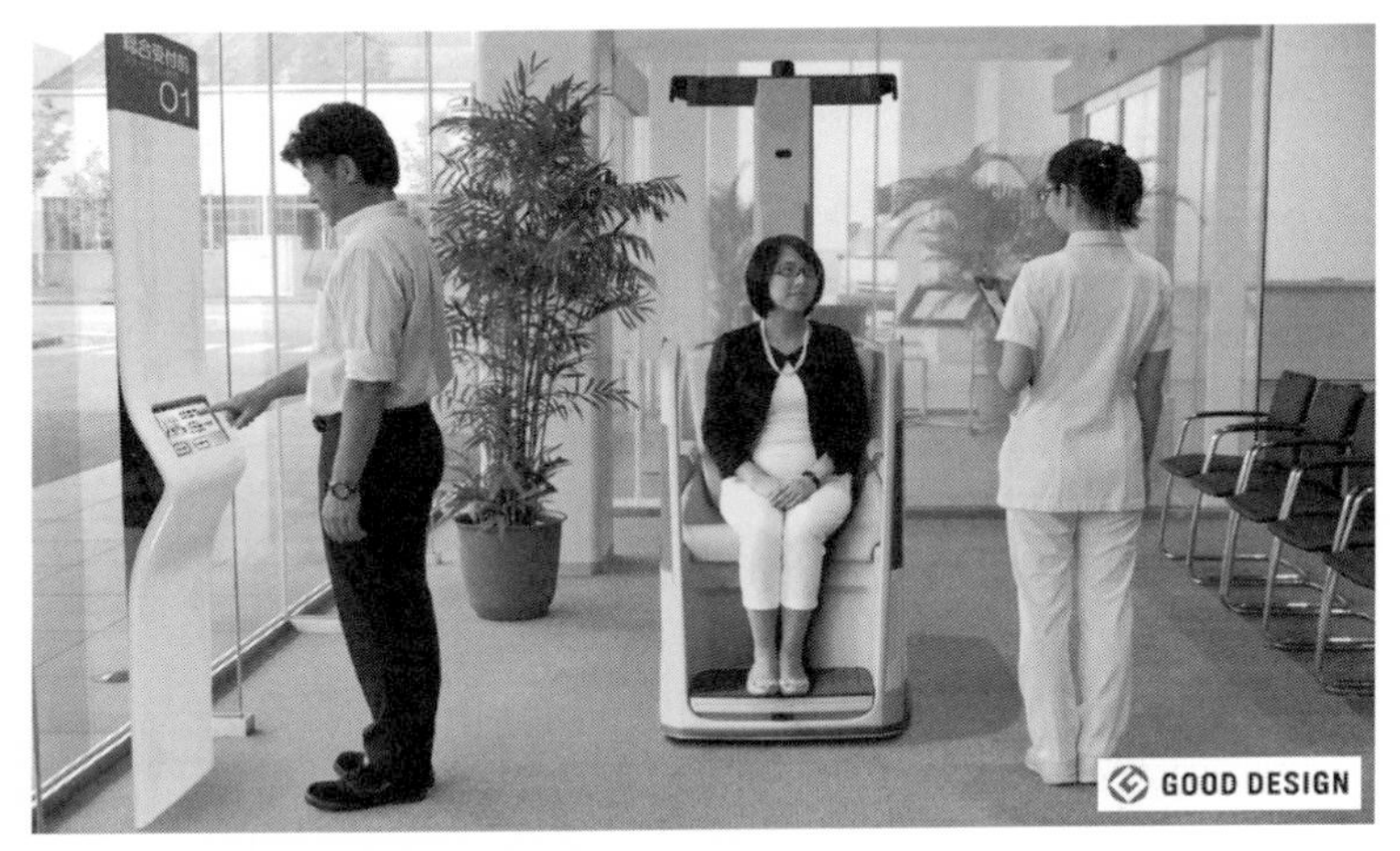

[図表7-2] 屋内用の自動運転方式電動パーソナルモビリティ

[図表7-3] 屋外用の自動運転方式
電動パーソナルモビリティ

[図表7-4] 石英石を用いた高度防滑性床材

な高度防滑性を誇る床材の研究開発にも参画し、東海道新幹線の駅や都市バスの車内に敷設されている。

これらは、多様な都市生活者の身体的負担や怪我の要因をよく調査し、ニーズに基づいて研究開発してきたものである。同時に応用範囲を広く捉えて、都市システムにインストールされるように量産普及をめざしている点でも共通している。エコロジーに配慮しており、社会的な付加価値も高め、普及もしやすいように、制度面、つまりソフト面の視座も持ち合せている。こうした姿勢が未来都市の環境創造で必要になる。

2 ＭａａＳからＣａａＳへ

──ＭａａＳとユニバーサルデザイン

人間中心設計は、空間・製品・サービスを誰もが使いやすいようにするための設計哲学である。なかでも古くから議論が活発な分野に「交通」分野がある。生活者の三大欲求である「物」、「情報」、「場」を得るためには、移動が不可欠だからである。わが国ではモータリゼーションが進んで、鉄道やバスといった従来型の公共交通機関の経営悪化が問題になっている。鉄道路線が相次いで廃止となり、代替の小型路線バスで最低限の便数を確保している地域が、国内に増えてきている。最近では、バス運転士の人手不足が深刻化しており、さらなる減便や路線廃止のケースも増えてきている。そこからわかるのは、移動サービスそのものを誰もが使いやすいように担保することが、わが国の各地域での喫緊の課題になっているということだ。

こうしたなか、ＭａａＳ（Mobility as a Service）という概念が注目されている。公共交通か否か、また運営主体にかかわらず、マイカー以外のすべての交通手段による移動を一つのサービスとして捉え、スマートフォンで最適な移動手段の組み合わせを瞬時に提示して、予約および決済もその場で可能にする考え方である。

従来の公共交通手段とカーシェアリング・ライドシェア等の新しいサービスを最適に組み合わせて、ユーザーに使用してもらうという世界観である。ＭａａＳのもとで、自動運転技術が進んで、運転手の人手不足が解消されれば、移動サービスの量が拡充し、いっそう誰もが使いやすいものとなる。ライドシェアやオンデマンドバスのような柔軟性の高い新しい移動手段が、地域で安定的に確保されることは、移動システムのユニバーサルデザイン推進の第一歩であり、具現化が期待される。

――ＭａａＳの実践から見えてきた期待と課題

筆者は、東急電鉄株式会社と郊外都市型のＭａａＳの可能性に関して２０１８年度から共同研究を行っている。たまプラーザ駅周辺を郊外都市の代表例として選び、混雑率の高い田園都市線での通勤を回避するためのトイレ・ＷｉＦｉ付きハイグレード通勤バス、地域を必要なときだけ巡回するオンデマンド小型バス、パーソナルモビリティの実証実験を２０１９年1月から3月に実施した（図表7-5～図表7-7）。たまプラーザは、高齢者が増え、団地周辺のインフラストラクチャーも老朽化するエイジングシティで、いずれの実験交通手段も実現への期待が大きかった。実験によって、リタイヤ前の可処分所得が大きい層はハイグレード通勤バスに、リタイヤ後の層にはオンデマンドバス、パーソナルモビリティへの期待が大きい点がわかった。

ただし、ＭａａＳにも課題がある。基本的にはスマートフォンをベースに移動手段の検索・予約・決済が考えられており、筆者らの実験も同様であった。この実験でも、高齢者や障がい者等には検索・予約・決済の点で使いにくいという声が多く寄せられた。また、ＭａａＳの中で提供される車両は誰にでも乗りやすいもので、それが有機的に繋がっていかなければ、ＭａａＳの効果の最大化は期待できない。スマートフォンのような情報機器の人間中心設計と、車両やそこで提供されるサービスの人間中心設計の両立的な具現化が、ユニバーサルデザイン時代のＭａａＳを考えるうえでの必須要件であり、私たちはいっそう広い視野で捉える必要がある。

筆者は、電動車が建物の中を走るような都市システムのデザインを検討している。人間の負担軽減をめざす人間中心型空間設計の一つの理想形である。これは電気自動車と自動運転のイノベーション融合の例であるが、こうした斬新な交通サービスを考えないと真の有効なＭａａＳは生まれない。現状のＭａａＳの議論は、検索・予約・決済のユーザビリティに傾斜しており、移動

[図表7-5] たまプラーザのMaaS実験で用いたハイグレード通勤バス

[図表7-6] MaaS実験で用いた
オンデマンドバス

[図表7-7] MaaS実験で用いた
パーソナルモビリティ

そのもののサービスとの有機的な連携が生まれていないことは大きな問題である。より俯瞰的な視座で、検索・予約・決済と移動そのもののシステムを包括的に考えていくことが、わが国の都市でのＭａａＳ成功の鍵である。

ＣａａＳへのパラダイムシフト

筆者の研究グループでは、２０１８年度に生活者1万人調査をインターネット上で実施している。本結果の分析から、将来の都市生活での不安事項として、全国規模で「移動」および「買物」が浮かび上がってきた。公共交通網の衰退による移動の不安、さらには買物がしにくくなるという連鎖的不安である。都市生活者の連鎖的不安を軽視することは、都市生活の質的低下にも直結する。したがってＭａａＳを移動サービスの改善にとどめず、買物支援サービスに広げるような取り組みも効果的であり、未来都市の創造では必須である。イノベーション融合の視座が大切であるといえよう。たとえば、移動のイノベーションと物流のイノベーションを融合させることで、街に移動しての買物と自宅での買物を効果的に支援することも可能で、両立的な問題解決になる。未来都市を創造し、都市生活の質を上げていく過程では、イノベーションを繋げる姿勢も必須である。

それこそが「ＣａａＳ＝City as a Service」に繋がり、ＭａａＳからＣａａＳへのパラダイムシフトになる。モビリティだけではなく、ほかのテーマとそのイノベーションをあえて繋ぎ、足し算や掛け算をして都市生活の質が向上するようにいろいろな実験を試みる。これがモノ志向ではなくサービス志向の未来都市では重要となる。サブスクリプションやサーキュラー、シェアリングというサービス志向の未来都市、すなわち「持たない都市」が垣間見える今日、さまざまなテーマのサービスを繋いで都市生活をサポートするCaaSの都市創造が期待される。

人間中心型設計の時代こそのAI・IoT・ビッグデータ

世の中は第3次AIブームとなっている。IoT、ビッグデータとともに都市生活シーンに新たな高度情報技術が日々入りつつある。最近では、センサー技術とビッグデータの収集技術が進展し、インフラストラクチャーの現状把握やAIによる寿命予測、新規計画が行いやすくなっている。たとえば鉄道の車両や駅の設備にしても、各部の部品の劣化具合を多様な車両・設備からビッグデータとして収集して、いつどのような状況で劣化が起きるか、どのスパンで部品を交換するとよいかなどをAIとの融合でより正確に把握できるようになっている。ビッグデータは、インフラストラクチャーやサービスを誰もが常に安全・安心に使えるようにするうえで、十分役立てることが可能である。IoTでビッグデータを容易に得て、都市環境創造に関する意思決定でAIを活用する社会が到来しつつあるのだ。

観光案内でもQRコードとスマートフォンの活用が進み、従来のような大きな地図や案内板の設置が省かれるようになっている。図表7-8は、筆者が永らくA・Tコミュニケーションズ株

[図表7-8] 国旗を刷り込んだロゴQ

式会社と研究している次世代カラーコード「ロゴQ」であり、ＱＲコードに国旗をカラーで刷り込んでいる。たとえばイギリスの国旗を読み込むと、英語圏の人が英語で観光案内や博物館等の解説を聞けるようなシステムである。これも人間中心設計の一例であるが、モノトーンのＱＲコードは説明を読まないとどんなサイトに繋がるかわからない、という外国人の問題意識に端を発した仕組みである。ロゴＱはまさにＩｏＴ時代を意識した研究開発であり、商品化にも至っている。行くべきサイトへ簡単にナビゲーションすることができ、ユニバーサルデザインとしての性能も評価されている。情報技術の進展は、重厚長大なインフラストラクチャーを「軽薄短小」化させて個人レベルで誰もが情報を得やすいものとし、私たちのさまざまな都市生活行動を支援している。

将来に向けて私たちに求められることは、こうした高度情報技術を、ニーズ志向で、人間中心設計型へと常に改めていく姿勢である。筆者は、前述のように大規模病院内で患者が長い距離を歩かされ、ときに空間認知に困っていることを調査で把握し、その解決手段として、病院の中を自動運転で走るパーソナルモビリティの試作開発を行ってきた。病院内の目的地を指定し、座っているだけで運んでくれる乗り物は、あらゆる患者から好評であった。この経験から言えることは、生活者の価値観に着実に寄り添って、ほしい技術を形にしていく人間中心設計の姿勢が、いっそう高い評価のユニバーサルデザインに繋がるということである。少子高齢化により、日本国内の生産年齢人口が減ることは確実である。ＡＩの技術進展によってロボティクスの有用性が問われるシンギュラリティの時代には、ニーズ志向による空間、製品およびサービスの開発が不可欠である。人間が減少するからこそ、人間がやるべきこととＡＩ等の高度情報技術に任せることの峻別が可能な人材を育成することも重要となる。

筆者が中心に取り組んでいる研究に「買物難民を救うユニバーサルショッピングシステム」というものがある。これは公共交通網が衰退し、買物に出かけにくい状況や身近な個人商店や商店街の閉鎖傾向を念頭に置いたものである。移動や店探しが困難な高齢者・障がい者・外国人および子どもとその親を対象とした、スマートフォンでの商品の選択や発注、決済が簡単にできるシステムである。決済が完了すると、電気自動車で指定の日時に品物が配達される。具体的には図表7‒9のように、個人のロゴQを読むだけで商品を選択、発注、決済することができる。スマートフォンも改善し、チラシを見て品物を選ぶアナログな感覚を採用している。実は、高齢者の多くはスマートフォン独特の商品表示に馴染んでおらず、読み取りが苦手である。したがって、高齢者にも親しみやすいアナログ的な発注・決済のインターフェースを用意している。こうした

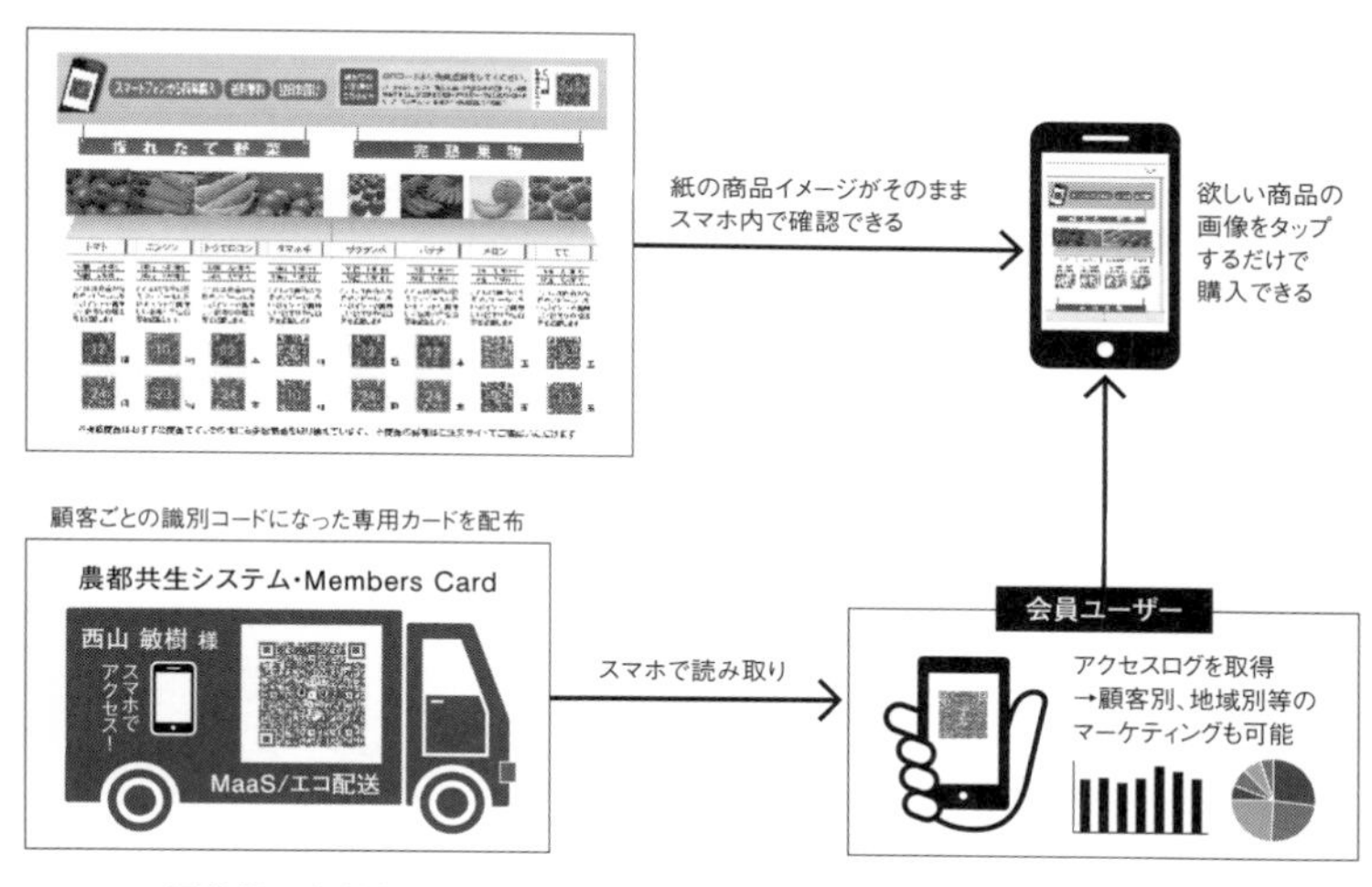
採れたて野菜
完熟果物
紙の商品イメージがそのまま
スマホ内で確認できる
欲しい商品の
画像をタップ
するだけで
購入できる
顧客ごとの識別コードになった専用カードを配布
農都共生システム・Members Card
西山 敏樹 様
スマホでアクセス！
MaaS/エコ配送
スマホで読み取り
会員ユーザー
アクセスログを取得
→顧客別、地域別等の
マーケティングも可能

［図表7-9］買物難民を救うユニバーサルショッピングシステム

システムも人間中心設計の志向が生きた事例である。デジタル一辺倒の志向は危うく、人間中心設計であればデジタルとアナログを融合するような柔軟な姿勢も必要である。

このシステムは、個人向けに買物の履歴も蓄積でき、購買履歴からＡＩでオススメ商品や割引情報を提示することも可能である。商品の生産者や販売者は、購入履歴を集めればビッグデータとして購買状況を把握でき、マーケティングリサーチにも役立つ。私たちが人間中心設計で見落としがちなことは、生活者であるエンドユーザーへの効果に注力して商品を生産・販売するミドルユーザーの存在を忘れてしまうことである。

大切なことは、俯瞰的に問題を見て、システム上に存在する多様なアクターに有益な都市システムを構築する姿勢である。本研究では、近隣の農家に、商品となる新鮮な野菜を受け取りに行く内容等も含んでおり、高齢化する農家の野菜運搬の負担軽減の可能性も研究している。つまり本システムでは、買物をする生活者だけでなく、野菜等を生産する側の高齢者支援もめざしており、電気自動車を用いたエコシステムにもなっている。

人間中心設計を土台としてシステムのユニバーサルデザイン化を考えるうえでは、さまざまなアクターが利益を享受できること、技術が有機的に連携してその活動の支援ができていること、そして、それらが空間的連続性と時間的継続性を持っていることが大切である。このセンスをもって、未来都市のシステムを改善する姿勢がきわめて重要である。

3 SDGs時代の未来都市と人間中心設計の方向性

――SDGsと都市5・0

最近、SDGsという言葉を聞かない日はない。周知のとおりSDGsは持続可能な開発目標(Sustainable Development Goals)の略であり、2015年9月の国連サミットで採択された。国際連合に加盟する193カ国が、2016年から2030年の15年間で達成することを念頭に置いた「世界を変革するための17の目標」のことである。

あらためて17の目標を見ると、エネルギー・環境保護の話から産業・労働の話、街づくりや健康・教育の話まで多岐にわたっている。あらゆる人々が一定の生活レベルのもとで人間らしく生き、持続可能な国際社会へ変革していくことが目標である。この点においては、人間中心設計志向なユニバーサルデザインの環境創造の哲学とも親和性が極めて高い。読者の中にもＳＤＧｓをビジネスで意識する方が多いのではないだろうか。ＳＤＧｓは、地球上の全生活者と地球そのものの持続をテーマにしたものである。この二つの要素を総合的に勘案すると、都市５・０時代の人間中心設計の方向性は、ユニバーサルデザインとエコデザインを掛け合わせて、空間や製品、サービスを創造していくことであると導出される。

ときおり電化製品の広告で、「人と地球にやさしい製品」というキャッチフレーズを目にする。これは、まさにユニバーサルデザイン、エコデザインが融合した製品を指している。エコデザインは、米カリフォルニア大学建築学科名誉教授のシム・ヴァンダーリンらが提唱したデザイン哲学である。「エコデザイン」とは一般に、「製品の生産・使用・リサイクル・最終廃棄等の全段階で、環境保全と経済性に配慮したデザインおよびその生産技術」を指す。シム・ヴァンダーリンは、

原則１：特定の場所が持つ独特な自然と文化的特質を尊重・理解し環境をつくること
原則２：エコ収支を考えデザインを決定すること
原則３：自然自らが持つプロセスとパターンを有効に利用すること

原則4：専門家だけでなく、そこに住む人々が自分達のニーズにあった解決策をつくり出すこと
原則5：自然の仕組みを視覚化し、それを感じられるデザインにすること

をエコデザイン実現への5原則として挙げている。

特に原則4の「専門家だけでなく、そこに住む人が自分達のニーズにあった解決策をつくり出すこと」は、人間中心設計やユニバーサルデザインを志向する社会的動向とも親和性が高い。これを基軸に、ユニバーサルデザインの7原則とエコデザインの5原則を掛け合わせることで、環境低負荷で、より社会的に付加価値の高い人間中心設計志向のユニバーサルデザインが各所で実現されるものと期待できる。両者のデザイン哲学を掛け合わせることで、ユニバーサルデザインがやや弱い採算性を補うことも可能である。これも、デザイン哲学をあえて掛け合わせ、効果を高めるイノベーション融合の代表事例である。

前述したように、筆者は、リヤエンジン方式で後部に段差のできる状況と排ガスが問題であったノンステップバスを念頭に、電動フルフラットバスの試作開発に参加した経験を持つ。走行に必要な電池を床下に配置して8輪インホイールモーター方式としたので、車内の段差をカットでき、誰もが乗りやすいユニバーサルデザインと環境低負荷なエコデザインを同時に実現できた。エンジン方式の既存のバスに比べ部品点数が1／3程度に減り、運転者の高齢化にも対応でき、走行に必要なエネルギーや整備のコストも下がる。ここで大切なことは、ユーザーとともに運転

者や整備士の負担も軽減したことである。サービスを提供する側と享受する側の双方に利点があることも、人間中心設計で忘れてはならない。

ＳＤＧｓ自体が国際社会共通の目標であり、社会全体の普遍化への一歩になろうとしている。こうした時代になったからこそ、２０３０年までの都市整備の優先順位をつけて、着実に社会の空間や製品、サービスやシステムなどをユニバーサルデザインとエコデザインとで生み出し、持続可能性を担保していく必要がある。

エイジングシティでの人間中心設計

わが国の都市問題で重要なものの一つに、「エイジングシティ化」がある。エイジングシティとは、人だけではない都市のハードとソフトの高齢化、すなわち老朽化に起因し、さまざまな問題が生じている都市の状況として定義される。このエイジングシティ問題を危機でなく、持続可能で魅力的な成熟都市へとシフトさせるための好機として捉えることが重要である。わが国の都市研究も、エイジングシティ化を契機にさまざまな生活者の価値観に則り、高い満足度が得られる技術や制度を総合的に開発する方向へ動こうとしている。ここでも、人間中心設計をベースとしたユニバーサルデザインの環境創造の哲学が生きている。未来都市をさまざまな人々が満足する魅力の高いものに昇華させるためには、技術系と制度系の人材が協働し、生活者の価値観に応えていく姿勢が不可欠である。このような流れの中では、前述したようなセンシングによるビッグデータ収集の技術とＡＩの技術で、各種環境の劣化推定や改善計画を着実に立てることも重要である。さらに、街を歩くときや製品を使うときに気づいた不具合を発信・共有することも大切である。ＳＮＳが発達し、情報の共有化が容易になった現代では、生活者個人が日常的な問題を発信・共有化してユニバーサルデザイン推進に向けた土台となる情報を蓄積し、相互のエンパワーメントを図る姿勢も重要である。そうした情報に地方自治体も着目するようになりつつある。また、この発信活動は私たちの問題発見の目を養うことにも繋がる。

都市５・０時代では、空間や製品の老朽化のセンシングだけでなく、高齢者や障がい者のセンシングとその情報の収集も可能となる。街で活動している際のバイタル情報を多くの市民から収集しつつ、そのビッグデータの解析から健康面に関するアドバイスを個人あてに送るシステムは、すでに医療情報分野を中心として研究がはじまっている。エイジングシティ化のもとでは、そうしたヘルスケアの新しいシステム自体の標準化、つまりユニバーサルデザイン化も国際的な課題になる。これからは、個人レベルのバイタル情報を集めてビッグデータとして解析することで、健康に寄与する人間中心型の製品やサービスで還元するビジネスも有効である。先の都市生活者1万人調査を総括した結果として、将来の「個」や「孤」に不安を感じる都市生活者が多いことも、筆者らは確認している。晩婚化や未婚化も影響しているが、「個」や「孤」への不安は「孤独死」に代表されるように健康の側面とも直結する。人のエイジングについては高度情報技術を用いた健康支援を行い、未来都市の未病を支援することも重要である。

都市5・0時代の共創システムと人間中心設計

日頃大学への通勤で、いくつか気になることがある。相互乗り入れで直通している鉄道会社間で車両の仕様が違い、車いす・ベビーカースペースや優先席の位置および配置がまちまちである場合が多い。駅の改札内が鉄道事業者の所管、改札外が地方自治体の所管で、点字ブロックの配置方法やカラーを「面」としてみると異なる場合もある。直通している路線上の別の駅ではＩＣカードが使えないケースもある。

所管が異なるだけでも、環境の差が生じて利用者が戸惑うことは少なくない。高齢になったり障がいを持ったりすると、空間の認知能力や環境への適応能力が下がることが一般的である。障がいの種類により、普段と違う環境に慣れず不安を感じてしまう人も多くいる。また、観光地に目を向けると城にエレベーターをつけたり寺院にスロープをつけたりすると、必ず歴史保護派・景観保護派と福祉機能向上推進派の対立が起きる。このような立場による摩擦も各地で起きている。また歩道と車道の段差にしても、車いすのユーザーは完全カットを主張し、視覚障がい者グループは段差を残して境目をわかりやすくしてほしいと主張してきた。そこから両者の合意点として段差を2cmとするルールが全国に波及した。

こうした経験を踏まえると、都市5・0で必須とされることは、所管や立場の違いを克服して、空間や製品、サービスを単体で見ずに常に広いシステムとして捉えて、共創を旨に人間中心設計がなされた空間や製品、サービスを広げていく姿勢である。各アクターの合意形成と共創に基づく都市の創造が、結局はつくり直しなどの無駄のないエコデザインにも繋がる。

また一方で、私たち生活者は、日頃からバリアフリーやユニバーサルデザインの推進を企業や地方自治体等へ闇雲に求める傾向がある。しかし、少子高齢化や経済状況による財政的制約も厳然と存在し、整備には多くの時間も要する。過度な要請では限られた費用と時間の適正配分の議論が進まず、人間中心設計の具現化に向けた社会的な合意形成も遅れてしまう。大切なことはサービスを享受する側と供与する側での「3C（Communication／Consensus／Collaboration）」の継続化であり、スパイラルアップである。

サービスを享受する多様な生活者、供与する側がさまざまな都市問題を共有化し、優先順位やコスト活用に関する合意を形成し、協働しながら社会環境を継続し、改善していくことが、未来の人間中心都市を実現するうえで最も重要な姿勢である。サイバーとフィジカルの両世界で3Cを絶えず回せる都市コミュニティの構築も大切である。読者のみなさんは、サービスを享受する立場と供与する立場の双方を日々経験されているはずである。そんなみなさんに3Cの姿勢を常に持ち続け、生活者の特性をベースとした人間中心設計に基づいた空間・製品、サービスを共創することが、CaaS志向の幸福度の高い未来都市の創造に繋がることを訴求し、本章を閉じたい。

第8章 コミュニティ創造による「個人の都市」の実現

1 魅力ある都市の未来像

社会変化に伴い変容してきた都市構造

序章で触れられたとおり、社会のパラダイムの転換とともに人々のライフスタイルが変革され、それに応じて都市はその形態や構造を変容させてきた。農耕社会から工業社会への産業構造の転換、人馬の時代から鉄道や自動車の時代への移動手段の転換、情報社会の到来によるグローバル化などを挙げることができる。

わが国に目を向けると、明治以降は欧米の文化や技術が流入し、その後も震災や戦争を経て、都市の姿は大きく変わってきた。1960年代の高度成長によって、資本と労働力が都市に集中し、地価高騰や環境悪化を招き、人口は郊外へと移動した。これにより職住分離のライフスタイルが生まれた。高度成長とともにモータリゼーションも進展すると交通問題が顕在化し、車社会に対応した道路網の整備が進んだ。地方都市では自家用車の普及が公共交通の経営を圧迫し、路面電車や路線バスの廃止が相次いだ。人口の郊外化とともに、自動車でアクセスしやすく広大な駐車場を完備した郊外のロードサイドショップやショッピングセンターが発展し、自動車でアクセスしにくい中心市街地の商店街は衰退した。情報社会が到来し、電子商取引（ＥＣ）の普及によって、買物は自宅に居ながら済ませることも可能となった。モータリゼーションによって従来の零細商店を駆逐してきた大型ショッピングセンターも、現在はＥＣの脅威に晒され、その持続可能性に疑義が生じている。

現在、わが国は世界でも経験したことのない人口減少社会を迎えている。これまでのような経済発展を前提とした都市経営は成り立たない。モータリゼーションによってかつて郊外に無秩序に開発された住宅団地群は住民の高齢化に悩まされ、空き家問題も深刻となっている。都市５・０時代における都市構造と人々のライフスタイルはどのようなものだろうか。

前章までに、デジタルテクノロジーの発達による未来都市における生活利便性の向上が論じられてきたが、現在わが国で議論されている未来都市の姿として、「コンパクトシティ」の概念がある。コンパクトシティという発想は、人口減少に起因する多くの問題、商空間や住空間の空洞化による経済活動の停滞問題、税収減少によるインフラを含む公共サービスの維持困難問題など、経済効率性を踏まえた議論である。

しかし、デジタルテクノロジーが発達することで、その大部分がカバーできる可能性があることを想定すると、このまま提唱どおりコンパクトシティが進展するかどうかは疑わしい。たとえば高齢者は買物をしたり、医療サービスを受けたりするうえで制約が多いが、ECのさらなる発達と、ITリテラシーを有した世代が高齢世代となることにともない、買物問題は解消され、自動運転に代表される次世代モビリティの発達により、たとえ高齢者であっても移動の選択肢が増えると予想される。医療サービスもIT活用による遠隔医療の利用可能性もある。

コンパクトシティという考え方はわが国の社会構造から考えると最適解かもしれないが、土地に対する愛着の強いわが国において、スムーズに実現するとは考えにくい。

一方、「スマートシティ」という言葉は早くから持て囃され、今も議論されているが、それはIoTやAIを活用した効率性や利便性の観点で語られる場合が多い。Society 5・0はこの延線上にあり、効率化・省力化だけでなく新たな価値創造にも重きが置かれているが、人間中心デザインやコミュニティの観点では十分な議論がなされているとはいいがたい。グーグルの親会社であるAlphabetが所有する都市イノベーション企業Sidewalk Labsがカナダのトロントに建設したスマートシティは、先進技術が散りばめられた未来都市のショーケースとして注目されている。街中で得られたデータを活用した都市サービスは生活者の利便性を向上させるものであるが、本来の意味での都市生活者の豊かさやコミュニティ形成にどこまで寄与するかは未知数である。

経済的合理性が最優先された都市4・0を超えて、情報技術の発展とともにつくられるべき都市5・0の姿はどのようなものであろうか。ＭａａＳの概念に代表される次世代モビリティによって人々の移動は現在よりもより自由になるはずであるが、デジタルテクノロジーの発達によって通勤や買物のためにわざわざ外出する必要性が生じなくなる。次世代モビリティを活用して未来の都市生活者は何をしに、どこへ行くのかといえば、デジタルツールでは得られない体験が味わえる地域固有の個性や人との出会いを求めて出かけていくのではないだろうか。

未来都市は、かつて見られた人々が集い交わる生き生きした人間中心のコミュニティ社会に回帰するであろう。具体的には、都市生活者を支援するテクノロジーによって、住・働・遊の境界が曖昧になり、近づいていく。その結果、これまで以上に幅広い人々が出会い、豊かなコミュニティが形成される。都市デザインはそれを支援するものでなければならない。本章では、デジタルテクノロジーと人間中心デザインが融合したデジタルトランスフォーメーション（ＤＸ）を前提とした未来の都市空間や、そこで展開される都市生活者のライフスタイルおよび創造されるコミュニティについて考えてみたい。

——未来の都市生活者のライフスタイルと都市構造

未来の都市生活者の生活シーンの中から、「住」「働」「遊」に焦点を当て、新しいライフスタイルにともなう都市機能と都市構造の変化を考えてみたい。

生活利便性に縛られない住まい方

「住」については、現在は住むところを選ぶときは、住まいから駅までの距離、最寄駅から職場までの距離、自分の収入に対する家賃などが優先されがちである。しかし、リモートワークの普及やECのさらなる発展が見込まれる中で、都心への距離や、自動車や鉄道アクセスのよさなどの利便性は判断材料にならなくなる可能性が高い。通勤や買物環境などの生活利便性から解放された都市生活者にとって、住空間の重要性は現在よりはるかに大きくなる。今も昔もそして未来も、人々は自然と共生するライフスタイルを求める。自然との共生はデジタルテクノロジーでは補うことが困難な分野でもある。グリーンインフラが整備された豊かな住空間およびその周辺で、これまで以上に都市生活者は長い時間を過ごすこととなる。そして、その土地に愛着を持てるかどうかで居住地を選択するのではないか。「あの人がいるから」「あのお店があるから」「あの公園があるから」「海が近いから」「自然が多いから」「両親と近くにいたいから」など、これまで一部の余裕のある人のライフスタイルにしか許されなかった居住地選択が、誰でもできるようになるのではないだろうか。

「通勤」が希薄化し、居心地よい空間で自由に仕事をする

「働」について、リモートワークは、フリーランスやクリエイティブ系企業ではじまり、最近

では大企業でも取り入れられはじめた。将来は社会全体に拡大し、「通勤」という概念がなくなることも考えられる。ワーカーは自宅でも仕事ができるし、カフェや公園のようなところで仕事をすることも可能となるだろう。働く場所としてのセカンドプレイスが、自宅などのファーストプレイスや、自宅でも職場でもないサードプレイスに限りなく近づいていく。家にこもって仕事をするだけになることはないであろう。クリエイティブな発想を育み、イノベーションを生むためのワークプレイスの環境は重要である。

新しいワークスペースの形として、「コワーキングスペース」が登場して久しい。コワーキングスペースは、将来リモートワークが当たり前になると、現在のようなテナントの一部ではなく、街全体に拡大するのではないか。近年増えてきたブック&カフェが持つ居心地のよいリビングのような都市空間が街中に溢れ、余暇空間と執務空間の境界が曖昧になるだろう。都市空間のあらゆる場所にワーカーはチェックインして仕事をすることができる。公園、カフェ、レストランが執務スペースになり、会議スペースにもなり、商談スペースにもなる。企業は社屋を構えない代わりに、街中でのリモートワークに関わる費用を負担する。商業市街地はこれまで買物客が主要な顧客で、ワーカーが時間を過ごすのはランチタイムや夜など限られた時間であったが、将来は昼夜問わずワーカーおよびワーカーの所属企業も顧客となる。コワーキングスペースを運営する企業は、現在は不動産賃貸業として振舞っているが、街全体がワークスペースとなるこれからは、商業市街地と連携しながら、街をつくる＝運営することも視野に入れてもよいのではないだろうか。

商業市街地は買う空間から滞在を楽しむ時間消費型空間へ

「遊」については、商業活動から考えてみよう。ECがさらに普及し、物販店などの競合する業種の淘汰は進むであろう。しかし、商業空間がなくなるかといえばそれは疑問である。現在もショッピングは生活必需品を手に入れるためだけでなく、余暇時間を楽しむという意味合いも強い。商業空間は物を買うための空間から、そこを訪れ、滞在することを楽しめる時間消費型の空間への転換が要請されている。時間消費型の都市空間に求められるのは、街並みや街路空間などのハードの整備だけではなく、人々が回遊したり滞留したり、多様な活動（=アクティビティ）が生まれ、コミュニティ形成が促進される都市デザインである。ヤン・ゲールは都市空間での人々のアクティビティを、必要に迫られて起こる必要活動、散歩や日光浴など環境条件が整ったときに発生する任意活動と、これらが発展し他者との挨拶や触れ合いなどを含む社会活動に三分類し、任意活動や社会活動などの多様なアクティビティを促進させることが肝要であると指摘している。[12]

ミクストユースの多様性を持った都市機能

産業構造の転換を経て、都市生活者のライフスタイルは職住近接から職住分離に変化したが、未来都市では情報技術などの発達によって、再び職住近接ないし職住同化に回帰するのではない

[図表8-1] 都市のリビングのような空間が街に溶け込んだ商業施設（代官山T-SITE）

だろうか。職住近接となり、街には散歩する人、友人に会いに来る人、買物する人、観光する人、リモートワークに励む人など、目的の異なる人が混在した「ミクストユース」の都市空間が出現するだろう。このようなミクストユースの概念は、ジェイン・ジェイコブズが『アメリカ大都市の死と生』[3]で60年近く前に唱えていている。同書は自動車社会の到来で郊外住宅地が次々と建設されることによる職住分離を基調とした用途純化を、都市の多様性や賑わいを喪失させるものと痛烈に批判している。しかし、デジタルテクノロジーの発展によってジェイコブズのミクストユー

1 ヤン・ゲール：『建物のあいだのアクティビティ』、鹿島出版会、2011年
2 ヤン・ゲール：『人間の街―公共空間のデザイン』、鹿島出版会、2014年
3 ジェイン・ジェイコブズ：『アメリカ大都市の死と生』、鹿島出版会、2010年

スの思想は再び脚光を浴び、その実現可能性が高まっている。東京の街でいえば、渋谷は少なかったオフィス床を増やして商業中心の街から脱却し、競争力を高めようとしているし、ほぼオフィスのみの街だった丸の内は、仲通りに商業機能を誘致して休日にも賑わいを生むことに成功した。歓楽街のイメージだった六本木は、複数の大型再開発によってオフィスや商業やアートを含む娯楽機能が加わり、多面的な性格を帯びるようになった。しかし、これらのミクストユースは、地域や街区の中にオフィスの箱や店舗の箱が個別に混在しているに過ぎず、空間的には隔離されている。DXを経た都市は、複数の用途が空間的にも同化することが考えられる。用途の混在が発展し、商業空間でもあるが仕事もできるし、人と憩うこともできる、それでいて自宅のような落ち着いた時間が過ごせる、都市のリビングのような空間が、公地・民地を問わず都市全体に広がりをみせるだろうことが望ましいのではないか（図表8－1）。

都市は個性を求めてローカル化する

今後、都市のキャラクターはグローバル化とローカル化に二極化するのではないだろうか。東京でいえば、新宿などのターミナルシティや、渋谷や銀座などの超広域集客型市街地は、国際都市として現在以上にグローバル化すると考えられ、これらと近隣型商店街の中間的存在の吉祥寺、下北沢、自由が丘のような集客市街地は、その商圏がより小さくなってローカル化し、近隣型商店街に近づいていくのではないか。現在の商業規模を維持するためには、周辺人口を増加させて地域経済を維持することが必要となる。そして現在の地域密着の近隣型商店街はさらにそのローカル色を強めるだろう。ＥＣやショッピングセンターの影響を受けない業種が生き残り、それ以外の業種は淘汰される可能性があるが、地域住民のゆるやかなコミュニティの場として再構築されることで生き残ることができると考えられる。コンパクトシティ施策の推進によって、人口は一定の集約化は進むが、かならずしも利便性の高い交通結節点に集約されるわけではなく、都市環境の豊かなエリアに集まり、現在のパワーバランスが変わる可能性がある。それは、適度な都市の空隙を含んだ多核分散型の都市構造となるだろう。人口減少によって都市が縮退していく中でも悲観するべきではない。量（＝規模としての都市）は縮小するが、質（＝そこでの体験や出会い）を豊かなものにしていくことで、その街に愛着が生まれ、結果として持続可能な都市が生まれる。その鍵になるのが人間中心の都市デザインである。

コミュニティの創造

デジタルテクノロジーを活用することで人間が現在のさまざまな制約から解放され、前述のような未来都市が実現したとしても、それは都市という器ができるにすぎない。そこに生き生きした人間の活動が生まれて真のＤＸ、すなわち人間中心都市が実現する。都市にオープンスペースを設けただけでは生き生きした人間の活動は生まれない。大切なのはコミュニティの創造である。人口減少や高齢化によって従来の地縁型コミュニティは衰退している。一方で、ＮＰＯや民間企業や教育機関などを含む主体横断型の新しいコミュニティが出現し、街づくりの担い手として力を発揮しはじめた。さらに「ICT（Information and Communication Technology）」によってSNSなど仮想空間でのコミュニティも生まれている。これら新しいコミュニティの構成員はかならずしも居住者とは限らない。近年注目されているのは「関係人口」という概念である。関係人口とは、「定住人口」でもなく、観光に来た「交流人口」でもない、地域や地域の人々と多様に関わる人々のことを指す。[4] 地域に深く関与していたり、関与したいと思っている、非居住ながらその地域に強い愛着を持つファンのような存在である。それはその地域で働く人や学ぶ人かもしれないし、通い詰めるお店がある人かもしれない。国土交通省の報告書では、地域の街づくりの担い手になる人を「活動人口」と呼ぶならば、定住人口の中の活動人口比率を高めるだけでなく、関係人口の中に活動人口を求めることも、人口減少社会の中では重要であると指摘している。[5]

定住人口が減少しても活動人口を維持拡大することで街は生き生きする。関係人口はこれまで人口減少社会の中での地域再生の文脈で語られることが多かったが、未来都市における人間中心都市の実現においても重要な役割を果たすと考えられる。関係人口を増やすためには、居住者だけで閉じることなく外に開かれたゆるやかなコミュニティの受け皿をつくることが肝要で、その受け皿の一つとして多様な人々が集まることができる「場」づくり（＝プレイスメイキング）が求められる。[6] このような「場」は、空虚なオープンスペースでは成立せず、人々のニーズを満たす「機能」と、人々を繋げる「仕組み」が必要であると、前出の国土交通省の報告書は指摘している。

――地域の「ならでは」の追求とシビックプライドの醸成

人が街を選択する物差しが転換する中で、地域の活動人口を増やすためには、人を惹きつけるその地域にしかない個性「ならでは」を育てていくことが重要である。地域の「ならでは」は、その地域に対する愛着や誇り＝「シビックプライド」に繋がり、定住人口と関係人口の増加にも繋がる。シビックプライドを醸成するためには、市民一人ひとりが地域社会に積極的に関与することが大切である。街を消費するのではなく、ともに育ててゆくことで、市民にとってその街が特別な存在となる。[7]

市民のアクションがシビックプライドの醸成に繋がった例は多い。たとえば、わが国一の繁華街として知られる東京都中央区銀座地区には、市民が考える「銀座らしさ」を守るための「銀座ルール」が存在する。新規出店者やビルの建主に、ルールへの理解を求め街の景観を守っている。東京都目黒区自由が丘地区は、地区南側を流れている九品仏川が1974年に暗渠化され緑道と

4 総務省：「関係人口ポータルサイト」、https://www.soumu.go.jp/kankeijinkou/
5 国土交通省：新たなコミュニティの創造を通した新しい内発的発展が支える地域づくりについて
6 園田聡：『プレイスメイキング―アクティビティ・ファーストの都市デザイン』、学芸出版社、2019年
7 読売広告社都市生活研究局・伊藤香織・紫牟田伸子：『シビックプライド―都市のコミュニケーションをデザインする』、宣伝会議、2008年

[図表8-2] 市民の力で創出された豊かな都市空間（自由が丘地区 九品仏川緑道）

して整備された際に、その場所が放置自転車で覆い尽くされてしまった。それを、地域住民らが自己負担で自治体の管理地である緑道にベンチを設置して、自転車の放置を解消することに成功した。近年注目されている「タクティカル・アーバニズム（戦術的都市計画）」の先駆けともいえる取り組みにより、質の高い滞留空間を市民の力で創出した実績を持つ。現在では九品仏川緑道は地区を代表する都市景観となっており、市民の誇りとなっている（図表8−2）。

効率重視の都市がグローバル化する中で、いかにローカリティを生み出すかが、シビックプライドの醸成やコミュニティの創造には不可欠である。公園や緑地などの自然環境資源、老舗や繁盛店などの商業環境資源、居住者と関係人口を含む非居住者が交流するゆるやかなコミュニティの存在、地域通貨の運用などのローカルシステムの構築など、地域の「ならでは」を探し育てていく取り組みは、都市5・0時代において、人々に選ばれる街になるための重要な要素といえるだろう。それぞれの地域が都市国家のような独自性と個性を放つことで、人間中心都市が実現する。

2 都市空間を活性化させる取り組みと実績

前述の議論を踏まえて、近隣型商店街を対象とした地域の「ならでは」の実態と持続可能性についての調査、多様な人々が集まる「場」づくりのプロジェクト、都市空間でのアクティビティ計画の支援技術などの取り組みについて紹介したい。

―― 商業市街地の持続可能性調査[8]

街の「ならでは」は住むことの重要な要素。将来どこまで維持できるか?

商店街は、古くから近隣住民に対する日用品の提供を主な役割とし、地域に根付いてきた。しか

8 末繁雄一・松尾采佳：店舗構成変遷と商店主への商業継続意向調査を通した商店街の個性の持続可能性予測―東京都世田谷区尾山台地区の事例、都市計画論文集、Vol.53, No.3、日本都市計画学会、2018年

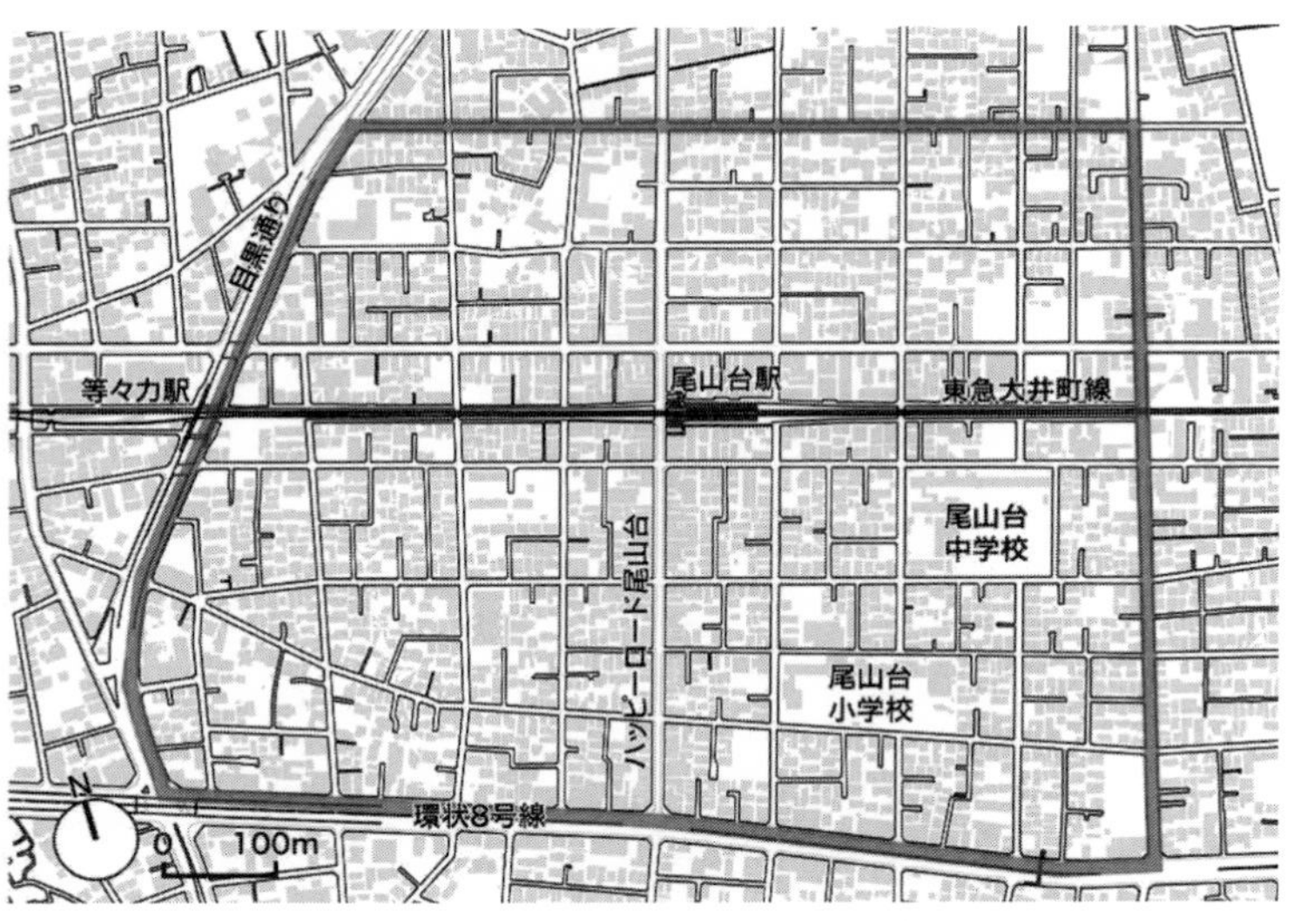

［図表8-3］商業市街地の持続可能性研究 調査範囲（尾山台地区）

し、前述のとおり、大型店の進出やＥＣの拡大によって売り上げが低迷しており、中小企業庁「平成27年度 商店街実態調査[9]」によると、商店街の景況について、「衰退している／衰退の恐れがある」と回答した商店街が66・9％におよんでいる。商店街が果たすべき役割について長期的視点で考えると、必要なものを買うという利便性の提供だけではなく、地域の交流機能の提供や地域への愛着の対象となることも重要であり、そのためには、それぞれの商店街が持つ個性「ならでは」を維持・拡大し、他地区および大型店やＥＣとの差別化を図る必要がある。

商店街の個性を形成する要素は多岐にわたるが、中小企業庁の研究会でも指摘されているように、魅力的な個店やそれを含む商店街の店舗構成も重要な要素であると考えられる。たとえば、多くの商店街で減少傾向にある下町風情を演出する八百屋などの生鮮三品取扱店舗や、地域に長年親しまれた老舗店舗は、地域住民の利便性だけでなくコミュニティ形成を支援する地域密着型の魅力を有し、メディアに紹介されるような有名店は地域外から集客でき、商店街のブランドイメージを向上させる外部発信型の魅力を有している。一方で、コンビニなどの全国一律のサービスを提供するチェーン店は、生活インフラとして地域住民の利便性を高める不可欠な存在だが、その比率が過度に高まることは他地区との均一化に繋がり、商店街の個性の観点では魅力低下を招く。商店街の個店は、廃業したり新たに開業したりと新陳代謝を繰り返し、その店舗構成は変化し続けている。

店舗構成の視点で商店街の個性を考えたとき、個店の商業継続意向は商業者の私的な問題ではあるが、商店街の将来におよぼす影響は小さくない。そこで筆者らは、東京都世田谷区尾山台地区の近隣型商店街を対象に、その店舗構成変遷を調査するとともに、商店主へのヒアリングを通して将来の店舗継続可能性を調査した。これらの調査結果を、一般的な業種別だけでなく、商店街の個性「ならでは」を形成すると考えられる魅力店舗、他地区との均一化に繋がると考えられるチェーン店などの分類別で分析することで、商店街の個性の持続可能性を考察した。

尾山台地区は1930年に東急大井町線尾山台駅が開設され、駅を中心として少しずつ店舗が増え商店街が形成されていった。低層の個店が集積しており、下町風情のある店舗に加え、遠方

9 中小企業庁（2016年）、「平成27年度 商店街実態調査報告書」、中小企業庁経営支援部商業課

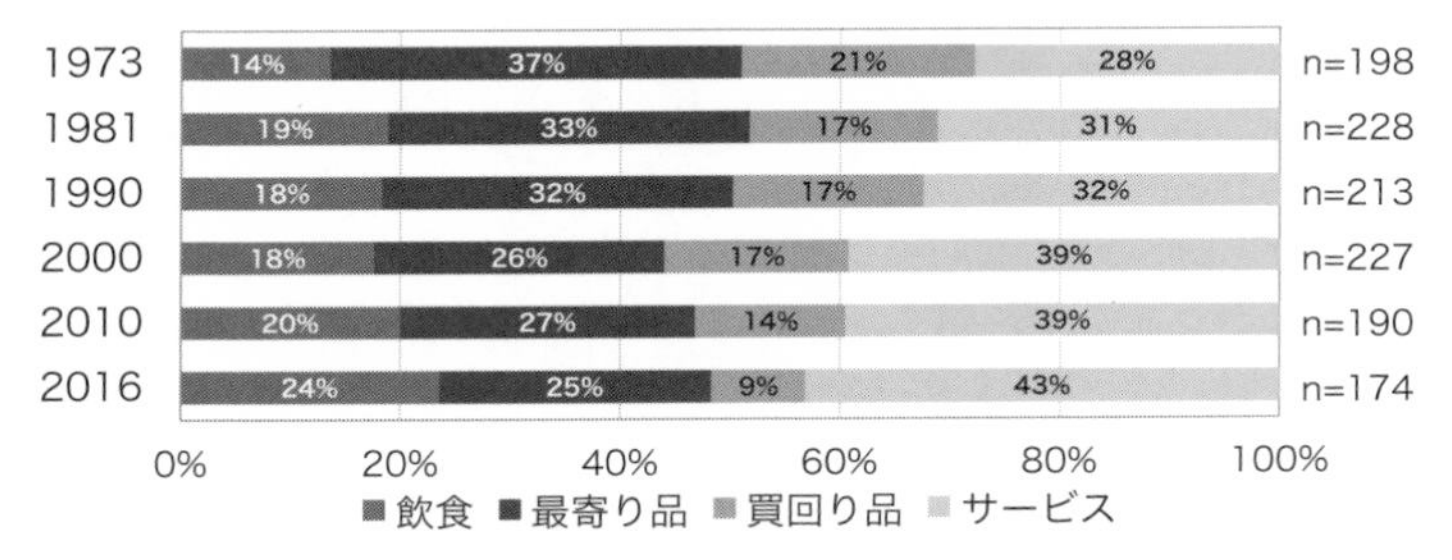

［図表8-4］ 尾山台地区の業種構成比の変遷

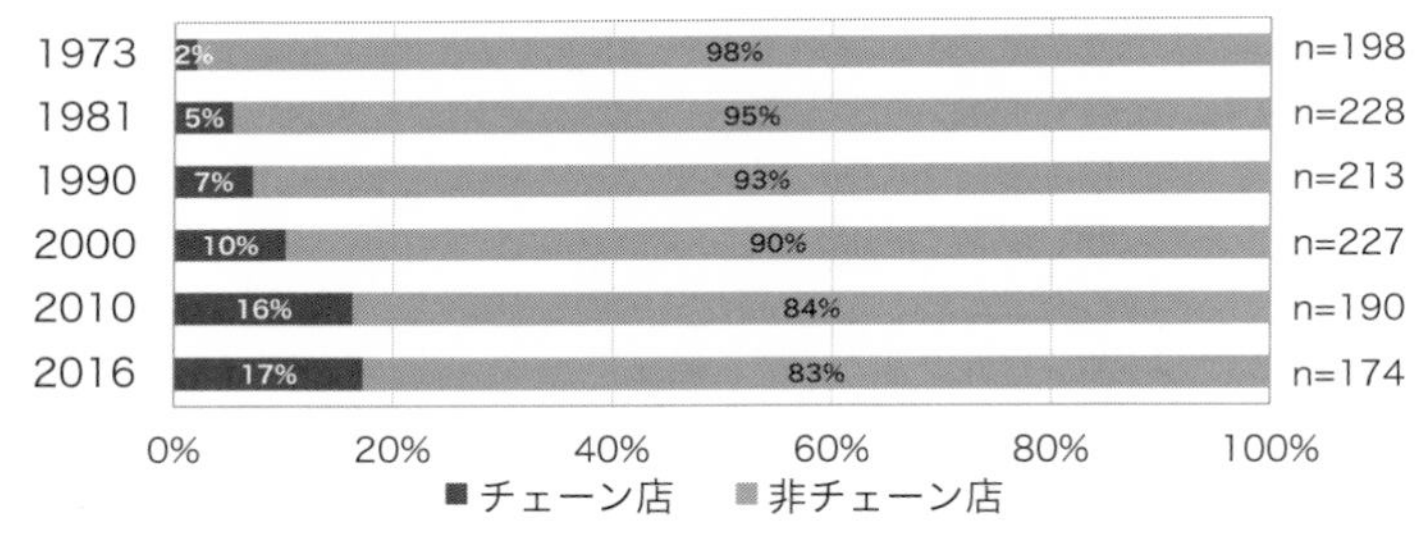

［図表8-5］ 尾山台地区のチェーン店構成比の変遷

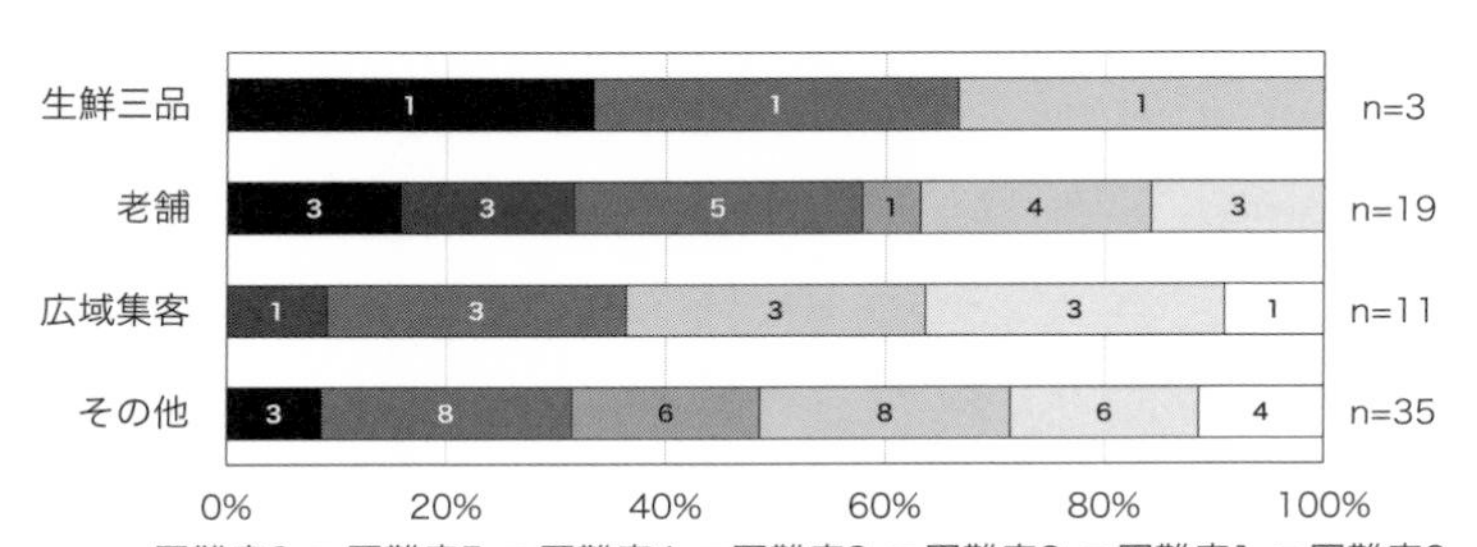

［図表8-6］ 尾山台地区の魅力店舗／その他店舗別 継続困難度構成比

より集客する力を持つ特徴ある有名店、チェーン店などが混在する個性ある商店街である。調査では、尾山台駅を中心とする約56haの範囲内にある店舗を対象とした（図表8-3）。店舗構成変遷調査は、1973年から現在までの6時点の店舗構成を調査した。商店主への商業継続意向調査は、店舗の営業年数、店主の年齢、店主が考える店舗の継続困難度（7段階）、継続困難の理由を質問し、地主店主については今後の賃貸経営意向について問うとともに、その場合のテナント選定としてチェーン店への抵抗の有無について質問した。

その結果、業種構成については、飲食とサービスの増加、最寄り品と買回り品の減少傾向が認められた（図表8-4）。特に買回り品の減少傾向は顕著であった。チェーン店については、その構成比が年々増加していた（図表8-5）。地主店主は賃貸経営に転換した場合にテナントとしてチェーン店に賃貸することに抵抗がないとの回答が多かったことからも、今後もチェーン店の増加が見込まれる。地区の個性を形成する魅力店舗については、これまでの変遷からみると、生鮮三品の減少と広域集客の増加が認められた。老舗については横ばいだった。商業継続意向調査では、魅力店舗はその他の店舗より継続困難度が高かった（図表8-6）。その要因は「売り上げの低迷」と「後継者の不在」がその他店舗より高いポイントだった。これらをもとに20 30年の店舗減少数予測では、その他店舗の数はほぼ横ばいと予測されたのに対し、魅力店舗は半数近くが閉店の恐れがあることがわかった。尾山台地区は、大型店の立地計画もなく、商店街周辺の人口はいまだ減少に転じていないなど、商店街の将来を考えるうえで悲観的な要素は少ないようにみえる。しかし、地域密着型の魅力店舗が減少し、同じく地域住民を対象としたチェーン店が増加することは、地域住民への利便性は高まる反面、コミュニティ形成機能などを含む下町風情のような個性の喪失を招く。広域集客店舗は現在、やや増加傾向にあり、地方の有名店が都内初出店の場所として尾山台地区を選ぶ事例も見られ、現在は一定の地域ブランドがあるといえるが、現在の店舗構成が変化し商店街の個性が減退して地域ブランドが低下すると、魅力店舗からも敬遠されるという悪循環に陥る懸念もある。現在は個性的な魅力店舗を有する商店街であるが、将来はその個性が失われる可能性を孕んでいることが明らかになった。

――プレイスメイキング実証実験

豊かなアクティビティを誘発する仕掛けをつくる（=アクティビティスケープ=活動景観）

前述の商業市街地の持続可能性調査でも対象とした尾山台地区の商店街「ハッピーロード尾山台」は、近隣住民に対する日用品の提供という役割のほかに、かつては地域のコミュニティ形成の重要な場所だった。商店街の街路空間で子どもたちは遊び、それを地域住民が見守りながら世間話を楽しむという、多世代共生の豊かな空間を形成していた。しかし、商店街が環状八号線と等々力通りという2本の幹線道路に挟まれていることもあり、現在では日中は自動車が切れ目なく往来し、人々の交流を目にする機会は少ない。商店街内街路は16時から18時の2時間ほど歩行者天国になるが、自動車の代わりに自転車が激しく往来するだけで、交流が促進されているとはいいがたい。自転車は軽車両に該当するので歩行者天国時間帯は降車して自転車を押して通行しなければならないが、守っている人も少ない。

こうした現状を踏まえて、同商店街の若手商店主、地元小学校長、地域住民、大学研究者が発起人となり、尾山台地区の街づくりとコミュニティ活性化をめざした「おやまちプロジェクト」が立ち上がった。同プロジェクトの一環として、同商店街にかつてのコミュニティの場を取り戻すことを目的とした「おやまちキャンプ」を企画し、２０１８年7月に実施した。[10]「おやまちキャンプ」は、２時間の歩行者天国時間帯を利用して街路空間に簡易滞留空間を創出し、通行する市民の滞留と交流を促すこと、商店街内の公共スペースにテントを張って、一晩地域住民らと宿泊することで、新しい街づくりの担い手となりえる地域住民との交流を誘発することを目的としている。「おやまちキャンプ」は、商店街の街路やオープンスペースという「公共空間」において筆者らを含む民間セクターによって実施されている。

これまでの公共空間整備は、行政主導のトップダウン型の開発であり、結果的に使いにくく、使い道が限定された魅力に欠ける公共空間となるケースが少なくない。本質的に価値ある公共空間をつくるには、実験的アクションから検証しながら進め、ＰＤＣＡサイクルを回すプロセスが欠かせないはずである。その反省から、米国の最新の都市デザインでは、つくりながら考えるという「タクティカル・アーバニズム（以下ＴＵ）」が取り入れられつつある。ＴＵは、『Tactical Urbanism: Short-term Action for Long-term Change』(M.Lydon=A.Garcia（２０１５）に

10 注）東京都市大学都市生活学部コミュニティマネジメント研究室と共同実施

［図表8-7］ **おやまちキャンプの様子（尾山台地区）**

より、世界的に知られるようになったが、まだ研究蓄積は浅い。国内では、泉山（2017）『タクティカル・アーバニズムの概念整理：日本のパブリックスペース利活用手法への導入可能性』[11]などにより、TUの概念整理は研究が進められている。本プロジェクトはこのTU手法を取り入れて実施した。

2時間の歩行者天国時間帯は、街路空間にテント状のシェルターやテーブルやベンチを設置して、その中で主に地域の子どもたちが楽しめる仕掛けを用意した（図表8-7）。幼児や近隣の小学校の児童が集まり、通りには大きな賑わいが生まれた。またそれだけではなく、子どもたちの保護者も子どもが遊ぶのを見守りながらママ友同士の会話に興じたり、通りかかった高齢者が子どもたちと触れ合ったりする様子も観察された。歩行者天国終了後は場所を商店街沿道のオープンスペースに移して、テントを張り、電子キャンドルを灯して、スクリーンに日中の歩行者天国時の映像を投影しながら、地区の未来や街づくりについて語り合うイベントを実施した。夜の遅い時間になると、日中イベントを楽しんだ子どもやその保護者たちは帰宅してしまうが、会社帰りの若い単身のサラリーマンらが予想以上に参加してくれたことは興味深かった。彼らの話を聞くと、「尾山台地区に居住しているのは通勤利便性などの都合で、仕事は毎日遅く、家には寝に帰ることがもっぱらだったが、このように街の人々と関わることに飢えていて、やっと地域と関わることできて嬉しい」ということだった。

現在のわが国のライフスタイルでは、街づくりに関心が高いのは、子育て中の専業主婦や高齢者など、居住地域周辺で過ごす時間の長い層が中心で、単身者や働き盛りの世帯主などは関心が低い傾向がある。女性の社会進出が進み、ライフスタイルにおける男女間の差異は縮まりつつあるが、夜の公共空間イベントにおいて、街づくりに遠い存在である層からチャンスさえあれば地域活動に関わりたいと思う人を発掘できたのは大きな収穫であった。デジタルテクノロジーが発達し、いずれは通勤から解放されるこの層は、居住地周辺で過ごす時間が増えてくる。現在は一部に留まっているが、将来は彼らが貴重な街づくりの担い手、コミュニティの中心になり得るといえる。

11 泉山塁威・荒井詩穂那・原万琳：タクティカル・アーバニズムの概念整理　日本のパブリックスペース利活用手法への導入可能性、日本建築学会学術講演梗概集、日本建築学会、2017年

［図表8-8］デザインエレメントプロジェクトの様子（尾山台地区）

「おやまちキャンプ」は一日限定のイベントであったが、その後も継続的に街路空間をコミュニティの場として活用する「ホコ天プロジェクト」を実施している。「ホコ天プロジェクト」では、まずは子どもの遊び場をつくることをコンセプトに、定期的に通り沿いに滞留コーナーを設置し、そこで学生がさまざまなコンテンツを提供した。そして２０１９年からは、「ホコ天プロジェクト」を継続するとともに、新たな公共空間でのプレイスメイキングプロジェクト「デザインエレメントプロジェクト」を実施した[12]。具体的には公共空間である街路上にベンチやテーブル、プランターなどの設え（デザインエレメント）を施し、その場の空間構成と、来街者の滞留や交流などのアクティビティ誘発との関係を明らかにすることを目的としている。２０１８

年度のプロジェクトが主に地域の子どもをターゲットにしているのに対し、「デザインエレメントプロジェクト」は多世代をターゲットとしており、実際に高齢者や子を持つ母親など多世代の滞留と交流が確認された（図表8-8）。

職住近接のライフスタイルが訪れるかもしれない中で、居住地周辺の「居場所」づくりが、地域コミュニティの創造に繋がると考えている。都市4.0時代（＝現代）における、容積率ボーナス獲得のための公開空地のような人気のない空虚なオープンスペースではなく、真の人間中心のアクティビティが生まれる空間とはどのようなものなのか、調査と分析を続けているところである。これら一連の取り組みがエリアマネジメント、都市デザイン、コミュニティデザインの視点から、わが国の公共空間で市民に受容され活用される構造を解明し、日本型TUモデルの構築の一助となる知見を得ることを目的としている。

時間消費型の活動景観創出に向けて

VR（仮想現実）／AR（拡張現実）による活動景観シミュレーション

滞在そのものが目的となる時間消費型の都市空間創出のためには、街並みや街路などのハードだけではなく、そこで発生したアクティビティに関係する市民も都市の構成要素に組み込まれた、

12注）東京都市大学都市生活学部インテリアプランニング研究室と共同実施

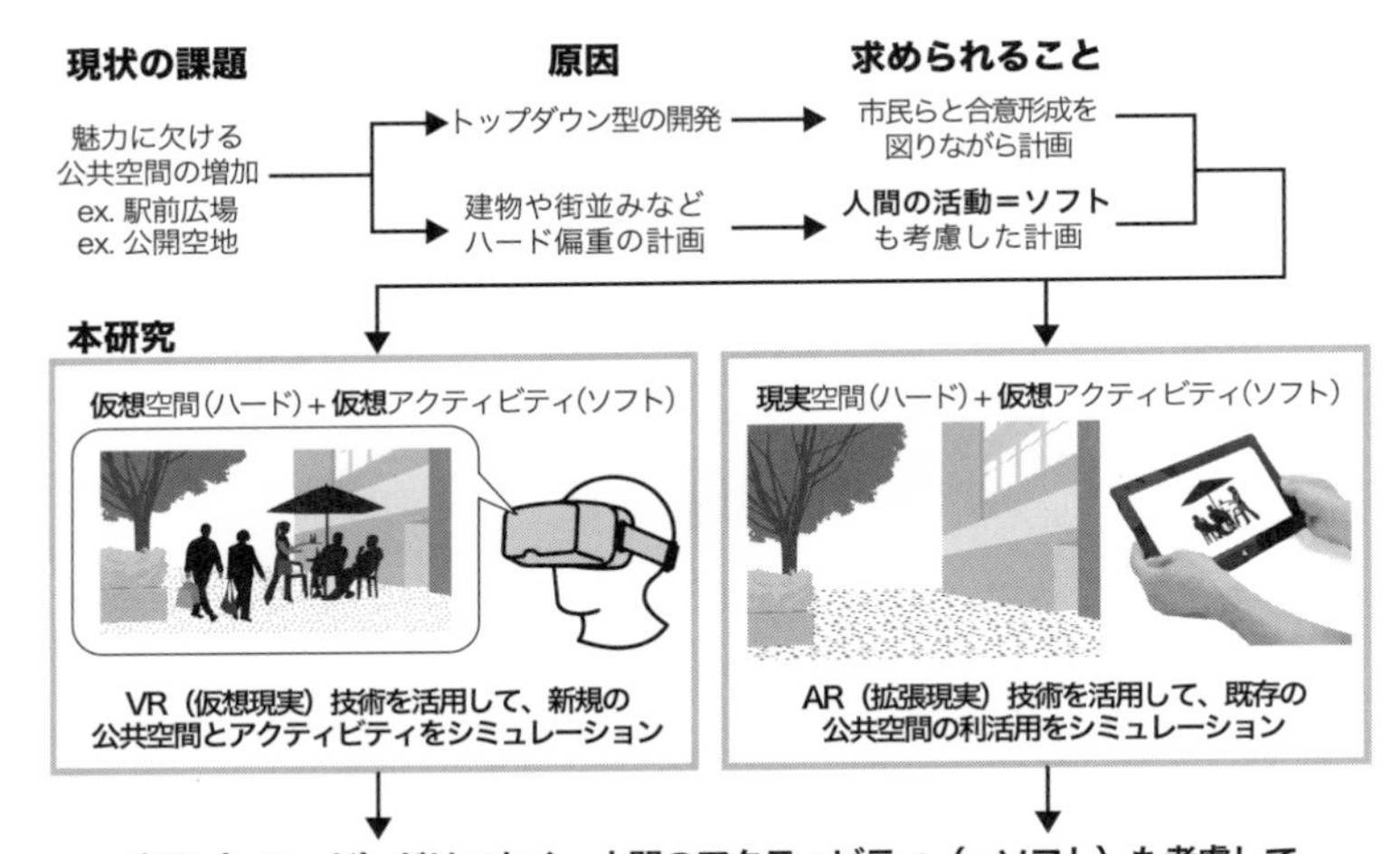
現状の課題
原因
求められること
魅力に欠ける
公共空間の増加
ex. 駅前広場
ex. 公開空地
トップダウン型の開発
建物や街並みなど
ハード偏重の計画
市民らと合意形成を
図りながら計画
人間の活動＝ソフト
も考慮した計画
本研究
仮想空間（ハード）＋仮想アクティビティ（ソフト）
現実空間（ハード）＋仮想アクティビティ（ソフト）
VR（仮想現実）技術を活用して、新規の
公共空間とアクティビティをシミュレーション
AR（拡張現実）技術を活用して、既存の
公共空間の利活用をシミュレーション
空間（＝ハード）だけでなく、人間のアクティビティ（＝ソフト）も考慮して、
PDCA サイクルを回しながら賑わい溢れる人間中心公共空間を計画できる

[図表8-9] VR／ARによる活動景観シミュレーション研究の概念図

空間と活動の統合的な都市景観づくりが重要であると考え、筆者らの研究室ではこれを「アクティビティスケープ（活動景観）」と呼び、その発生と評価について研究を重ねてきた。前述のプレイスメイキングの取り組みもその一つである。

従来のハード中心の街づくりにおいては、都市空間のシミュレーションの対象も建物ボリュームや建築ファサードなどハード中心で、模型やCGなどを活用しながら事前に空間イメージを共有し、ステークホルダーとの合意形成を図ってきた。人間中心の都市デザインを考えたときにはそれだけでなく、ソフト（空間の中で展開される人々のアクティビティなどの賑わい）についても計画段階から市民をはじめとした多様なステークホルダーと協働しながらつくり上げていくことが必要である。そこで、筆者らは現在、VR／AR技術を活用したアクティビティスケープ支援ツールの開発に取り組んでいる（図表8-9）。

3 人間中心都市の実現へ向けた課題

これまで述べてきたデジタルテクノロジーの発達による、都市生活者のライフスタイルや都市構造の転換に伴う人間中心の都市デザインやコミュニティづくりを、どのように社会に実装していくのかについて考えたい。

――用途混在都市空間マネジメントの課題と機会

前述のとおり、これからは目的の異なる人々が混在したミクストユースの都市空間が求められる。その場合、各店舗や公共空間は多様な目的を持ったユーザーをどのように受け入れるかが課題であり、リモートワークについては企業としての社員のマネジメントの課題やセキュリティの問題が現在も指摘されている。さらに居住空間が複合している場合は、生活環境やプライバシーの問題もある。これまでは商店街は商店会がマネジメントし、住宅街は町会がゆるやかにマネジメントしてきた。このように縦割りにマネジメントしてきた街の用途の境界が曖昧になることで、マネジメントの仕組みを抜本的に再編する必要が出てくるだろう。前節で従来の地縁型のコミュニティから、主体横断型のコミュニティへと移行する必要性を述べたが、それは豊かな人間同士のコミュニケーションの醸成という観点だけでなく、エリアマネジメントの観点からも重要である。近年の先進的な地域では異なる主体が連携しながら効果的なエリアマネジメント活動を展開している事例もあり、その広がりと深化が期待される。

――公共空間活用の課題と機会

公共空間の利活用は、地域コミュニティの創造を促し、シビックプライドの醸成に寄与し、効率重視の機械のような都市から、人間中心の都市へ転換させる重要なポイントであると論じてきた。公共空間利活用のハードルは、従来から行政による規制の部分が大きい。しかし、公共空間とは行政のものではなく市民の共有財産であるという考えのもと、市民や民間主導のボトムアップ型の公共空間利活用の事例も近年増えてきた。それを支えているのは公民連携と規制緩和である。２０１１年の都市再生特別措置法の改正によって、新宿区の新宿三丁目モア４番街で実施されている道路上でのオープンカフェの事例は代表的である。また、都市公園にカフェなどの飲食店が出店する事例も増えてきた。都市公園法上では公園管理者が事業者を公募により選定し、事業者は収益の一部を管理者に支払うことで実現が可能となっている。[13] 筆者らが尾山台地区で実践してきたTUの取り組みも、民間主導の取り組みの一つである。TUアクションは公共空間に対するある想いを持つ実践者による突発的な活動で、そのため、これまでにない創造的で魅力的なアイデアが公共空間に挿入される可能性を持っている。行政主体による画一的な都市整備ではなく、地域主導による個性ある都市空間および都市活動の創出が求められる現在、日本にTUを根付かせ、積極的な市民参加とTUによる公共空間の魅力向上に繋げ、「Short-term Action」を「Long-term Change」に繋げるためには、財源の確保も含めた市民主導によるマネジメントの仕組みが必要である。地域内の地権者に課される共同負担金を原資とし、地域内の不動産価値を高めるために必要なサービス事業を行う「ＢＩＤ（Business Improvement District）」制度がわが国でも取り入れられはじめたが、現状では大資本による大規模再開発地区を含むエリアなどが中心であり、事例が少ない。民間のアイデアを取り入れ、担い手や財源が確保された持続可能な「新しい公共空間」の利活用が望まれる。

――人間都市の具現化をめざして

コミュニティ創造による人間都市の実現のためには、民有地においてはミクストユースを前提とした空間マネジメントが、公共空間においては市民参加によるボトムアップ型の空間マネジメ

13 本間拓実・松行美帆子：都市公園への飲食店設置における効果・課題に関しての研究、都市計画報告集 No.16、日本都市計画学会、２０１８年

ントが求められる。デジタルテクノロジーの発達によってグローバルなサービスはどこでも誰でも享受できるようになることを考えると、各都市に求められるのはその地域の「ならでは」が色濃く滲み出るローカリティである。公共空間の利活用についても、市民主導によって大きく構えず小さなアクションを積み重ねることでシビックプライドが醸成され、ローカリティ溢れる個性的で生き生きした人間中心の空間が生まれる。これらによって、アーバン・デジタルトランスフォーメーション（UDX）が実現するだろう。

第9章 グリーンインフラによる都市の持続的成長

1 グリーンインフラが描く明日

——都市病理と期待される未来環境

都市を人間にたとえるならば、その期待される未来の姿とはどのようなものか。健康、地域（自分）らしさや自己実現、豊かな交流、そしてそれを支える安心・安全を実感できる環境に依拠した生活であろうか。一つ一つの都市という主体は、その気候風土、資源性、そして産業や暮らしの時間的積層性とともに移ろい盛衰の様相を見せてきた。その活力の指標である経済成長が、合理性追及を背景にした、より早く、より大きくといったベクトルのみを重視するのであるならば、未来がないということは論を待たない。

都市も動脈系と静脈系があってこそ、総合的な健全性を担保する。生産的活動や流通を支えるインフラはまさに大動脈、莫大なエネルギーの消費によって高温、高圧の世界から物的・時間的生産性を高めたといっても過言ではない。それは都市の肥大化（スプロール）をも可能にしたが、いわば生活習慣病を患った成人のようなものかもしれない。イケイケどんどんの都市は、暴飲暴食、不眠、運動不足、心因性のストレスを抱えつつ齢を重ねていく私たちに現れる病巣と類似し、抵抗力（レジリエンス）の損なわれた生体が、うつ熱し、自らの細胞が炎症、腫瘍化し、感染症さらには自己免疫疾患にまで陥る様相が、都市病理と重なって見える。

神経系、血管・循環器、呼吸器、消化器系など、身体の機能の動脈系は、恒温動物である人間ならばまさに体内環境の恒常性、調整機能が働いてこそ、心身ともに健全に成長発達していく。この動脈系を支えているのが、身体機能でいうところの自律神経、内分泌（リンパ）、免疫の役割をもつ部分であろう。健全な成長発達、予防的な健康の獲得の視点を都市にたとえるならば、動脈としての土地利用のみならずその地域の自然生態系に立脚した緑地配置が環境の恒常性や物質循環を担保する。そうした緑地が都市における存在効用と利用効用を発揮し、日常から非日常の地域の社会課題の解決にも資することが期待されている。

都市の持続的な成長のキーワードは、ウォーカブルでバイカブル、ダイバーシティ、アクティビティ、レジリエンシー、健康の源、シェア、ソーシャル・エクイティ、インクルーシブ・エコノミーなどといわれている。こうした未来都市の持続的健全性を支えるものとして、都市における新たな自然生態系の再形成という手法、すなわち「グリーンインフラ」の整備と拡張概念から論を展開したい。

グリーンインフラとは何か、その定義と背景

グリーンインフラとは何か。諸説あるものの各国、関連事業団体によって定義は多様である。しかしそのベースにある考え方は共通しているようである。2013年に日本生態系協会と地球環境国際議員連盟の共催による勉強会が開催され、欧州環境省の専門家から「欧州グリーンインフラ戦略」についての紹介があった。このとき国会議員や政策担当などが関心を示したことが、わが国のグリーンインフラの議論のきっかけになったようだ。

国内外のグリーンインフラの定義は、そのいずれもが単に「グリーン」＋「インフラストラクチャー」＝「緑化・植栽を伴った土地造成や開発」というような単純なイメージを表現しているのではなく、より包括的に自然環境や多様な生き物がもたらす資源や仕組みを賢く利用すること、さらに自然が持つ多様な機能を活用することでさまざまな社会課題の解決に向けた方策としている。

つまりグリーンインフラとは緑化技術を意味しているわけではなく、国土、地方、地域、都市の社会課題に鑑み、土地利用上の観点からその解決に向かうプロセスであることが重要である。従前のインフラ（人工物インフラ）は基本的に一つの機能の最大化とそれを具現化する施設として展開してきたのに対し、グリーンインフラ（生態系インフラ）は多機能性を発揮することが特

内 容	人工物インフラ	生態系インフラ
単一機能の確実な発揮 (目的とする機能とその水準の確実性)	◎	△
多機能性 (多くの生態系サービスの同時発揮)	△	◎
不確実性への順応的な対処 (計画的に予測できない事態への対処の安易さ)	×	○
環境負荷の回避 (材料供給地や周囲の生態系への負荷の少なさ)	×	◎
短期的な雇用創出・地域への経済効果	◎	△
長期的な雇用創出・地域への経済効果	△	○

[図表9-1] **人工物インフラと生態系インフラの機能比較**

出典：日本学術会議

(1) 治水、(2) 土砂災害防止、(3) 地震・津波減災、(4) 大災害時の避難場、(5) 水源・地下水涵養、(6) 水質浄化、(7) 二酸化炭素固定、(8) 局所気候の緩和、(9) 地域のための自然エネルギー供給、(10) 資源循環、(11) 人と自然にやさしい交通路、(12) 害虫抑制・受粉、(13) 食糧生産、(14) 一次産業の高付加価値化、(15) 土砂供給、(16) 観光資源、(17) 歴史文化機能の維持、(18) 景観向上、(19) 環境教育の場、(20) レクリエーションの場、(21) 福祉の場、(22) 健康増進・治療の場、(23) コミュニティ維持

[図表9-2] **生態系サービスの主な機能**

徴である（図表9－1）。またそれらは、多様な生態系サービス機能（図表9－2）を有していることは論を待たない。

わが国では少子高齢化、人口減少、グローバル化による経済需要の変化、担い手不足による地域経済の停滞、土地利用の変化、災害リスクの増加などさまざまな社会課題が生じつつあり、ますます深刻化している。特に人口構成の変化を勘案すれば、これまでのようにインフラ整備の大半を税収で対応するにも限界がある。

一方、都市の人口集中と都市間競争の時代となり、世界から投資が集まる魅力的な都市・地域のブランド創出も求められる。

「City in a Garden」をめざすシンガポールに象徴される緑豊かな都市がグリーンインフラとしての環境機能を発揮しつつ、人、モノ、金、情報を引きつけているが、グリーンインフラに支えられた都市のレジリエンス性にも魅力と信用が創出されているのかもしれない。世界各地において、台風、集中豪雨、高潮など自然災害のリスクはますます高まっており、あらゆる土地利用の立場で防災減災への関心が高まっている。

こうした状況と合わせて、高度経済成長期に建設された多くの土木インフラがいっせいに老朽化し、防災・減災のための施設も含めた社会資本全般の老朽化が大きな課題となっている。しかしこうした土木インフラの改修更新時期であるからこそ、有効な土地利用転換と複合機能化を図るべくグリーンインフラの提案と整備が注目されているのである。以上の背景から地域の課題解決のプロセスとして展開するグリーンインフラは、都市エリアから農山漁村エリアにわたって地理的、土地利用的な階層性とともに多様な空間創造の場となる。

――グリーンインフラとされる海外の先進事例

環境保全と社会経済活動の融合をめざす欧米のグリーンインフラの取り組みは目覚ましく、わが国からも多くの視察団が各国を訪問している。欧州では、欧州委員会が２０１３年に欧州グリーンインフラ戦略を発表したことが契機となっている。

その基本的な捉え方は「多様な生態系サービスを享受するためにデザインされ、管理されている自然環境・半自然環境エリアおよびそのほかの環境要素（動植物・景観など）を繋ぐ戦略的に考えられたネットワーク」とし、気候変動への適応策、水資源の確保、地域資源を活用した観光業の振興、環境保全型の農林水産業の展開など、地域が抱える社会課題の解決策に向けた土地利用の方策として具体化している。

とりわけ生態系の多機能性とネットワーク性に着目している点が特徴であり、従前よりドイツの環境都市などでは連関性に配慮した緑地整備が推進されてきた。欧州のグリーンインフラは生物多様性保全が大きな出発点ではあるが、近年では地域開発、防災・減災に資するグリーンインフラ事業への関心が集まっているという。自然環境を守る存在とするのみならず、活用される対象としても捉えることにより、社会的に便益をもたらすことを目的にすることで、経済活動と環境保全の融合を構築する。

一方、米国のグリーンインフラは「雨水管理」、「洪水対策」が重視されている。米国環境保護庁（ＥＰＡ）は２００８年に「グリーンインフラによる雨水管理の行動戦略」を策定し、その推進に向けた方策が記載されている。その基本的概念は自然の機能を生かすことであるが、雨水管理に有効なグリーンインフラ設備の展開が特徴となっている。

同様に水問題として、シンガポールでは国土レベルでグリーンインフラに取り組んでおり、限られた国土と水源環境からその保全と有効な利活用に資する河川改修や緑地化を展開している。河川改修を通じたグリーンインフラ化と地域の再生事例としては、隣国ソウルの清渓川の改修もよく知られている。海外のグリーンインフラ事例としてしばしば紹介されるポートランド、シンガポール、ニューヨークの事例について概観したい。

ポートランドのストーム・ウォーター・マネジメント[1]（下水道改修更新対策事業から緑豊かな街づくりへ）

ポートランドのグリーンインフラは雨水対策からはじまり、米国環境保護庁（ＥＰＡ）におけるグリーンインフラによる雨水管理の行動戦略に基づいて、グリーンインフラの具体的な技術が列挙されている。

ポートランドにおいて、都市スケールの雨水管理を意識させたのは合流式下水道越流水対策であったとされる。地下室への度重なる浸水被害に対してポートランド市相手に訴訟運動が起こされたことが契機となり、その対策への実践が原動力になった。東京農業大学の福岡准教授[2]は、ポートランドにおける持続的雨水管理に関するグリーンインフラ適用策の変遷を、合流式下水道越流水対策期、グリーンインフラ萌芽期、グリーンインフラ急速展開期、グリーンインフラ発展期として説明している。なかでも萌芽期のできごととして自治体による雨水管理マニュアル（第1版）の発行が重要である。

このマニュアルの特徴は、新しい開発と再開発すべてに適用されること、公共地・私有地問わず適用されること、不透水面積が46㎡を超える計画にはすべて適用されることとされている点で、その効果は都市全体に及んだ。その結果、エコルーフは私有地・公有地を含め４２０箇所（９・３

［図表9-3］グリーンストリート・雨水プランター型

［図表9-4］集合住宅周りの生態緑溝

［図表9-5］再開発後に創出された公園緑地の広大な生態滞留池

［図表9-6］エコルーフも雨水の貯留と流出遅延目的

ha）創出（1996～2014年）、グリーンストリートは1600箇所創出（1997～2014年）されたという（図表9-3～9-6）。

　ポートランドは都市の再開発で人間らしい都市を取り戻しつつあることで評価されているが、都市計画領域では計画過程に市民参加を推進していることも効果に繋がっているだろう。

　主に道路や広場などの比較的

1 飯島健太郎（二〇一七）：ポートランドのストームウォーター・マネジメントとグラウンドカバープランツ、芝草研究四五巻、二号、九三―一〇二

2 福岡孝則・加藤禎久（二〇一五）：ポートランド市のグリーンインフラ適用策事例から学ぶ日本での適用策整備に向けた課題、ランドスケープ研究七八巻五号、七七七―七八二

大きな面積を占める舗装面からの流出雨水を、その周辺に集めて地中へ浸透させるためにさまざまな施設が認められる。その形態や規模は集水（排水）面積の大きさによるが、外見はオーバーフローによる冠水などの二次災害を防ぐために設置場所によって変化する。

多くの場合、交通量が少なく道幅が狭い道路ほど自然な風情の設計となる。導入される植物と土壌は、処理すべき流出量や対象地の環境、規模に応じて変化する。ポートランド市内のすべての道路空間に摘要されているグリーンストリートは、道路と歩行者空間、植栽帯の配分を変えるとともに、土地利用上は歩行者空間、道路、公園、学校・教育施設、都市広場、集合住宅においても導入されている。引き続き普及促進のため、随時更新した体系的なマニュアルが発行されており、初期的には土木的発想ながら、形成されたグリーンインフラが緑豊かで魅力的な都市形成に繋がっている。

シンガポールのABCウォーターデザイン・ガイドラインとビシャン・パーク[3]（水資源の保全循環、洪水対策から生まれた緑地のネットワーク）

シンガポールのグリーンインフラとして、国土レベルでの取り組み事例として着目すべき点は水問題である。限られた国土と水源環境から、水の供給源は貯水池に加えて、40％をマレーシアからのパイプラインによって確保してきた。併せて水の価格高騰や政治的な課題もあり、総合的に水問題の解決策を講じている。その一つは、浸透膜を活用した高度ろ過技術による下水の再生処理や、ベイエリアにみる河口に可動堰をもつ貯水池・マリーナバラージ（図表9－7）などである。

さらに着目すべき取り組みが「ABC Water Design Guidelines」（ABC－WDG）である。降雨時、開発地ごとに一時的な貯水を行い、併せて水質浄化機能を備えることが義務付けられ、植物や自然素材を用いることが推奨されている。ABC－WDGはシンガポールの公益事業庁（PUB）が中心になって考案した国土全体を対象とした水問題への戦略である。このABCは「Active」「Beautiful」「Clean」の意味である。

［図表9-7］河口の貯水池・マリーナバラージ

このガイドラインの特徴は、国内の一定面積以上の敷地、エリア、都市スケールの開発案件のすべてに対して、開発内容や土地利用に応じて必要なグリーンインフラ適用技術を明確に示し、新規の開発敷地からの雨水の表面流出の削減に加えて、屋上から敷地内の屋外空間を活用してグリーンインフラを創出し、微気象の緩和、健康増進、生物多様性保全に寄与するべく空間像を伴ったグリーンインフラを推進していることである。このガイドラインには、国内の集水域別に土地利用や既存の水資源を把握したうえで、具体的なパイロ

3 飯島健太郎（二〇一八）：シンガポール都市緑化と緑政策、芝草研究四六巻、二号、一二九－一三六

［図表9-8］大規模河川緑地となったビシャン・パーク

［図表9-9］多様な護岸形態によって氾濫を緩和する

［図表9-10］緑地内の丘はかつてのコンクリート護岸廃材を活用

ット・プロジェクトが関連付けられているという。

ABC―WDGでは、グリーンインフラの展開を、開発業者や計画・設計者のみならず国民の誰が見ても理解できるように開示し、また具体的な空間の体験利用を通じてグリーンインフラに対する理解を深めている。ガイドラインは大きく、

A：計画、デザイン、実践
B：安全性、公衆衛生、管理
C：持続的環境の創造に向けたコミュニティ、プログラム、環境教育
D：認証制度

の四つに分けられており、グリーンインフラに取り組むための明確な目標や便益などが示されている。

ＡＢＣ―ＷＤＧはシンガポールの国土全域を対象としており、ガイドラインと連動して２０３０年までに約１００のグリーンインフラ・プロジェクトが対象として指定されている。こうしたグリーンインフラ・プロジェクトの中で最も大規模な事業が、全長３㎞のコンクリート三面張り排水路を自然型の河川に再生、公園と一体化した多機能型の都市型河川公園として再整備したビシャン・パーク（図表９-８～９-10）である。

これまで河川はより早く水を下流に流すことを目的に造られたために直線的で画一的な河川断面であった。それを多様な断面と護岸形態を持ち、非常時は氾濫原として機能するようにし、また従来の20ｍ前後の川幅を最大１００ｍまで拡幅して許容流水量を40％も増大させた。ビシャン・パークの河川部分では、シミュレーションを通じて流量だけではなく、流出速度にも応じて川の護岸形態を設計しているという。流れが速い部分では生態緑化技術を活用した護岸補強を行っている。

このように多様な護岸を創出することで、豊かな生物の生息域をつくり出している。現在のビシャン・パークは従来の川が持つ治水や排水といった機能を超えて、コミュニティやレクリエーションの場としても機能し、多くの市民が水や自然と親しみ、その大切さや魅力を実体験からも理解できる場となっている。

造成された園内の小さな丘は、かつて三面張りだったコンクリートの廃材などを活用している。子どもたちは水遊びに熱中し、広場では太極拳、園路では散歩やランニングをする多数の利用者を見ることができる。そしてこの園路が河川公園内の園路ということだけでなく、パーク・コネクター・ネットワークとしても位置付いており、ほかの環境政策による緑地整備とリンクしながら有効な土地利用とネットワーク化を図っている点も重要である。

ニューヨークのハイライン（土木遺産の緑道化と観光振興、そして地域の不動産価値の向上へ）

ニューヨーク・マンハッタンの新たな観光地としてすっかり定着したハイラインは、連日多くの観光客で賑わっている（図表9－11～9－14）。ハイラインは、全長2・3㎞に及ぶ帯状の緑地として整備されたもので、マンハッタンでかつて営業し、その後廃止されたウエストサイド線と呼ばれるニューヨーク・セントラル鉄道支線の高架部分に建設されたものである。

集客をもたらしている理由としては、貨物線の廃線跡という歴史的・文化遺産的な要素、高架という視点場からの眺望の良さと車道に邪魔されることのないウォーカビリティ的な要素、そして廃線後自然発生したナチュラルな植生と新たなデザインが融合した植栽がその重要な機能を果たしている。

さらには注目すべきは、グリーンインフラ機能とともに周辺地区の不動産価値の向上にも貢献しているとされている点である。ニューヨーク・ハイラインを参考にしてか、２０１７年ソウルにも約１㎞の高架の緑地「ソウルロ７０１７」が誕生するなど、海外にも波及効果をもたらしている。ハイラインの誕生は地域にさまざまな効果を示している。

［図表9-11］ハイラインをまたぐホテル

［図表9-12］ビルとビルの間を貫いていくハイライン

［図表9-13］ハイラインは常に人が絶えない

［図表9-14］滞在を楽しくするハイライン上のファニチュア

特に付近の治安の改善は、さまざまな媒体で取り上げられている。第2区間の開設後すぐにニューヨーク・タイムズが報じたところによると、公園の開設以来暴行や強盗といった主要な犯罪は報告されていないという。さまざまな公園の規則違反に対する出頭命令の頻度はセントラル・パークより低いとのことである。いつも人通りが多く、また周囲のビルからハイラインがよく見えることが防犯に資する空間創出に繋がっているのであろう。

「フレンズ・オブ・ハイライン」（ハイラインの保存を求めた非営利団体）のジョシュア・デービッドは、誰もいない公園は危険だが繁盛している公園にはその心配がなく、ハイラインで独りぼっちになることはほとんどないと語ったとされる。

結果として、ハイラインは近隣の不動産開発に拍車をかけ、不動産の価値を高めたとされる。ビルの間をぬう、いわば新しい公園通りの出現が引き金となって、ハイラインに隣接する一帯には、ホテル、ブティック、レストランなどが続々と出現し、隣接の再開発地に建設中のビルもハイラインに向かって展望デッキが整備されている。

現在、さらに大規模な再開発を行っているハドソンヤードもハイラインと隣接し、さらに魅力的な街区を形成するであろう。ハイラインは、車道に煩わされないウォーカビリティとしての魅力とともにエンターテインメント性と環境、集客、治安の向上をもたらし、近隣の不動産価値を高めることに成功している。廃止された施設の効果的な用途転換とグリーンインフラの整備による魅力的な都市づくりの参考になるものである。

2 グリーンインフラ研究の実績と展望

――東京都市大学のグリーンインフラ研究の体系

都市のグリーンインフラとしての複合的機能をもたらす緑地空間の
①環境改善、②防災・減災、③健康増進に資する検証研究とそれらを指標する
生物多様性保全との関係を明らかにし、また事業化への官民連携の道筋を研究
現在
さまざまな都市施設
(インフラ)の老朽化/
改修更新の必要性
将来
改修更新の視点/
効果的な土地の
用途転換ならびに
複合機能化
環境改善、減災、さらには健康を
獲得する日常的な緑地利用を
促す建築、道路ネットワーク、
街区に計画的に配置する都市緑地
防災・減災
雨水管理と洪水抑制、火災時の
延焼防止
公園緑地、都市農地、街路樹、
沿道の生垣
都市環境改善
ヒートアイランド対策、輻射熱の
軽減、大気・土壌水質の浄化
公園緑地、建築緑化、沿道緑化
健康・ストレスマネジメント
緑地利用と健康増進
ストレス緩和・成長発達・老化予防
公園緑地、安全なサーフェイス
東京都市大学

[図表9-15] 都市のグリーンインフラ マネジメントの体系的展開

東京都市大学（以降、都市大）のグリーンインフラ研究では、土地利用上の防災・減災、環境改善修復、健康・ストレスマネジメントに立脚した技術開発から機能効用検証を行い、さらにはその計画論に言及した研究をめざしている（図表9-15）。

災害リスクの増大、人口減少・少子高齢化、経済活動の停滞、医療・健康問題、自然生態系の劣化と都市環境の悪化など課題が山積している中で、土地利用上の新たな都市空間形成によってその解決と持続性の担保が重要なテーマとなっている。そうした背景から従前のインフラ整備を補完する総合的適応策であるグリーンインフラの施策と事業展開が期待されている。

グリーンインフラ、すなわち土地利用において自然環境の有する多様な機能を活用して、都市防災・減災としての延焼防止、

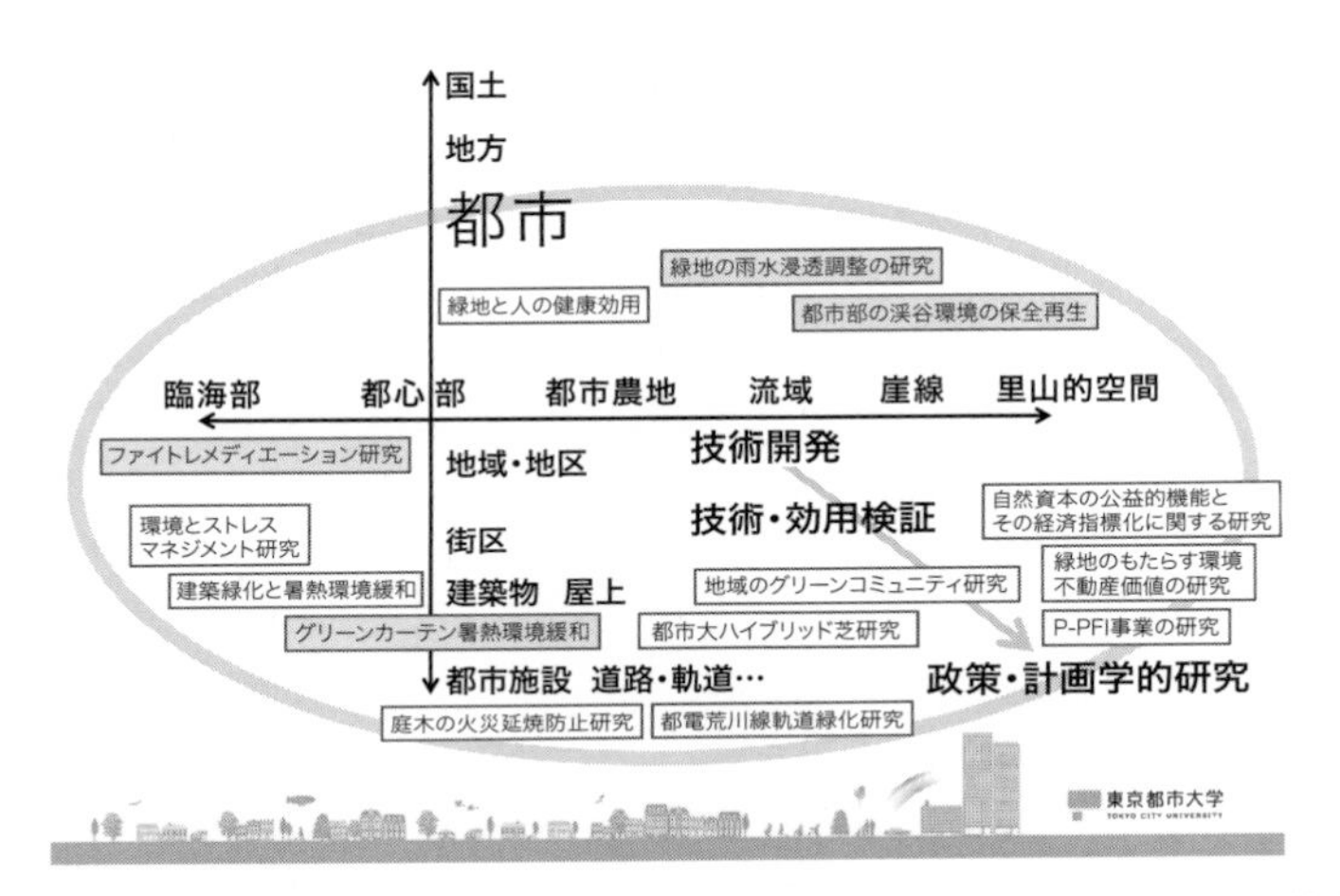

［図表9-16］ 東京都市大学のグリーンインフラ研究の地理的・土地利用的階層と研究体系

雨水浸透による都市洪水の防止、ヒートアイランド緩和、環境浄化、健康・レクリエーション、地域自然資源の保全など社会的便益、公益的機能を複合的にもたらそうとするものである。

都市大のグリーンインフラ研究の特色は地理的・土地利用的階層性に鑑み、臨海部、都心部、都市農地、流域、崖線、里山的空間、また都市施設・道路・軌道、建築物屋上、街区、地域・地区、都市といった水平展開をも意識し、研究課題を配していることである（図表9-16）。

その結果として、従前の都市における環境圧の暴露性と脆弱性を改善することによる被災の減少、土地被覆のもたらす環境悪化の改善とともに、そうした効果をめざした土木的発想に終始せず、居住空間の快適性の創出や環境不動産価値の向上、来訪者の増加による経済効果、地域住民の健康増進などの効果と社会実装を総合的にめざすものである。

以下に都市大の未来都市研究機構（葉村機構長）において、応用生態システム研究センター（涌井センター長）と連携しつつ展開している研究例を紹介する。

――土壌汚染対策としての「ファイトレメディエーション」[4]

グローバル化とともに、企業の工場機能が海外移転するなど臨海部の用途転換が図られつつある。鉄道、道路、電気、ガス、水道などあらゆるインフラが整っており、未来都市の創生において、極めて資源性の高い場である。

しかし、工場機能移転後の臨海部における重金属汚染の莫大な処理コストは、その有効な土地利用のための開発の妨げとなっている。ただ、だからといって即効性のある化学的工学的処理や採掘除去を施すことは、CO_2排出など二次的な環境悪化を招くことにもなる。結果、土壌汚染対策法に基づいて盛土し、適正に管理された現場が多く、遊休地となっていたりアスファルトを敷設して駐車場にしたりと長期間にわたって高度利用に供していないケースが多い。

そこで、都市大では川崎市環境総合研究所と連携し、この長期間という時間軸を味方につけて、

4 ファイトレメディエーション（phytoremediation）とは、植物が気孔や根から水分や養分を吸収する能力を利用して、土壌や地下水、大気の汚染物質を吸収したり、分解したりすることで浄化しようとする技術のこと。涌井史郎・浅井俊光・渡邉洋輔・堀川朗彦・山﨑正代・飯島健太郎（二〇一九）：Pb汚染土壌におけるファイトレメディエーション技術の適用可能性に関する研究、芝草研究四八巻、一号、一七―二四

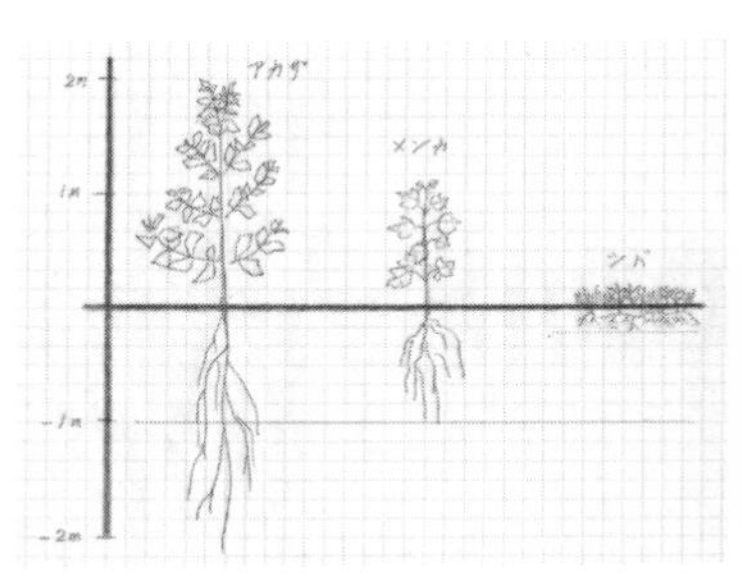

［図表9-17］ 1年草でも根が2mに達するアカザ、根が表層に分布するシバなど
形態的特徴を有効に活用することが重要

緑化植栽によって汚染物質を吸収することで基準値以下に向けて浄化しようとする「ファイトレメディエーション」研究を行っている。本学の研究の特徴は、臨海部の環境で生育できる野草、そして汚染物質の分布している2m前後の位置に根系が達することのできる野草など性状に配慮して検証していること（図表9－17）。選択した草種で一定の鉛の吸収を確認しており、さまざまな工法との合わせ技でファイトレメディエーションの導入可能性を探っていることである。

再緑地化としての グリーンインフラ、ハイブリッド芝[5]

学校等のグラウンド、幼稚園の園庭、屋上園地、イベント等の暫定利用など、既存施設からの改修更新、また将来的に土地利用再編と用途転換における芝生地の創出があらためて期待されている。

わが国の芝生は、庭園等で眺める芝生の歴史が長く、またゴルフ場、サッカーグラウンドなどの特定の用途に特化したターフの形成と高度な維持管理技術を構築してきた。しかし、あらかじめ芝生の造成のために土壌改良ができる空間に限定されない、より広範な芝生地利用のニーズに応えるためには、従前の芝生造成手法や維持管理にも限界がある。そこで都市大では、多様なレクリエーションやイベン

5 堀川朗彦・山崎正代・南昌宏・涌井史郎・飯島健太郎（二〇一九）：熱帯夜における天然芝生と都市大方式薄層型ハイブリッド芝生の暑熱環境緩和に関する研究、芝草研究四八巻別一号、六四―六五

［図表9-18］ 都市大ハイブリッド芝は薄層型

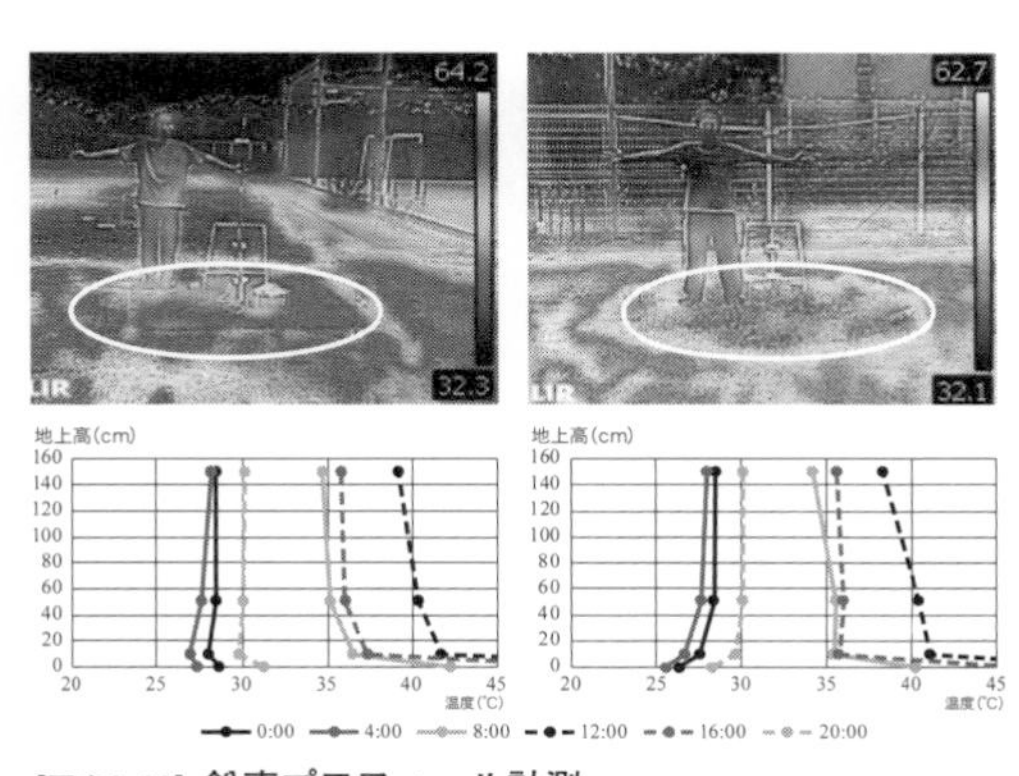

［図表9-19］ 鉛直プロフィール計測
左：人工芝、右：都市大ハイブリッド芝

※大気に対して、人工芝は加熱面、都市大ハイブリッド芝は時刻によって冷却面になっている。

ト活動を受け入れる広場、学校や公共施設の屋上面、期間限定の歩行者天国や商店街のイベント利用など、人の利活用を大前提に基盤構造からサポートする天然芝をめざして「ハイブリッド芝」を開発した（図表9-18）。

このハイブリッド芝は薄層基盤型であり、アスファルトやコンクリート面など多様な人工面に直接敷設が可能。天然芝の改良基盤システムとして、根の補強と茎葉の傷みの軽減を図る。過剰歩行による裸地化を防ぎ、降雨時の泥はねや周辺ペーブメント等の汚損を軽減する。通常、屋上芝生地は10㎝程度の土層厚が必要だが、ハイブリッド芝は薄層であり、従前よりも軽量などの特徴がある。都市大総合研究所の堀川客員研究員は、とりわけ地域のグリーンインフラとしての公益性をもたらすべく、ハイブリッド芝が潜熱消費とともに輻射熱の軽減作用から暑熱環境緩和効果のあることを実験的に明らかにした（図表9-19）。

流域環境から見た洪水対策としてのグリーンインフラ[6]

降雨対策と下水道の問題は世界的にも大きな課題となっており、先に紹介したポートランドのストーム・ウォーター・マネジメント、シンガポールのＡＢＣウォーターデザイン・ガイドラインはその先駆けとしての取り組みである。

降雨と下水道問題はいうまでもなく内水氾濫等の洪水対策として、土地利用上の流出雨水特性の分析から老朽化した下水道等土木施設の新たな改修更新の取り組みなど体系的な展開が不可欠となる。わが国においても地形地理の多様性ゆえにその地域特有の分析が重要な視点となる。こうした背景から環境学部の横田准教授は、地域の雨水循環を多様なスケールから捉えることにチャレンジしており、地域の緑地環境の立地・構造と雨水保持、浸透特性を解析するなど、行政区分のみでは解決できない流域スケールでの雨水循環の評価を行っている。

たとえば、流域内の集水過程における緑地環境の立地・構造の評価として、都市河川流域のスケールで、高解像度人工衛星データおよび地表高データを活用した緑地の立地環境の類型化手法を検討している。その結果、流域スケールでは、人工衛星より抽出される高解像度の緑地区分と地表高データより得られる支流域・地形タイプ、微地形タイプ（分散・集中・貯留）、累積流量タイプ（集水多・中・少）の区分から、支流域内で表流水の初期浸透機能と集水後の調整機能の高い緑地を評価することが可能となった。

あわせてサイトスケールでは河川堤防を対象とし、高解像度人工衛星に加え、ドローンによるレーザー測量を用いて得られた植生群落高データを加えて、草地群落の分類を行う手法についての検討も行っている。グリーンというと、アナログなイメージを持つ人も多いだろうが、先進のテクノロジーの活用によって、従来は不可能だったことが容易にできるようになってきている。

また流域内の緑地スケールにおける雨水循環・生態系に対する機能評価として、造成地内の緑地・植栽空間における雨水保持・浸透機能を調査した。丘陵地の例である若葉台団地外構植栽で

6 横田樹広・江藤菜々子（二〇一九）：横浜市帷子川流域を対象とした集水微地形に着目した緑地立地環境の評価、環境情報科学、学術研究論文集三三、二七一—二七六

は降雨前後の土壌水分の多地点観測、台地の例である港北ニュータウン緑道では簡易浸透試験および土壌貫入試験により、植栽基盤および植生構造と雨水保持・浸透機能の関係性について把握した。若葉台団地外構植栽を対象とした雨水保持機能の評価においては、植栽空間レベルの条件として平均傾斜や植生階層多様度が、地点レベルの条件として平均貫入深度（浅部・深部）・夏至時平均日射量・地被緑被率が、雨水保持パターンの違いに影響した。また、港北ニュータウンの緑道斜面においては、コナラ林・クマザサ区・湿地・盛土林では全体の植生階層多様度が高い地点で、切土林では樹木階層多様度が高い地点で、最終浸透能が高かった。これらより、造成地内緑地・植栽空間の雨水保持・浸透機能は、基盤に応じた土壌環境の違いとあわせて、植生の階層性の影響が大きいことが示唆された。

軌道緑化は長大な帯状のグリーンインフラ[7]

地域の暑熱環境の緩和、ヒートアイランド対策には、土地利用上の緑地面積の総量としての増大が重要である。公園緑地を拠点として、街路樹、建築物の屋上、壁面の緑化もまた有効な方策であり、整備が進んでいる。

特に、都市部において着目されている空間は鉄道敷である。帯状に土地を占有しつつも道路面とは異なり、芝生のような背の低い緑地であれば潜在的に可能性のある空間を有している。鹿児島、宮崎、広島、土佐などの地方の路面電車においてはすでに部分的に芝生軌道が行われているが、都市大では東京都交通局との共同研究により、基本的に降雨のみで生育し刈込みを必要とせず、開花景観を演出できる多肉植物セダムを導入した軌道緑化を都電荒川線（東京さくらトラム）の一部に敷設し調査している（図表9－20）。

その結果、輻射熱の緩和効果、緑化面が大気に対する冷却面となること（図表9－21）、それを指標する飛来昆虫の蝟集効果も観察されたことにより、交通施設の環境改善施設としての複合機能化を提唱している。

以上のように都市大のグリーンインフラ研究は都市の社会課題と地形・土地利用に鑑み、緑地創生による環境改善、減災、健康ストレスマネジメントの効用検証から、コミュニティ形成や環境不動

［図表9-20］ **都電荒川線の軌道緑化**

［図表9-21］ **軌道緑化とサーモ画像**

7 玉井禎人・四十万侑佑・前出吉栄・吉田慎・佐藤史花・亀山奈央子・涌井史郎・飯島健太郎（二〇一八）：軌道緑化がもたらす暑熱環境緩和効果、芝草研究四七巻別一号、三四―三五

産価値に言及しつつ都市の持続可能性に資するグリーンインフラのマネジメントに向けた研究を推進している。

3 グリーンコミュニティの実現へ

――グリーンインフラは理想像から政策的展開へ

どんなに素晴らしい構想と高度な技術があってもそれだけでものごとは実現するとは限らず、政策展開が後押しとなることは論を待たない。この数年、わが国ではグリーンインフラは机上の理想論ではなく、政策となり行政文書に続々と登場しつつある。グリーンインフラという概念は、自然環境の持つ力や仕組みを生かした社会資本整備、防災減災、国土管理の方策である。自然を資本財として認識し、その持続性を計画的に図ることにより自然と人間社会の共生を担保しようとする思想であるとしている。

欧米ではグリーンインフラが行政文書に記載され、既存インフラに付加価値をもたらす政策や事業の展開が推進されている。わが国においても社会的課題解決の有効な概念として捉えられはじめ、行政文書に記述されつつある。

2014年6月に閣議決定した国土強靭化基本計画では、環境分野における国土強靭化施策の推進方針として、海岸線や湿地などの自然生態系が有する防災・減災機能や平時の生態系サービスを評価し、それらを積極的に活用した防災・減災対策を推進することが掲げられた。

2015年8月に閣議決定した国土形成計画においては、「本格的な人口減少社会において、豊かさを実感でき、持続可能で魅力ある国土づくり、地域づくりを進めていくために、社会資本整備や土地利用において、自然環境が有する多様な機能（生物の生息・生育の場の提供、良好な景観形成、気温上昇の抑制など）を積極的に活用するグリーンインフラの取り組みを推進する。このため社会資本整備や土地利用におけるグリーンインフラの考え方や手法に関する検討を行うとともに、多自然川づくり、緑の防潮堤および延焼防止などの機能を有する公園緑地の整備等、さまざまな分野において、グリーンインフラの取り組みを推進する」ことが記載され、国土利用計画にも同様の方針が記載された。

2015年9月に閣議決定した社会資本整備重点計画においては、「多自然川づくりや緑の防潮堤、延焼防止などの機能を有する公園緑地の整備など、自然環境が有する多様な機能を活用するグリーンインフラの取り組みにより、自然環境の保全・再生・創出・管理とその活用を推進する」ことが記載された。

2015年11月に閣議決定された気候変動の影響への適応計画においては、「生態系を活用した適応策に関する知見や事例、機能評価手法等を収集する」こと、「沿岸域における生態系による減災機能の定量評価手法開発を推進する」ことが記載された。

一方、森林分野においても、２０１６年5月に閣議決定した森林・林業基本計画に、荒廃農地の問題に対してグリーンインフラを活用していくことが記述された。

また国土交通省は２０１８年12月より、グリーンインフラ懇談会を設置し、グリーンインフラの取り組みを推進する方策等の検討を進め、２０１９年7月に「グリーンインフラ推進戦略」をとりまとめ、必要な方策を進めるなど、グリーンインフラの取り組みを加速していくとしている。

このように政府の関連計画においてもグリーンインフラの概念、重要性、施策の推進が位置付けられつつあり、そうした後押しによる波及効果が期待される。地方自治体としては世田谷区において、浸水被害対策と流域計画の観点からグリーンインフラを推進している。

グリーンインフラの事業性

グリーンインフラがもたらす公益性は、生態系サービスという観点からも明白であろう。しかしその普及のためには事業性からの議論も必要である。事業活動とりわけビジネスとしてのグリーンインフラというと緑化植栽事業、あるいは環境に配慮した建築土木事業をイメージしがちだが、それは言わば狭義のグリーンインフラといえる。これまでに述べたさまざまな対象とスケールに及ぶ地域課題の解決に向けたプロセスと捉えるならば、グリーンインフラとしての事業はより拡張概念として展開する資源性がある。

国際的には自然の機能や仕組みを活用した社会資本整備事業を後押しする事業は活発化してい

る。投資するために企業の価値を評価する材料として、これまで主にキャッシュフローや利益率などの定量的な財務情報が使われていたが、それに加えて非財務情報であるESG（環境、社会、企業統治）要素を考慮する「ESG投資」が重視されている。

こうした背景からグリーンインフラの取り組みが環境等に高い関心を持つ民間資金を呼び込み、自然環境が有する機能を積極的に生かして環境と共生したインフラ整備や土地利用の推進が期待される。

さらにこうした概念を後押しするのが、2015年に国際連合で採択された持続可能な開発目標（SDGs：持続可能で強靭、そして誰一人取り残さない経済、社会、環境の統合的向上が実現された未来をめざす目標）であり、その目標を実現するためにグリーンインフラが基盤となる。

国連は、災害リスクに取り組むことなしにSDGsを達成することはできないとの認識に立ち、中でもグリーンインフラに関わる項目として、「(目標6) すべての人々の水と衛生サービスの利用可能性と持続可能な管理を確保する」、「(目標9) レジリエントなインフラ構築、包摂的かつ持続可能な産業化の促進およびイノベーションの推進を図る」、「(目標11) 包摂的で安全かつレジリエントで持続可能な都市および人間居住を実現する」、「(目標13) 気候変動およびその影響を軽減するための緊急対策を講じる」などとした目標をSDGsに掲げている。

SDGsはグリーンインフラの多機能性への期待とともに、目標達成への重要なアプローチとして期待されている。さらに海外事例において明白であるが、グリーンインフラとして展開した新たな土地利用が新たな観光的スポットとなり、地域に滲み出す環境不動産価値の向上が認められているなど、よりポジティブなプロセスとしてグリーンインフラ事業が認識されている。

つまり環境対策とビジネスとの関係が、CSRすなわちボランタリー的な社会貢献や責任への意識にとどまることなく、各事業者の持つノウハウとしての技術やマネジメント力の発揮の場、土地を占有する立場としての環境整備や地域の繋がり、その取り組みを通じた社会的な評価などへと結び付き、グリーンインフラはさまざまな事業のプロセスにもなり得ると考えられる。[8]

――都市公園をグリーンコミュニティへ[9]

地域に広がるグリーンインフラの拠点となる場所は緑地空間であり、都市公園はその中核施設となる。

全国の都市公園は、平成27年度末現在で約10万7000箇所、124000haとなり一定のストックが形成された。そこであらためてグリーンインフラとしての存在効用と利用効用という公益性とマネジメントについて発展的着想と計画力が求められている。

都市公園制度では、過去から民間事業者参入方策の推進が求められ、制度の改正を続けてきている。都市公園は、道路などと同様に基本的には市場で形成されることができない公共施設であり、税収で供給され、維持管理される性格のものであるにもかかわらず、一方で売店、レストラン、スポーツ施設等で独立して採算が得られ、市場での供給が成立する性格の施設が存在するなど、公共財と市場材の両者の特徴がある。

さらには指定管理者制度、従前の設置管理制度、「公募設置管理制度（P―PFI）」など続々と公民連携の法整備がなされ、民間活力の導入の契機となっている。こうした場面でも地域の都市公園の存在意義を主張するうえで、グリーンインフラの概念をあらためて導入することが重要な切り札となるであろう。公園は、通常の都市インフラとは異なった特徴を持っている。営造物としながら、公園の魅力を構成する要素はオープンスペースや緑地、公園施設にとどまらず、それらの営造物がどう使われるかが重要である。

営造物としてのインフラの上に、どのようなコンテンツを載せるのか、すなわち賑わい、文化・芸術活動、健康や育児に関わる活動、レジャー・スポーツ、観光などの利用効用をいかに日常にもたらし、合わせ技で展開していくのか、それでいて場所々々に応じた地域性、季節性、歴史性を感受できるデザインとともに、防災・減災、環境改善のための総合インフラである都市の中核施設としての整備について、事業者のみならず受益者となるべき地域住民への認識を浸透させていくことも重要である。

日常的に地域住民にとって魅力的な場となる利用コンテンツとしてしつらえ、さらに高度化かつ閉鎖化した昨今の住居環境がゆえにコミュニティ創出の拠点としても、都市公園の役割は重要性を増している。主に地域の防災・減災、環境改善策として説明されることの多いグリーンイン

8 飯島健太郎（二〇一九）：グリーンインフラを活用した未来環境創生、芝草研究四八巻、一号、一―一一
9 飯島健太郎（二〇一八）：都市公園の管理運営と公民連携、芝草研究四七巻、一号、一―六

フラであるが、都市民一人ひとりの日常のレクリエーション、健康・ストレスマネジメントとして受ける恩恵は明確であろう。

知覚対象としての緑、活動空間としての緑地のもたらす健康効用はさまざまな臨床研究からも明らかになっている。こうした緑地利用を通じた健康対策は、リアリティから遠ざかるサイバー環境で高度な頭脳労働を強いられる企業市民にとって効果をもたらすであろう。そうした日常使いの場が地域のグリーンインフラとしての機能を有することを共有し、受益者としての市民がその手入れにも参画し、クレーマーとしてではなく、利用者としての主張と責任をもって地域の公共施設に関与していくこと、これをマネジメントしていく仕組みづくりも重要である。

都市公園ではないが、公有地をめぐって官民学連携で利活用を継続している事例として、2017年4月、横浜市内都筑区・早渕川沿いの幅8m、長さ180mの長大な空き地が、地域の方々が集う緑地として誕生した。[10]「早渕川・老馬谷ガーデン」と命名された本緑地は、都市緑化よこはまフェア・18区連携事業・都筑区花いっぱい運動などの事業を中核として実現した。市有地を活用した本緑化プロジェクトのために、行政上の手続きを区が調整し、区政推進課、地域のNPOとともに都市大環境学部の学生が連携して、グリーンインフラの認識のもと、緑地整備から活動、イベント、維持管理などを継続している（図表9-22〜9-25）。地域の環境対策やコミュニティ形成に向けた空地の暫定利用は欧州各都市をはじめ、都市の持続可能性のモデルとなっている。

グリーンインフラは、生物としての私たちにとって生存基盤であり、また社会、経済活動のた

[図表9-22] ガーデンの創生対象地となった市有地

[図表9-23] ガーデン活動への参画に手を挙げた学生ら

[図表9-24] チューリップと菜の花に囲まれた園路

[図表9-25] 「早渕川・老馬谷ガーデン」の花摘みイベント

めのインフラにレジリエンスと持続性をもたらすものである。地域の災害、環境、社会課題などに対してこれまでの個別最大化の効果をめざす対処ではなく、地域にふさわしい最適解として従前のインフラを補完する。

未来都市を構想するにあたって、私たちは環境に対する大前提を再認識しなければならない。それは環境の資源性と有限性であろう。地下資源の消費に依拠した社会構造は永遠ではない。物質循環を担っている生態系と動的平衡の視点、あるいは常温、常圧の

10 飯島健太郎（二〇一八）：早渕川・老馬谷ガーデンプロジェクトの効果と課題、情報メディアジャーナル第一九号、六一―七〇

世界で実にさまざまな仕事をしている生物に学ぶ点は大きく、生物模倣技術（バイオミミクリー）や生物規範工学といった分野がさらに重要になってくる。

私たちは人類として500万年もの進化と適応を経た最末端で生活している。常に環境や社会の撹乱から回避したり競争したり、そしてコミュニケーション手法の向上やさまざまな技術的対応を創出しながら、個体の維持と種の継承に努力してきた。そしていうまでもなく受益には負担も伴った。1万年前の農業革命以来、将来の食糧の補償とともに定住し、資源性に鑑み、土地を管理しながら自然災害とも向き合ってきた人類の歴史がある。今日、土木インフラの維持管理にその専門性から市民が参加することはほとんどないが、グリーンインフラはその存在と利用によって防災上、環境上、健康上の恩恵を受けるとともにその手入れに地域の住民、企業、団体、官など協働参画の可能性があり、コミュニティ形成にも寄与する。これを実現する社会的な仕組みとともに、当事者としてグリーンインフラの利活用と維持管理の参加交流をともにするさまざまなコンテンツのアイデアが求められる。

手入れをしながら自然を知覚し適応してきた私たちにとって、緑地は遺伝的には違和感やストレスのない世界である。グリーンインフラとして整備された緑地でレクリエーションや交流すること、休息すること、手入れをすることは収穫を伴う農作業とともにあらためて未来の私たちのライフスタイルにフィジカルに回復させるべきことである。グリーンインフラはこうしたグリーンコミュニティ実現へのプロセスでもある。

都市のデジタルトランスフォーメーション、すなわち未来都市はIoT、AI、ビッグデータ、

ＭａａＳ、デザインが、都市の土地利用、社会、ライフスタイルにサイバーがフィジカルに溶け込みつつさまざまな社会課題をクリエイティブに解決していく時代である。土地利用からライフスタイルにおいて、フィジカルにもメンタルにも失われてきたものが自然環境である。都市の新たな自然生態系の再形成が土地利用から都市市民のメンタルを支える、ＵＤＸ時代の持続的なシステムであることを提案し本章を閉じたい。

終章

アーバン・デジタルトランスフォーメーションの時代に

私たちはまだ入口に立ったばかり

ここまで読み終えた読者のみなさんは、どのようなご感想をお持ちだろうか？　テクノロジーに対する興味から本書を手に取った方、都市そのものに対する興味から手に取った方、興味はさまざまだと思うが、すべての読者が共通の印象として持たれたのは、もしかしたら「まだたくさん課題があるのだな」ということかもしれない。

その課題も当然多岐にわたる。それを大きく二つに分けると、純粋にテクノロジーの成熟度のようなハード面での課題と、社会経済的な通念や、新しい社会経済システムを支える制度などのソフト面での課題となるであろう。

第一部では、テクノロジーと都市の変遷を辿ってみたが、都市1・0の時代から、テクノロジーの進化は常に都市の進化に先んじて起きている。そして、現在はまさにテクノロジーの進化が胎動し、都市5・0の実現に向けて動き出したところだ。

第二部で紹介したテクノロジー側からの取り組みは、今この瞬間でも、世界中のどこかで検証が行われていることだろう。そこでも各エキスパートが指摘したように、テクノロジーとしては実現していることや可能なことを、現実の都市に実装するうえでは多くの課題が存在する。データの取り扱いに関する社会的コンセンサスとそれを支える制度設計しかり、テクノロジーを都市へ実装するための投資のあり方しかり、これまでと異なる社会経済のルールやシステムのあり方が求められているのが実態である。

第三部では、巷の「デジタルトランスフォーメーション」あるいは「スマートシティ」の議論で触れられることは少ないが、私たちが「アーバン・デジタルトランスフォーメーション（UDX）」として不可欠と考えるテーマについて取り上げた。都市5・0を実現するための「人間中心」設計のさまざまな分野での検証と模索が展開される。具体的でダイナミックな研究や実践は「設計思想」の厚みと広がりを感じることができる。そこには先端テクノロジーをいたずらに拝跪するのではなく、培われた知見で有効なツールや方法へと向かう豊かな知恵を見ることができる。

私たちは、まだUDXの時代の入口にやっと立ったにすぎない。「トランスフォーム」を成し遂げ、そこに暮らす一人ひとりが生き生きと個性を発揮できる「個人の都市」へと現在を変革するためには、最新テクノロジーへの取り組みはもちろん人間中心の設計思想を常に心がけ、本書でも志向している未来の都市のグランドデザインを描くことが重要だ。それぞれの分野に関わる人間がその専門分野を持ち寄って、共同で実現していく必要性を感じてもらえたならば幸いである。

中国のスマートシティから学べること

ところで、本書では発展著しい中国のスマートシティの取り組みについては触れなかった。キャッシュレスですべての決済をまかない、監視カメラを張り巡らして犯罪や交通事故の抑止に取り組んでいる状況は、実際に上海や深圳などの都市を訪れたことがあれば、その先進性について疑問を投げかける余地はないだろう。

行かれていない方は、中国の「フィジカルとサイバーの融合」に関して、多くの書籍が出版されているので、一度読まれるとよいだろう。中国の諸都市で展開するさまざまなテクノロジーは、技術的観点では先進的であり、世界中どこでも通用するものであり、それについて知ることは極めて有用である。

しかし中国は、そもそも政治体制が大きく異なるため、わが国では社会通念上難しいことも容易に実施できてしまう。中国では、交差点に張り巡らされた監視カメラで信号無視した人をＡＩによる顔認証で識別し、リアルタイムで街中のデジタルスクリーンで表示するようなこともすでに現実のものとなっているが、データのプライバシー問題一つとっても、個人を尊重する（個人の尊厳を基盤とする）という思想とはまったく相容れないものとなっている。このような人間をめぐる考えの差異（乖離）が、本書であえて取り上げなかった理由である。

それでも中国での取り組みには、多くの点で学ぶべきことがある。

まず、中国のスマートシティは、行政事務プロセスの自動化、交通機能の制御、エネルギーの管理を目的としたデジタルプラットフォーム構築を政府が主導する体制に加え、ＰＡＴＨ(Pingan, Alibaba, Tencent, Huawei) と呼ばれる先進的な民間インターネットプラットフォーマー企業との連携によって強力に推進されているということがある。

また、中国のスマートシティ整備は、深圳のように大規模再開発で推進するだけでなく、まずはデジタル行政サービスと組み合わせる形で既存の都市の上に「レトロフィット（改装・改造の意）」的にも展開するという柔軟性も持っている。

これらが可能なのは、もちろん政治体制の違いもあるが、すでに巨大な存在となっているプラットフォーマーがスマートシティ化に提携することが、彼らが展開するビジネスに直接的・間接的に寄与することが明らかだからだ。それは「データ」である。最終的には「個人のデータ」の問題に行き着くのである。データのプライバシーの扱いが異なる限り、中国はこのまま独自進化を進めるだろう。そしてその進んだ先が、個人が尊重されて、中心的な役割を持つような私たちが考える都市５・０の姿と同じものなのかは、疑問である。

中国がモデルとして提示するスマートシティの未来像に齟齬があり、方向も異なるとすれば、ＵＤＸのめざすべき姿とはどのようなものか。その疑問に答えるヒントとして考えられるのが、本書の序章で触れた、グーグルのグループ企業Ｓｉｄｅｗａｌｋ Ｌａｂｓがカナダのトロント市で手がけるウォーターフロント再開発である。

グーグルがつくる都市の持つ意味

Ｓｉｄｅｗａｌｋ Ｌａｂｓのトロントでのウォーターフロント再開発計画は、

①モビリティ
②公共空間
③建築物および住宅
④持続可能性
⑤社会インフラ
⑥デジタルイノベーション

の6つの領域を主要なイノベーション領域として提示し、本書でいうところの都市4・0時代から抱えてきたさまざまな都市問題を解決するような、意欲的な提案を行っている。

それは、自動車への依存を極力軽減し、人々が野外の公共空間で多くの時間を過ごせ、幅広い所得の人が入居できる住宅の供給と、温室効果ガス排出を極力低減することで気候変動に配慮した都市開発と、学習や雇用を含めた健康的な市民生活が過ごせるコミュニティ形成と、「Ｕｒｂａｎ Ｄａｔａ Ｔｒｕｓｔ」という組織を設置することで「責任ある」データの収集と利用による都市課題解決を行う、というものである。

しかし、これも序章で触れたとおり、データの収集に関しては多くの懸念が寄せられ、2019年10月末日で現地政府側とのAgreementにおいて、同年6月に提出された基本計画「MIDP (Master Innovation and Development Plan)」で修正されることとなった。具体的には、データのガバナンスとプライバシーに関する法令順守コミットメントの明確化がなされ、すべてのデータはカナダ国内で保管／処理されると規定された。そして、MIDPに盛り込まれていた「Urban Data Trust」の設置は取り下げとなっている。

そのほか、いくつかの修正点はあるものの、トロントの市民団体に最も懸念されていたデータプライバシーに関する部分が大幅に修正されたのは、やはり注目に値する。なぜならば、UDXの片側の車輪であるデータに基づく分析によるさまざまな都市サービス提供の難しさとともに、それをルールとしてどのように定めるかの先進事例といえるからである。

――行政成果連動型収益の都市開発モデル

Sidewalk Labsの取り組みがユニークなのはこれだけではない。わが国では議論されることは少ないが、最もユニークな点は、再開発地であるトロント市（という公共セクター）に利益が出ない限り、Sidewalk Labsは利益を得られないという金融の仕組みをつくり、利害の方向の一致を提案している点である。つまり、民間開発者であるSidewalk Labsは、開発後に公共セクターが将来的に享受する成果に連動した報酬のみ利益が得られるものとしたのである。

その成果とは、具体的には

①雇用創出・経済発展
②環境保護
③住宅供給
④新たなモビリティの実現
⑤都市イノベーション

の5領域だが、それぞれに極めて具体的な定量目標を設定している。たとえば、①については、2040年までに9万3千人の雇用を創出し、カナダに対して142億カナダドルの経済的インパクト（GDP）を与えるということ、②は温室効果ガス排出量を89%カットすること、③であれば1万3千6百戸以上の物件を市場レート以下で建設すること、④については家計が移動に要するコストを年間4千カナダドル削減するということ、⑤では水道の漏水防止コストを年間20万カナダドル削減すること、などである。

本書のいくつかの箇所で触れたが、住民の生活を大きく改善するUDXは、大小さまざまな都市問題の解決に繋がるものの、その開発投資を誰が、どのように行っていくかという課題が残っている。Ｓｉｄｅｗａｌｋ Ｌａｂｓのような更地での大規模再開発であれば、右記のようなスキームはダイレクトな参考になるであろう。

しかし、すでに人口が集積した既成都市部においてＵＤＸを実現していくには、どうしてもレトロフィット的な対応にならざるを得ない。それにもかかわらず、都市が抱える問題は極めて複合的である。大規模開発型ではないレトロフィット型のＵＤＸの場合、果たしてどのような形で投資を呼び込むのかは、大きな課題である。

―――ＵＤＸに向けた新しい開発投資スキームの必要性

20世紀以降、人類にもたらされた空前絶後の経済的繁栄は、都市化とともにあったと言っても過言ではない。人口は人類史で経験のない規模にまで増大し、人類が生み出す経済的な付加価値もかつてない規模にまで拡大している。

第二次世界大戦により焦土と化したわが国が、その後高度経済成長を果たしたのも、都市化とともにあった。日本人のうち都市で暮らす人の割合（都市化率）は、国連の推計[1]によると１９５０年の53・４％から２０００年には90・８％へと大きく増大した。20世紀末の時点で、都市に住まない日本人は、すでに全人口の10％にも満たなくなってしまったということである。

１ 国際連合（２０１８）世界都市人口予測・２０１８年改訂版［United Nations (2018). 2018 Revision of World Urbanization Prospects.］

わが国の都市化率は２０１８年現在で91・６％、そして２０５０年には94・７％にまで達するものと予測されている。21世紀も半世紀を過ぎた頃には、都市に住まない日本人はわずか５％程度になってしまう。都市化はわが国だけではなく、現在進行形で世界中を巻き込んでいる。同じ国連の推計では１９５０年には世界中の人々の29・６％が都市部で暮らしていたにすぎなかったが、２０１８年現在で55・３％まで増加。２０５０年には68・４％に達すると予測されている。

このような世界的な都市化において共通するのが、①大都市への人口集中が加速しているということと、②大都市であるほど一人当たりＧＤＰが高くなるということである。これは「集積によるメリット」が厳然として存在していることを示している。

わが国では長らく「東京一極集中による地方の衰退」が指摘されてきてはいるが、一般的には、このような都市化のメリットが存在することは否定できない。本書の第一部でも見てきたように、都市には産業が集積することで、強い経済力を生み、高い人口密度の中、多くの人々が情報や知識を交換することでアイデアを生み、イノベーションを通じて高い生産性を実現する。

「地方創生」の名の下で国が音頭をとっているが、それが経済成長という人間の本能と原則に逆らったものであれば、なかなかうまくいかないであろう。都市化は否応なく進み、それは不可避なのである。

しかし、今後、地方の過疎化に伴う財源不足、それに反比例して増え続けるインフラの維持費の増大は、大きな負担となってくるのも現実である。20年後のわが国が間違いなく直面すると言われる「２０４０年問題」というものがある。

国民の三分の一以上が65歳以上の高齢者となり、生産年齢人口は6千万人を割り込み、これまで整備されてきた都市インフラが更新時期を迎えるのが２０４０年前後と言われている。特に、人間が生きるうえで必要最低限なインフラである上下水道の更新時期がこの時期に訪れることが明らかであるにもかかわらず、それまでに老朽管を更新できるのは全国で半分程度ではないかと見積もられている。

これらの問題は最新テクノロジーを駆使することで解決できる部分も多いであろうが、それによって家賃収入が入る、あるいは企業の立地によって税収が大幅に向上するというような経済効果は望めないだろう。

現在、東京都市大学では本格的に開発投資スキームの研究を行っているわけではないが、ＵＤＸを実現するうえで根幹となる課題として、今後さまざまな機関とともに研究を本格化したいと考えている。

ソーシャル・インパクト・ボンド

都市4・0以降、渋滞や混雑、大気汚染など集積による不経済は常に都市問題として存在し続け、依然として抜本的な解決を見込めないでいる。また、環境問題と比較すると小さいものに聞こえるかもしれないが、保育園のような行政の福祉やサービスの供給が、人口流入に伴う需要増に追いつけず、住民が教育や就業の機会を逃すこともある。インフラに対する負荷が想定を上回るこ

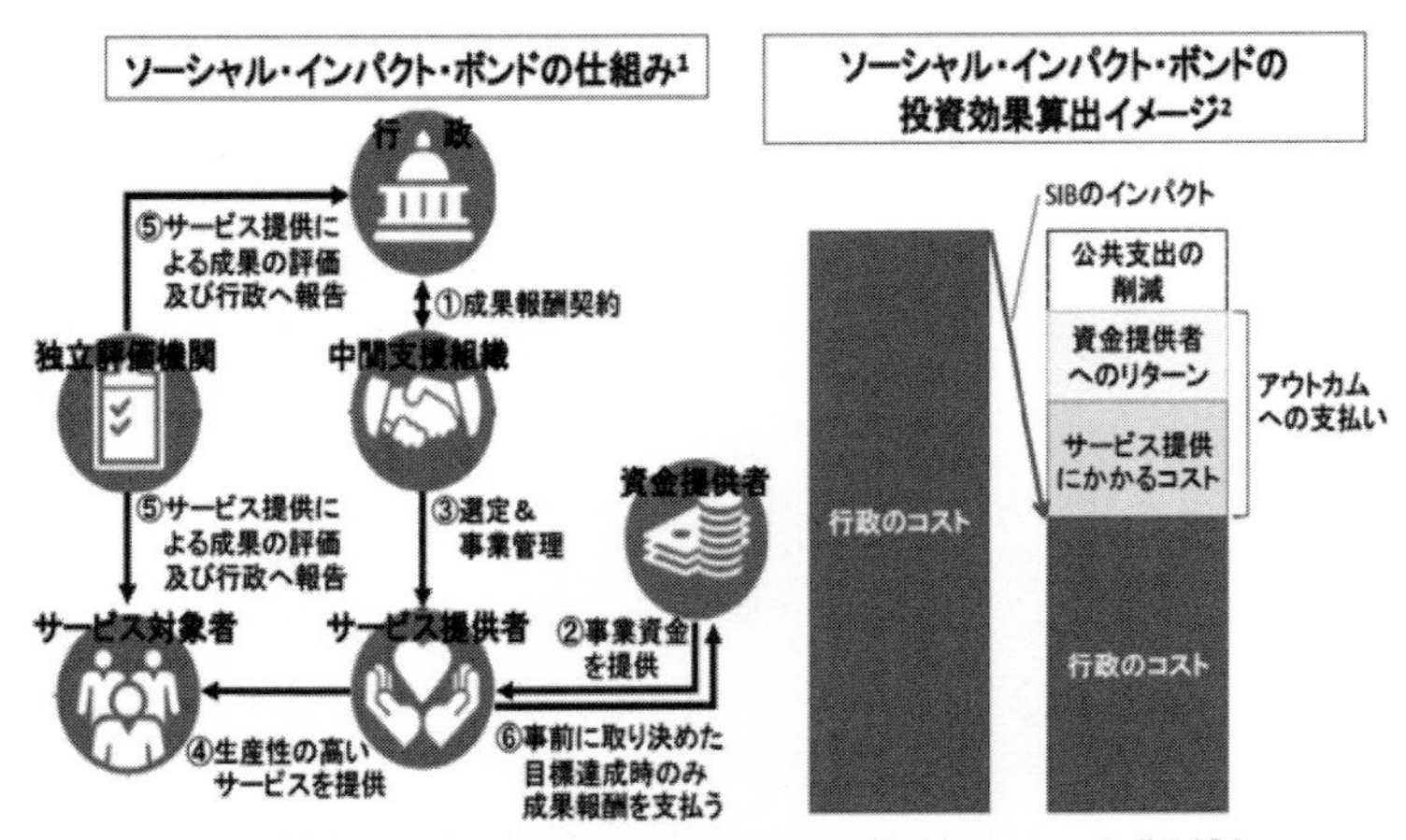

[図表 終-1] ソーシャル・インパクト・ボンドの仕組みとイメージ

出典：総務省自治財政局調整課課長補佐 北村洋二（2018）『ソーシャル・インパクト・ボンドについて』より抜粋。
http://www.soumu.go.jp/main_content/000555054.pdf

とで事故を引き起こすこともあるだろう。また、都市住民間の所得格差だけではなく、知識格差や移動手段などの格差によって、結果的に生活の質にも大きな格差を生じさせることもある。

本書の第7章などでも触れたが、デジタルデバイドという言葉に代表されるような新しい技術にハンディキャップを持つ高齢者は、ＭａａＳに代表されるデジタル技術で可能となる新しい移動手段ができたところで、むしろ問題は深刻となる可能性もある。また、低賃金の過酷な労働にさらされた住民によって、スラム地域が都市内に形成される、という事態は世界中の大都市でも起こっており、結果として治安悪化に繋がっているケースも多い。

まさにわが国も、東京をはじめとした

大都市圏は、同様の状況に直面している。国立社会保障・人口問題研究所[2]によると、東京都の人口は2030年から2035年にかけてピークを迎え、その後ゆるやかに減少していくものの、2045年の時点でも現在の人口を上回る想定となっている。これに加え、高齢者の社会参加やインバウンド観光がより高まることで、東京への来訪者も含めた人口はさらに増えることが考えられる。

こうした都市問題の低減には、地域コミュニティの形成などが有効であると提起されることが多いが、そのようなコミュニティ形成支援などの投資システムとして注目されているのが、「ソーシャル・インパクト・ボンド（SIB）」である。

SIBとは、資金提供者から調達する資金を元手に、サービス提供者がサービス提供したことで事前に設定した成果目標に応じて、行政が指揮提供者に資金を償還する、という成果連動型の投資手法で、先にみたSidewalk Labsは、都市開発にSIB的なスキームを適用したものである。

SIBは健康・医療・介護のような、投資によって社会保障費用の削減が見込みやすい領域に適していると考えられ、わが国でもこの領域を中心に2017年から事業がはじまっている。はたして同様のスキームが、UDXを目的とした都市開発や都市整備にも適用可能かどうかは、今後検討を重ねる必要があろう。

2 国立社会保障・人口問題研究所「日本の地域別将来推計人口（平成30（2018）年推計）」

善意が都市を形づくるトークン・エコノミーの時代

それ以上に都市5.0の時代に期待されるものがある。それが、ブロックチェーン技術の発達によって期待される「トークン・エコノミー」である。

第3章でも説明したように、ブロックチェーンとは個々人に分散管理された台帳のようなものである。インターネット上では、特定の主体（たとえばエアビーアンドビー）が中央集権的にユーザー間の相互評価などを管理することでシェアリング・エコノミーを形成しているというのは、同じく第3章でも説明したが、ブロックチェーンによって、特定の主体のない分権管理によって、データが改ざんされる危険性なしに、より幅広くシェアリング・エコノミーにおける評価経済を形成できるようになる。それが「トークン・エコノミー」である。

貨幣の概念が誕生した都市1.0の時代から、天然資源などの「自然資本」の一部、人間がつくり出した「人工資本」、金銭のやりとりが前提の各種生産・商品活動のような「人的資本」のみが、貨幣経済によって価値評価されてきた。しかし、トークン・エコノミーにおいては、あるがままの自然環境や生態系のような本質的な「自然資本」、これまで報酬のなかった家事や社会・地域活動などの「人的資本」の一部、そして善意や友情、規範といった「社会資本」も含めて、トークンとして評価され、人と人の間でやりとりすることが可能となるのである。

たとえば、渋滞の問題であれば、ＡＩによる自動運転に頼らずとも、一人ひとりのドライバーが意識を持って車間距離を一定に保って、割り込みなどをしなければ発生が回避できるという。

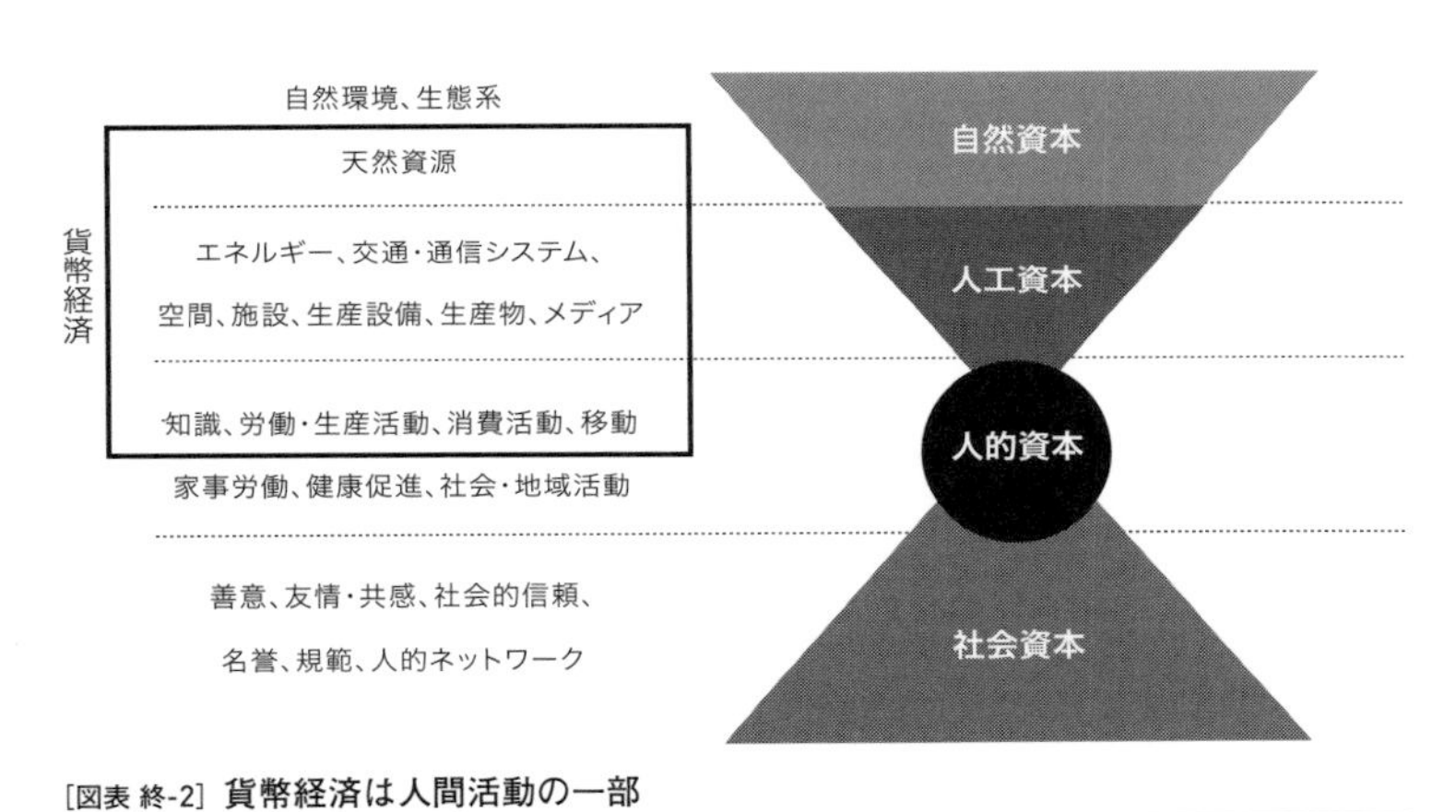

[図表 終-2] **貨幣経済は人間活動の一部**

出典：ハーマン・デイリー（1973）のピラミッドに基づき、筆者作成

そこで、ドライバーが車間距離を守ったことで渋滞緩和に貢献すれば、貢献度に応じたトークンがそのドライバーに払いこまれる、ということが可能になったらどうだろうか。同様に子育てにコミュニティで相互扶助的に参加した人や、地域温室効果ガス排出の少ない生活を続けた結果、一定の温室効果ガス排出削減に貢献した人にトークンが払いこまれるような仕組みになったらどうか。

究極的には、従来の貨幣経済に基づく経済的活動の相対的な価値が低下し、社会資本と自然資本が見直されることもありうるだろう。

第9章で紹介したグリーンインフラはまさに生態系そのものを都市に復活させる取り組みだが、そのために大きな投資を得ることは困難という現実がある。しかし、特定の環境負荷指標の向上に応じて、トークンが支払いこまれるようなトークン・エコノミーの中で投資を行い、回収していくということができれば、グリーンインフラは、より多くの都市で広がっていく可能性が出てくる。

トークン・エコノミーについても、その理論はもちろん、実証実験などもまだ一部ではじまったばかりではあるが、今後の推進領域として有望と考えられる。

最後に

本書は、東京都市大学総合研究所未来都市研究機構を代表する七名のエキスパートによって執筆された。未来都市研究機構のユニークな点は、繰り返しになるが、必ずしももともと都市の専門ではない研究者が若手を中心に多く集まっていることである。

都市の問題は、都市だけに閉じたものではなく、技術、産業経済、生活のあらゆる領域に関わる問題となってきたということ、またその解決には、ますます学際的なアプローチが必要になってきているということだ。

私たちの提唱する都市5・0は、都市をデータ駆動型で人間拡張の最大形態として設計することであると本書を通じて訴えてきた。しかし、その実現に向けては、本書で紹介してきた、データ駆動型都市を実現するための技術や人間中心設計の取り組みだけでは十分ではない。序章と終章で紹介したＳｉｄｅｗａｌｋ Ｌａｂｓの取り組みでも、建築・都市計画や不動産開発といった従来の専門家だけではなく、デジタルテクノロジー、エンジニアリングに加え、公共政策やファイナンシングなど、多数の専門家が連携してスクラムを組み、学際的なアプローチによって

ＵＤＸに取り組んでいる。

本書に登場したエキスパートは、データ解析、ＩｏＴ、デザイン、コミュニティ、グリーンインフラだが、未来都市研究機構にはさらにＡＩやプロジェクトマネジメント、ファイナンシングなどのエキスパートも揃っている。今後は個々の研究者の専門分野に特化した研究だけではなく、行政や自治体、あるいは民間企業とともに、研究者間でもスクラムを組んで、ＵＤＸの実装を通じた課題解決に貢献したいと考えている。

今回、未来都市研究機構の機構長として本書をとりまとめたが、その過程では、私自身、各研究者の研究についてより深く考えることができた。読者のみなさんにとっても、章によっては興味や理解のレベルがバラバラだと思うが、都市というフィールドがそれだけ幅広く、奥深いものであるということを知る一助となれば、幸いである。

２０２０年３月

東京都市大学 総合研究所 教授
未来都市研究機構 機構長
葉村 真樹

本書内容に関するお問い合わせについて

このたびは翔泳社の書籍をお買い上げいただき、誠にありがとうございます。弊社では、読者の皆様からのお問い合わせに適切に対応させていただくため、以下のガイドラインへのご協力をお願い致しております。下記項目をお読みいただき、手順に従ってお問い合わせください。

●ご質問される前に

弊社 Web サイトの「正誤表」をご参照ください。これまでに判明した正誤や追加情報を掲載しています。

正誤表　https://www.shoeisha.co.jp/book/errata/

●ご質問方法

弊社 Web サイトの「書籍に関するお問い合わせ」をご利用ください。

刊行物 Q&A　https://www.shoeisha.co.jp/book/qa/

インターネットをご利用でない場合は、FAX または郵便にて、下記“翔泳社 愛読者サービスセンター”までお問い合わせください。

電話でのご質問は、お受けしておりません。

●回答について

回答は、ご質問いただいた手段によってご返事申し上げます。ご質問の内容によっては、回答に数日ないしはそれ以上の期間を要する場合があります。

●ご質問に際してのご注意

本書の対象を越えるもの、記述個所を特定されないもの、また読者固有の環境に起因するご質問等にはお答えできませんので、予めご了承ください。

●郵便物送付先および FAX 番号

送付先住所 〒 160-0006　東京都新宿区舟町 5

FAX 番号 03-5362-3818

宛先（株）翔泳社 愛読者サービスセンター

※本書に記載された URL 等は予告なく変更される場合があります。

※本書の出版にあたっては正確な記述につとめましたが、著者や出版社などのいずれも、本書の内容に対してなんらかの保証をするものではなく、内容やサンプルに基づくいかなる運用結果に関してもいっさいの責任を負いません。

※本書に掲載されているサンプルプログラムやスクリプト、および実行結果を記した画面イメージなどは、特定の設定に基づいた環境にて再現される一例です。

※本書に記載されている会社名、製品名はそれぞれ各社の商標および登録商標です。

関屋 英彦

東京都市大学 建築都市デザイン学部 都市工学科 准教授・未来都市研究機構 インフラ領域ユニット長

インフラ維持管理の高度化を目的とし、長年培われてきたインフラ維持管理の技術・経験と、最新のセンサ技術・IoT技術・AI技術の融合に関する研究を推進。日本鋼構造協会 論文賞を受賞。東京工業大学工学部卒業、同大学院理工学研究科修了、東京都市大学大学院工学研究科都市工学専攻の論文博士にて博士（工学）取得。清水建設㈱，東京都市大学総合研究所講師等を経て現職。その間、カリフォルニア大学バークレー校客員研究員、国立研究開発法人理化学研究所革新知能統合研究センター客員研究員等も務める。

《執筆担当》第Ⅱ部第５章

西山 敏樹

東京都市大学 都市生活学部 准教授・未来都市研究機構 生活領域ユニット長

ユニバーサルデザイン、モビリティの分野で教鞭をとる。高度情報技術と低公害車技術を融合させた交通・物流サービスを実践的に提案。小田原市、高山市、三鷹市等でまちづくりの委員長職を務める。バス事業に精通する数少ない研究者としてバス会社や車輌メーカーへの指導経験も豊富。その成果は2005年度と2007年度にEcoDesign国際会議から表彰され、2014年度にはグッドデザイン賞も受賞。内外の学会から10件以上表彰されている。慶應義塾大学政策・メディア研究科で博士(政策・メディア)取得。以後、慶應義塾大学システムデザイン・マネジメント研究科特任准教授、同医学部特任准教授等を経て現職。

《執筆担当》第Ⅲ部第７章

今井 龍一

東京都市大学大学院 客員准教授・未来都市研究機構 情報領域ユニットメンバー

（法政大学デザイン工学部都市環境デザイン工学科 准教授）

建設コンサルタントの日本工営、国土交通省国土技術政策総合研究所を経て現職。産官学で活動してきた経験を活かして多数の関係者と連携し、国土や都市活動を測る・分析する・見える化する都市空間マネジメントの技術開発や社会システムの実装に携わる。科学技術分野の文部科学大臣表彰 科学技術賞、国土交通省i-Construction大賞等の受賞。博士（工学）東京大学。

《執筆担当》第Ⅱ部第４章

末繁 雄一

東京都市大学 都市生活学部 講師・未来都市研究機構 健康領域ユニットメンバー

専門は、建築計画・都市計画。持続可能な街づくりに必要な知見を得るために、都市デザインから地域コミュニティ・人間行動解析まで、都市のハードとソフトを繋ぐ幅広い視点で研究活動を展開。特に、都市における人間活動景観を「アクティビティスケープ」と呼び、その発生構造と街づくりへの導入手法を研究。実践事例として、東京都目黒区自由が丘地区および中目黒地区、東京都世田谷区尾山台地区等のまちづくり活動に参画。東京工科大学クリエイティブ・ラボ研究員などを経て現職。熊本大学大学院自然科学研究科博士後期課程修了、博士（工学）。

《執筆担当》第Ⅲ部第８章

著者プロフィール

東京都市大学 総合研究所 未来都市研究機構

東京都市大学を横断する全学組織として、魅力ある未来都市の創生、住民の高齢化やインフラの老朽化といった諸課題の解決に向けた研究と実践を、課題先進国である日本として国内外に情報発信することを目的として設立。都市の脈動を捉えるデータを分析、各種センシングやIoT技術、AIを駆使した様々なソリューションの提供、人間中心で設計されたデジタルサービスや環境保全手法の開発、地域コミュニティの育成など、あくまで「社会実装」を前提に、「アーバン・デジタル・トランスフォーメーション」を推進することで、魅力ある未来都市の発展に向けた多彩な研究テーマに取り組んでいる。

編著者

葉村 真樹

東京都市大学 総合研究所 教授・未来都市研究機構 機構長

イノベーション論、メディア戦略論等の教鞭を執るとともに、未来都市研究機構の機構長として、都市のデジタルトランスフォーメーションをテーマとした産官学協同研究をリード。富士総合研究所（現みずほ総合研究所）で経済政策、都市政策関連の研究員としてキャリアをスタート。Google日本法人で経営企画室兼営業戦略企画部統括部長、ソフトバンクでiPhone事業推進室長、Twitter日本法人でブランド戦略部門東アジア統括、LINE執行役員（法人事業戦略担当）等を経て現職。 コロンビア大学建築・都市計画大学院都市計画修士課程修了、東京大学大学院工学系研究科先端学際工学専攻博士後期課程修了、博士（学術）。

《執筆担当》序章、第Ｉ部第１章、第２章、第３章、終章

執筆陣

柴田 随道

東京都市大学 理工学部 電気電子通信工学科 教授・未来都市研究機構 健康領域ユニット長

無線や光通信システムを専門とし、大学では「集積回路システム工学」等の授業を担当。センサネットワークの応用に関する研究・教育を推進している。東京大学および同大学院修士課程終了後、ＮＴＴ研究所にて長年集積回路と情報通信システム集積化技術の研究開発に従事。博士（工学）。５年前に大学へ異動して、現在は学生達と共に学びと研究を進めている。学会ではマイクロ波やエレクトロニクスシミュレーション技術の専門委員会でも活動し、論文賞、国際会議優秀論文発表賞等を受賞。電気学会会員。電子情報通信学会フェロー、現在同学会エレクトロニクスソサイエティ会長を務める。

《執筆担当》第II部第６章

飯島 健太郎

東京都市大学 総合研究所 教授・未来都市研究機構 環境領域ユニット長

環境学部において環境緑地学等の教鞭を執るとともに、総合研究所未来都市機構、応用生態システム研究センターにおいて、都市の防災・減災、環境の改善・修復、人の健康・ストレスマネジメントに資する緑地配置について、グリーンインフラをキーワードに効用検証から計画論に至る研究を推進。日本造園学会賞／研究論文部門受賞、東京農業大学造園大賞受賞。東京農業大学地域環境科学部副手、桐蔭横浜大学工学部専任講師、同医用工学部准教授を経て現職。東京農業大学大学院農学研究科造園学専攻修士課程修了、同農学専攻博士後期課程修了、博士（農学）

《執筆担当》第III部第９章

【著者紹介】

東京都市大学 総合研究所 未来都市研究機構

［編著者］葉村 真樹

［執筆者］柴田 随道　飯島 健太郎　関屋 英彦　西山 敏樹　今井 龍一　末繁 雄一

制作：京部 康男（翔泳社）
表紙・フォーマットデザイン：小口 翔平＋加瀬 梓（tobufune）
編集・組版：株式会社 Little Wing

都市5.0
アーバン・デジタルトランスフォーメーションが日本を再興する

2020年 3 月24日　初版第1刷発行
2020年10月 5 日　初版第2刷発行
著　　者　東京都市大学 総合研究所 未来都市研究機構
発 行 人　佐々木 幹夫
発 行 所　株式会社翔泳社（https://www.shoeisha.co.jp）
印刷・製本　日経印刷株式会社

本書へのお問い合わせについては、299ページに記載の内容をお読みください。
乱丁・落丁はお取り替えいたします。03-5362-3705 までご連絡ください。

ISBN 978-4-7981-6547-9　Printed in Japan

7
ウィル様は
今日も魔法で
遊んでいます。
Ayakawa Rarara
綾河ららら
Illustration ネコメガネ
will sama ha
kyou mo mahou de
asondeimasu.

ウィル

王都レティスにてトルキス家の長男として生まれる。家族や使用人達の愛情を受け、すくすくと成長中。魔力の流れを見て、それを再現する能力に目覚め、急速に魔法を覚えている三歳児。

シロー

【飛竜墜とし】の二つ名を持つ元凄腕の冒険者。ウィルの父親。

レン

トルキス家のメイドだが、その正体は複数の二つ名を持つ元冒険者。

セシリア

フィルファリア王国公爵オルフェスの娘でウィルの母。回復魔法が得意。

一片

トルキス家の守り神である風の幻獣。ウィルを気に入り力を貸す。

カルツ

【魔法図書】の二つ名を持つテンランカー。【大空の渡り鳥】のメンバー。

モニカ

グラムによるトルキス邸襲撃事件の際にウィルが出会った獣人の少女。

一度見ただけで魔法を再現できる少年ウィル。カルディ伯爵家が企てた王家への謀反として起こした魔獣騒動から見事に王都を守ると、ウィルは精霊と仲良くなったり、不完全ながらも新しい魔法を作り出したりと穏やかな日々を送っていた。その後、かつてない規模の飛竜の群れを撃退したことで、強大すぎる力を持つウィルを護るためフィルファリア王国はシローを叙爵し、その立場を保証することに。一方、ウィルは猫獣人の少女アニアを救うため、致死率百パーセントの病「魔暴症」に対する治療法の確立を、世界で初めて成功させるのであった……。

will sama ha
kyou mo mahou de
asondeimasu.

presented by ayakawa rarara

第一章
旅の支度
episode.1
will sama ha
kyou mo mahou de
asondeimasu.

「水属性、とは……？」

トルキス邸の中庭で悩める少年がひとり。

ルーシェは腕を組んだり、頭を抱えたりしながらうんうん唸っていた。最近は見慣れた光景と化しつつあるその姿に近くにいた同僚のモニカが苦笑を浮かべながら歩み寄る。

「相変わらず大変そうね」

「いいですよね、モニカさんは……手本になる人がいっぱいいて……」

ひとしきり悶えたルーシェが深々と息を吐いて肩を落とす。

彼を悩ませるもの、それは長く課題である属性武技（ぞくせいぶぎ）の習得である。

基本的なブースト系の魔法とは違い、属性武技というのは、魔力を戦闘技術に取り入れ、技として昇華させることをいう。強くなるためには避けて通れぬ道だ。

しかし、前衛職になる者が少ない光と水属性の加護を持つルーシェはずっと手探りで試行錯誤を続けていた。

「あぅ……」

壁にぶち当たり、剣術の基礎を繰り返しながらルーシェは頭を抱える日々を送っている。

上達している手応えはある。だが、次の段階に踏み出せないルーシェは未だトルキス家に仕えている者の中では最弱なのであった。

「るーしぇさん、どうしたのー？」

そんな悩めるルーシェに届く幼い声。

ルーシェが顔を上げるとそこには廊下から顔を覗かせるウィルの姿があった。

「ウィル様……」

「るーしぇさんがこまってるならうぃるはほっとけませんな！」

ルーシェが悩んでいるのを子供ながらに察したのだろう。ウィルはルーシェの前まで来て偉そうに胸を張った。

「ええっと……」

「なんでもうぃるにきいてみて？」

雇い主の子供に迷惑をかけたくないルーシェが言い淀むのを他所に、ウィルはとても乗り気であった。おそらく暇だったのだろう。でなければわざわざ使用人たちに開放されている中庭にまで足を運ばない。

「ウィル様、廊下は走らないでくださいと何度も……」

遅れて姿を現したレンが忠告するとウィルはあからさまに不服そうな面持ちで唇を尖らせた。

「だってぇ……るーしぇさんのなさけないこえがきこえてきたんだもん」

「すいません、情けなくて……」

ウィルのあんまりな物言いに肩を落とすしかないルーシェであった。

その様子を見かねてレンがウィルの傍にしゃがみ込み、正面から顔を覗き込む。

「そんな言い方はいけませんよ、ウィル様。ルーシェは今、剣士として重要なことに向き合っているのです」

「じゅーよー？」

小首を傾げるウィルにレンは頷いてみせた。

「はい、とても大事なことです。彼が剣士としてどのように魔力を使っていくのか、どのような技を編み出すのか。今後のルーシェの人生に大きく関わる問題なのです」

「ほぅほぅ……」

わかったのかどうなのか、神妙に頷いてみせるウィル。ウィルはくるりと向き直ってルーシェの肩を叩いた。

「るーしぇさん、なさけないこえをだしてるばあいじゃないよ！」

「……ほんと、すいません」

ウィルの容赦ない追い打ちにルーシェが心の中で涙する。

もちろん、その難しさを理解する大人たちがルーシェを責めることはない。

「ほら、ウィル様。ルーシェの邪魔になりますから……行きますよ？」

「いやっ」

「ウィル様？」

「やー！　うぃる、るーしぇさんをほっとけないもん！」

いつもの我儘かと一瞬目を細めたレンであったが、ウィルの行動が優しさから来るものだと悟って小さく笑みを浮かべた。

だが、魔法に関して異才を見せるウィルでも、属性武技はまた別の話だ。

基礎的なブースト系の魔法をもう一段発展させた属性武技には決められた形がない。各々が得意な技に魔力を取り入れるため、魔法よりも個性が出るのだ。

多くの剣士は先人の技を参考に、己の技として昇華していく。ポピュラーな武技なら冒険者ギルドで調べることもできるし、中には道場を開いて指導する者もいる。

しかし、水属性の武技は参考例も少なく、使い手も稀のため、その習得は困難を極める。貴族も一目置くトルキス家の家臣団でさえ、大した助けにはならず、ルーシェは一から水属性の武技を編み出さなければならないのだ。

ウィルがそんな複雑な事情を理解できるはずもなく。レンはウィルの優しさだけを汲み取った。

「ウィル様のお気持ちはルーシェにも届いていますよ。ですが、こればかりはルーシェ自身の力で解決しなければなりません」

「むー……」

レンから色よい返事が得られず、ウィルが頬を膨らませる。その頭をレンが優しく撫でた。

「さぁ、参りましょう」

「やー。うぃる、もうすこしるーしぇさんといっしょにいるー」

己にできることはない、と理解しても納得できずにウィルはその場に座り込んだ。小さな抗議である。

頑固な一面を見せるウィルにレンが少し困った顔をしてルーシェに目配せをした。ルーシェが頷いたのを確認して、レンがウィルの傍に屈む。

「では、少しだけですよ？」

「ん……」

レンの提案にウィルがこくんとひとつ頷く。

それから少しの間、ウィルとレンはモニカと一緒に悩むルーシェを見守っていた。

そんなウィルたちを離れて見守る人物がひとり。

「心配ですかな？」

二階の廊下から中庭の様子を伺っていたシローは背後からかかったトマソンの声に向き直った。

「いえ。それほど心配してないですよ。ただ、まぁ……高い壁にぶつかったものだ、と」

シローが苦笑してみせるとトマソンも思わず笑みを溢す。ふたりとも、無から有を創り出すことの大変さを当然理解していた。そして希少な技の使い手というのが他者に対してどれだけ有効であるのかも。

「確かに。ですが……壁が高ければ高いほど、それを乗り越えた時の成長も大きくなるものです」

「経験者は語る……ですね」

トマソンの雷属性も扱いが難しく、前衛職は多くない。しかし、彼は弛まぬ努力と研鑽を積み重ね、二つ名を与えられるほどの人物に成長したのだ。

編み出す技にもよるが、ルーシェもそれだけの人物になる可能性を十分に秘めていた。

「ルーシェにはこの一年、しっかりと基礎を叩き込みました。実戦経験は少ないですが、剣術だけならそこらの中級冒険者よりも上でしょう。時間はかかるかもしれませんが、長い目で見ていただきたく」

「わかっていますよ」

トマソンの願い出にシローが快く頷いて返す。

ルーシェの頑張りはトルキス家の誰もが知るところである。実力者が揃うトルキス家の修練は一般の貴族家と比べてもかなり厳しい。使用人たちの長であるトマソンがしっかりと叩き込んだ、というのであれば、尚更だ。

だが、ルーシェは心折れることなく、懸命に修練をこなしてきた。剣術の初心者で最初は足腰立たなくなっていたルーシェも今では修練の後に動けるだけの体力も身についている。

そんな彼の成長ぶりを見れば、その将来に思いを馳せてもなんら不思議はない。それはシローも同じことであった。

「どんな剣士になるのか、今から楽しみですよ」

期待を込めて、シローは中庭のルーシェたちへ視線を戻した。

「魔法の系統を発展させた近接用の戦闘術を武技と申します」
「うぃるがつかっちゃだめなやつー？」
「そうです。武技は体が成長しないと危険ですので」

「むぅ……」

眉根を寄せて見上げてくるウィルの頭をレンが優しく撫でながら諭す。

「ウィル様はトマソンさんの雷速瞬動を覚えていらっしゃいますか？」

「うん」

「あれも武技のひとつです。ウィル様は真似て失敗したと聞いておりますが……」

「うん、ありさんにぶつかっちゃった」

王都での魔獣騒動の折、ウィルはトマソンの雷速瞬動を真似て失敗し、ジャイアントアントに頭から突っ込んだ。その時は何とか事なきを得たわけだが、報告を受けたトルキス家の人間は全員顔を引きつらせた。ウィルはその気になれば武技も真似て使用可能にしてしまうのである。

しかし、身体を強化するブースト系の魔法などはウィル自身の体がまだまだ弱く使いこなせないため、ウィルも自身の強化にあまり使わない。霧の属性魔法【朝霧の水鏡】でクレイマンを強化する時くらいだ。

自分の失敗を引き合いに出されて、ウィルが恥ずかしそうに顔を隠す。

「自分自身を強化して戦闘を有利に進める術ですから、今のウィル様に使えなくてもしょうがないのです。今後、ウィル様が大きくなられて、どのように戦っていくのか決まってから覚えるべきものですので。今は魔法だけで我慢なさってください」

「こんごにきたいします」

ウィルは何とか理解したようだ。言葉はともかく、うんうん頷いている。

レンはそんなウィルに目を細め、今度はルーシェに向き直った。

「それで……なにか、取っかかりのようなものは思いつきましたか？」

「あぅ……それが……」

ルーシェはすまなさそうに肩を縮めた。

本当に最初からつまずいているのである。原因は水属性の身体強化の恩恵が全般的な魔力向上である、という点だ。この恩恵、遠距離主体の魔法使いにはとても有利な能力といえる。ブーストを伴った魔法の威力は他の属性魔法の威力と比べても大きく、攻守ともに優位に立ちやすい。

しかし、接近戦になると他の属性に比べて身体強化のメリットが薄れてしまう。全体的な身体強化や持続時間、障壁の硬度は上がるものの、突出して秀でている力がないのだ。そこから武技に発展させようとしても強くなるイメージがわかないのも致し方ない。

「水属性で何ができるのか……それすら思いつかない状態で」

「ふむ……」

レンが唇に指を当てて思案する。

ルーシェも属性魔法は使える。だが、それを武技に落とし込むには水属性の性質をもっと理解する必要がありそうだ。

「わかりました！」

静かに話を聞いていたウィルが突然自信に満ちた声を上げる。レンたちにも解決の糸口がない以上、ウィルの話を聞かないわけにはいかない。

レンが屈んでウィルと視線を合わせた。

「何がわかったのですか、ウィル様？」

「よくわかんないことがわかりました！」

つまり、わからないと。正直なウィルにレンが胸中で苦笑する。だが、ウィルの言葉には続きがあった。

「わからないことはせーれーさんにきいてみよー」

「それは……」

ウィルの提案にレンが表情を曇らせる。

忘れてしまいがちだが、精霊とは元々人間の信仰対象であり、おいそれと相談できる相手ではないのだ。精霊たちがウィルの力になると公言していたとしても、その力に頼り切るのは常識的には難しい。

「あまり精霊様のお手を煩わせるのもどうかと思いますが」

「むー……」

レンから色よい返事がもらえず、ウィルは唇を尖らせた。

「そんなことないもん。ねる、やさしーからいろいろおしえてくれるもん」

ウィルにとって水の上位精霊であるネルは水属性の魔法を色々教えてくれた優しい精霊なのである。

しかし、ウィルは知らない。その大半は当初ウィルの【魔力を目で見て真似てしまう】という能力に疑問を抱いたネルが張り合っていろんな魔法を見せてしまったからだということを。そんなうっかりのおかげでウィルは世界最高峰の回復魔法の使い手になってしまっていた。

「しかし……」

「もー、れんはいつもそーいう」

乗り気ではないレンの様子にウィルの頬がぷくっと膨れる。それから胸の中に手を入れてルナからもらった月属性のネックレスを取り出した。

「じゃあ、きいてみるもん」

「「「……………?」」」

レンやルーシェ、モニカの見守る前でウィルはネックレスを耳に当てた。

「もしもしー?」

数秒待って、ウィルがもう一度独り言のように呟く。

「しもしもー?」

レンたちから見れば何の反応もないように見えるが、今度は返事があったようでウィルの表情が綻ぶ。

「うぃる、ちょっとねるにききたいことがあるのー」

しきりに何かに話しかけるウィルを見て、レンたちは不思議そうに顔を見合わせた。ウィルはいったい何をしているのだろうか、と。

何度かやり取りをしたウィルが最後に「わかったー」と言ってネックレスを耳から離した。

「ウィル様、いったい誰と話していたのです?」

レンが不思議そうに尋ねるとウィルは嬉しそうな笑みを浮かべた。

「らいあだよー」

ウィルはネックレスを介して精霊の庭に住む闇の上位精霊であるライアと連絡を取ったらしい。

ネックレスにそんな使い道があったとは知らず、レンたちが呆気に取られるなか、ウィルはルーシェの手を引いた。

「きょう、ねるがおにわにきてるって。らいあもきていーって」

「「「はぁ……」」」

わけのわからない状況に放り込まれたレンたちは思わずそれだけを溢し、ウィルの促すまま精霊の庭へ向かうことになった。


『よく来たな、ウィル』

「らいあー」

トルキス家の地下にある闇属性のゲートを潜るとそこは精霊の庭のライアの住処と繋がっている。

ウィルは出迎えるライアに駆け寄り、頭を撫でてもらうとネルの姿を探した。

「ねるはー?」

『ネルは庭にいる。今は取り込み中だ』

「とりこみ……おせんたくもの?」

『はっは。精霊は洗濯しないな』

ウィルの疑問に答えたライアが洞穴の外へと向ける。

『今は来客中でな。少し待っててくれ』

「わかったー。ちょっとみてくるー」

好奇心が抑えられないのか、ウィルはルーシェとモニカの手を引いて外へと歩き出した。

そんな三人を見送って、レンがライアに頭を下げる。

「申し訳ございません、ライア様」

『なに、構わないさ。ウィルから連絡が入った時には少々驚いたが』

「えっ……？」

顔を上げてキョトンとするレンにライアは呆れの混じった笑みを浮かべた。

『ウィルの授かったネックレス――姉たちに渡したモノもそうだが、あれは一部の精霊が持ち主を認めたという証明する宝具だ。用途として魔力を増幅したり、存在を知らしめるための感応波を発したりすることはできるが、特定の精霊に連絡できるようには作られていない』

「それでは、なぜ……？」

なぜウィルはライアに連絡をつけられたのだろうか。レンが不思議に思うのも無理はない。しかし、精霊であるライアはすぐにウィルが行ったことを理解した。

『お前たちの家と私の住処は私の作った魔道具で繋がっている。その魔力に感応波をのせてコンタクトしてきたのだ。驚きもするさ』

当然ながら普通はそんなことできないし、思いつきもしない。ウィルの型にはまらない想像力と魔力操作が魔道具の性能を用途以上に引き出したのだ。

話を聞いたレンは軽く頭痛を覚えて額を押さえた。どうやら魔法に加えて魔道具にも注意を払わなければならないらしい。

深々と嘆息するレンの肩をライアが叩き、『気持ちはわかる』とさりげなく慰めてくれるのだった。


「ねるー？」

ライアの住処から外に出ると精霊の庭が一望できる。そこかしこで戯れる精霊を見て萎縮するルーシェとモニカを他所に、ウィルはお目当てのネルを探した。

「いたー」

お目当ての精霊はすぐに見つかった。庭の中央で男と話している。

（だれー？）

見覚えのない人物にウィルは胸中で不思議そうに呟いた。佇まいは人のそれ。偉丈夫で水色の髪をしており、その身なりは異国の貴族を思わせた。

「どなたでしょうか……？」

「見たことない人ね……」

ルーシェもモニカもここに出入りできる人間がトルキス家と所縁（ゆかり）のある者だけだと聞いている。なので、その人物がこの場にいることにすぐ疑問を持った。

ウィルだけがその人物の正体にすぐ思い至る。

「あれ、げんじゅーさんだ」

「幻獣……？」

「ひょっとして、幻身体というやつですか？」

ふたりはフィルファリア王国を守護しているといわれている地属性の大幻獣――レクスには会ったことがない。しかし、その特徴は報告で聞いている。幻身体とは強力な幻獣が人前に姿を見せる時の仮の姿。しかし、その強さは上位の精霊を軽く凌駕する。

ルーシェとモニカが呆然とするのも無理のないことであった。

ややあって、ウィルたちに気づいた男が振り向いた。三人の視線と男の視線が交差する。男がふと笑みを浮かべたように見えた。

次の瞬間――。

ウィルが手を振り上げ、同時にガラスを割ったような衝撃音が精霊の庭に鳴り響いた。

「わっ⁉」

「きゃあ⁉」

突然の出来事にルーシェとモニカが悲鳴を上げて身を縮める。

衝撃音を聞きつけたレンとライアが慌てて住処から飛び出してきた。

「何事ですか⁉」

レンがウィルの傍らで膝をついて顔を覗き込む。その表情は明らかに怒っていた。

「むー！」

事態に追いつけていないルーシェとモニカが戸惑うなかで、頬を膨らませるウィルと笑みを浮かべた男の視線は交差したままであった。

(面白い……)

ご立腹なウィルを見た男が胸中で素直に呟いた。ネルから仔細を聞いていたが、実際目にするまでは納得半分といったところであった。しかし実際戯れてみると、その異常な才能には目を見張るものがある。

ウィルと呼ばれる子供は、魔法が始動した瞬間に合わせて防御壁をぶつけてきた。明らかに魔法を見てから反応した動きではない。魔素や魔力の動きに反応していなければ魔法の初動を潰すなんて芸当、子供にできるはずがないのだ。

(精霊たちが惚れ込むのも頷ける)

そして、興味を抱いたのは自分も同じことであった。自分の笑みが嫌でも深まっていくのがわかる。

(どれ、人間たちにも何が起こったのか……わかるようにしてやるか)

男は、今度はわかりやすいように左手を高く掲げて見せた。そして、ウィルの防御範囲外に魔法を構築していく。

(先ほどはひとつ……今度は二つ同時だ。さて、防げるかな?)

ウィルがどんな反応をするのか、男はワクワクしながら魔力を解き放った。

「あー！　またー！」

「これは……！」

ウィルが叫んだと同時にレンが身構える。正面の少し離れたところに出現した水属性の魔法が渦を巻いていた。

その形状を見て判断したレンが叫ぶ。

「水簾の鎖縛！」

水属性の拘束魔法である。飲み込むように溢れ出た水が鎖となってウィルたちに襲いかかる。それに無詠唱で対抗したウィルは防御壁をドーム状に展開した。

（お見事です、ウィル様）

レンが素直な賞賛をウィルに向ける。いつものウィルなら防御壁を部分的に展開して防ぐだろう。ウィルはそういった魔法の器用さにも長けている。では、なぜそうせず、全体を覆ったのか。

「うしろぉ!?」

「きゃっ……!?」

前方で発動した拘束魔法とは違い、後ろで静かに発動していた拘束魔法がルーシェとモニカの際まで迫っていた。当然、それもウィルの防御壁に阻まれる。

「あんなわかりやすい誘導に引っかかるとは……ふたりとも精進が足りません」

レンにダメ出しをされて、ルーシェとモニカが苦笑した。だが、それも仕方ない。ウィルは魔力の動きで、レンは場数で背後の魔法を察知できたが、ふたりにはどちらもないのだ。

『すまない。悪気はないのだ、あの方には……少し、悪戯が過ぎるというか……』

ライアはそう弁解するとウィルの傍に寄って頭を優しく撫でた。

「らいあ！　あのひと、いたずらっこだ！」

『ふふっ、返す言葉もない』

ふんすふんすと鼻を鳴らして憤るウィルをライアが抱き上げる。

『ウィルたちにも紹介しよう。こんな悪戯をして、いまさら顔を合わせませんもないだろう』

「…………？」

いまいち状況が飲み込めず、不思議そうな顔をするウィル。だが、ライアに抱っこされるのは嬉しいようで、抵抗もなく運ばれていく。その後に付き従って、レンたちも精霊の庭へ降りて行った。

『はっは、見事見事』

『戯れが過ぎます、ユルンガル様』

拍手をしながら出迎える男にライアは一言窘（たしな）めると、ウィルを地面に下した。

ウィルはというと警戒するようにじっと男――ユルンガルを見上げていた。

『申し訳ございませんわ、ウィル』

間を取り持つようにネルがウィルと目線を合わせる。

ウィルは髪を撫でてくるネルに身を任せると、もう一度ユルンガルを見上げた。

「げんじゅーさん、わるいひとー？」

『そうではないの。少し悪戯好きなのですわ』

ウィルの質問にネルが答えると、ユルンガルが笑みを深める。

『ウィルといったな、童。魔法で遊ぶのは楽しかったであろう？』

「いきなりそんなことするのはどーかとー」

幼子に正論で切り返されて、ユルンガルはとうとう声を出して笑い始めた。

『愉快な童だ』

ひとしきり笑ったユルンガルがウィルの頭に手を乗せる。幾分、警戒心も薄れたのか、ウィルはその手を拒まなかった。

『俺が幻身体だとすぐ気づいたということは、ロリババァ――レクスにはもう会ったのか？』

『ユルンガル様、そのような言い草、ウィルの成長に悪影響ですわ』

窘めるネルにユルンガルが肩を竦めて返す。

『……だから、言い直したであろうに。それに、レクスの姿にも問題はあろう？　あれで俺より千年以上年上なのだからな』

「…………？」

話についていけず、首を傾げるウィル。それを見たユルンガルが膝をついてウィルと視線を合わせた。

『すまんすまん。レクスには会ったか、ウィル？』

「あったよー？」

『そうかそうか。俺もレクスと並ぶ大幻獣の中の一柱、大海を守護する水の大幻獣ユルンガルだ。よろしくな』

「よろしくおねがいします」

ウィルはぺこりと頭を下げたが、ユルンガルの言葉を後ろで聞いていたレンたちは驚きに目を瞬かせた。水の大幻獣とは遥か南方の海を根城にしているといわれ、その地方の人間たちからは海竜と崇められている存在である。それがこんな遠くの陸地に姿を見せるなど、想像もできないことだ。

だというのに――。

「ゆるんがる、ごめんなさい、は？」

『ん？』

「いたずらをしたらごめんなさいしないといけないんだよー？」

大幻獣相手にいきなり説教し始めたウィルにレンたちの背筋が凍りつく。

相手が誰であれ、物怖じしないウィルの胆力には将来性を感じるが、今回は相手が相手だ。下手に刺激すればどうなるか、想像もつかない。ウィルは理解していないだけかもしれないが。

（ウィル様……）

いつでも動き出そうと身構えるレンに対し、ライアがそっと手で制した。心配はいらない、と。

それを裏づけるように、ユルンガルは堰を切ったように笑い出した。

『そうだな。そうだ。悪戯をしたらごめんなさい、だな』

よほどおかしかったのか、肩で息をするほど笑ったユルンガルはウィルの頭をポンポンと撫でた。

『悪かったな、ウィル』

「どーいたましてー」

『これで俺とウィルは仲直りだな』

「おともだちー？」

ウィルの質問にユルンガルが「おうとも」と答えて同意するとウィルはまんざらでもなさそうな笑みを浮かべた。

ユルンガルもその笑みに頷きを返す。

『詫びと言ってはなんだが、ウィルに何かプレゼントをやろう』

「ぷれぜんとー？」

ユルンガルの提案にウィルは首を傾げた。

『ああ、珍しい魔道具から実用的な魔道具まで、なんでも用意してやるぞ？　どんな魔道具が欲しい？』

「ユルンガル様……」

話を聞いていたレンが間に割って入る。

あまり強力な魔道具、ウィルに手渡されても困るのだ。ただでさえ、ウィルは用途以上に魔道具の力を引き出したりする。ウィルが分別をつけられるようになるまで、そういった類のモノはできるだけ遠ざけたほうがいい、とレンは考えていた。例えそれが一財産築くような価値がある魔道具であっても、だ。

しかし、レンの心配を他所に、ウィルは唸るように考え込むと踵(きびす)を返して歩き出した。

『…………？』

「ウィル様？」

レンが声をかけるとウィルは足を止め、顔を上げる。

「……あの、ウィル様？」

ウィルの視線の先――見上げられたルーシェがどうしたものかと戸惑っていると、ウィルはルーシェのズボンを摑み、ユルンガルに向き直った。

「じゃあ、るーしぇさんにぶぎをおしえてあげてー」

『なに？』

ウィルの言葉の意図を理解できなかったユルンガルが眉根を寄せる。

「るーしぇさん、みずのけんしになるんだけど、ぶぎができないんだってー。だからうぃる、ねるにぶぎのこときいてきたのー」

「ああ……」

ウィルの言いたいことを理解したレンが胸中で相槌を打つ。確かに、最初はそのような用向きだった。ユルンガルの登場ですっかり忘れていたが。

ウィルの言いたいことをレンが代弁すると、ユルンガルはキョトンとしてしまった。

『難しいことではないが……よいのか？　一財産築けるような魔道具もあるのだぞ？』

「それはウィル様の望むところではないのでしょう」

『ウィルはこういう子なのですわ』

レンの言葉をネルが優しげな笑みを浮かべて後押しする。

良い悪いは別として、ウィルは自分の利益に無頓着なことがある。自分が何かを貰うよりも自分の周りの人が喜んでくれるほうが嬉しいらしい。

『ふむ……』

顎に手を当てたユルンガルがじっと見上げてくるウィルを見返す。ウィルの目はユルンガルを信じ切っていて、断られるとは微塵も思っていないように見える。

『わかった。友の頼みだからな。そこの人間に武技を教えよう』

「ありがとー」

諸手を上げて喜ぶウィルの頭をユルンガルが優しく撫でた。

『だが、ウィルよ。お前に武技はまだ早い。精霊たちと遊んでこい』

「わかったー」

ウィル自身も武技の習得はまだ早いと思っているようで、特に文句もなくネルの手を取って精霊たちの下へ歩いていった。

ウィルたちを見送ったユルンガルがルーシェへと視線を戻す。

『さて、ルーシェといったか？』

「は、はい！」

ユルンガルに呼びかけられたルーシェが背筋を伸ばす。相手は水の大幻獣だ。緊張するのも無理はない。

そんなルーシェを見てユルンガルが思わず笑みを浮かべた。ウィルの反応を見ていると忘れがちだが、ルーシェの反応のほうが圧倒的多数なのだ。

そうと理解していてもふたりのギャップに笑いを堪えられないユルンガルであった。

『仮にも、このユルンガルから教えを受けるのだ。相応の剣士になってもらうぞ』

「はい！」

相変わらず緊張で凝り固まったルーシェの背中をユルンガルは期待を込めて叩いてやるのだった。

「うぃるもあたらしーまほー、おぼえたいなー」

『新しい魔法？』

「そー」

ウィルがいきなりそんなことを言い出したのでネルは首を傾げた。

ウィルが魔法を見て覚えてしまうのはウィルと親交のある精霊たちなら誰もが知っている。なので、それが魔法を見たいというウィルの催促だと精霊たちはすぐに理解した。

『そうは言われましても……』

先んじて色々と見せてしまったネルからすれば、トルキス家の人間に気を遣ってあまり勝手なことはできない。

「れんのいないあいだがちゃんすなのー」

ウィルもレンがいると止められると理解しているようで、こっそりお願いポーズなどをしている。

その仕草が可愛らしく、ネルも思わず困った笑みを浮かべてしまった。

『どうしたものかしら……』

『それなら……』

樹属性の精霊であるクララが小さく手を上げる。

『今使える魔法の種類を増やすのはどうかな？』

『種類を増やす……？』

『ポーション精製とかなら、ウィルに薬草の知識も教えてあげられるから……』

「やくそー……」

クララの提案をなんとなく理解したのか、ウィルがうんうん唸り始めた。その様子に笑みを浮かべたクララが魔法で樹のコップを創り出す。

『それなら私が教えてあげられるわ……』

魔素が集まり、輝き出すコップに興味を惹かれたウィルが身を乗り出して覗き込んだ。

「おー？」

『どうかな？　お茶と薬草の種類、覚えてみる？』

「んー……」

体を起こしたウィルとクララの目が合う。ウィルは何事か思案した後、クララに面と向かって言い放った。

「じゃー、くららもうぃるとけーやくしよー？」

『ゴフッ――』

思わず咳き込んだクララの手元でお茶魔法がボフンと煙を上げた。その顔が見る間に赤くなっていく。

「だってぇ、やくそーってたくさんあるんだもん。うぃるひとりじゃわすれちゃうよー？」

『そう……そうね……』

ウィルが精霊王になりたいと公言していることはこの場の精霊たち全員が知っている。ウィル自身、その詳細を理解していないとはいえ、精霊王になりたいウィルとの契約は人から精霊へのプロポーズを受けることなのだ。

「これはとってもめーあんです」

『そ、そうね……』

「それにうぃる、くららのこともだいだいだいだーいすきだからいっしょにいたいなー」

『あぅ……』

ボッフンボッフン。ウィルが身振り手振りを加えて何か言う度にクララの手元でお茶魔法が煙を吹く。そのお茶魔法が失敗しているなんてことは誰の目にも明らかだった。

「くらら？」

『…………』

恥ずかしさのあまり、耳まで赤くして俯いてしまったクララにウィルが首を傾げる。クララの手元のお茶はとうとう発光し始めた。その様子を思い思いの表情で眺める精霊たち。

と、そこへ風の精霊がひとり、舞い降りてきた。

『何やってんだ？』

「ぼれのー」

見知った顔にウィルが反応する。が、ボレノはまだウィルのことを受け入れられず、複雑な顔をしていた。

ふん、と鼻を鳴らして場を濁すべく、ボレノが視線を巡らせて。

『お、いいモンあるじゃん』

クララの手にしたコップに目をつけた。

『いただき！』

『『『あっ……』』』

有無を言わさず、ボレノがクララの手からコップを奪い取る。精霊たちが制止する間もないまま、ボレノはコップの液体を一気に飲み干した。

誰も何も言えないまま、場が静まり返る。すると、ボレノがプルプル震え出した。

『あまぁぁぁぁぁぁぁぁぁい!?』

「ぼれの!?」

絶叫しながらひっくり返るボレノ。

痙攣（けいれん）するボレノを見下ろしたウィルは恐れおののきながら、よくわからないものを口にしてはいけないと幼心に学習するのであった。

『水属性の最大の特徴は液体、という点だ。液体は注ぐ器によって形が変わる。魔素や魔力になっても、それは同じだ』

ユルンガルが手にした剣に魔力を満たし、洗練された武器強化魔法を披露する。剣を覆った魔力の被膜は僅かな波も許さず、その美しさは見惚れるばかりだ。

ルーシェたちの視線を集めたユルンガルがそのまま説明を続ける。

『これだけでは強度や切れ味を高めるだけだが、水属性にはもうひとつの特徴がある。それを組み合わせると……こうなる』

ユルンガルが剣にさらなる魔力を込めると剣を覆っていた魔法の刀身部分が伸びた。間合いにして元の剣一本分。

「これは……」

『水属性は土属性と同じで造形に秀でているのだ。液体なので、距離が離れれば離れるほど、質量が増えれば増えるほど、その形を維持するのは困難になるが、慣れてしまえば少し間合いを伸ばすくらいはそれほど難しくない』

「僕にもできるでしょうか？」

『できるだろうよ。これは基礎の基礎だ。修練を積めば伸ばせる刀身の長さも次第に増していくはずだ』

ルーシェの質問に快く答えてユルンガルが剣の魔力を解く。剣を鞘に納め、手を広げて見せた。

『目に見えるモノだけに囚われるなよ？　魔力を満たす対象はいくらでもある。それを自分なりに解釈し、発現させる。それが武技というものだ』

「例えば……間合いとかですか？」

ルーシェは以前、ジョンとの稽古でハイディングを使い、間合いを狂わせたことを思い出していた。

ジョンには上手く対応されたが、その時褒められたことはルーシェにとって自信になっている。

（あの時と同じようなことが水属性でもできれば……）

すごいことができるかもしれない。

ルーシェの閃きに答えるようにユルンガルが笑みを浮かべた。

『なるほど、面白そうだ。少し試してみよう』

「はい！」

それからしばらくユルンガル指導の下、ルーシェは思いついた武技のイメージを形にしていくのだった。


「ウィル様、そろそろお暇しますよ？」

「おー？」

夢中で遊んでいたウィルにはあっという間の時間で、迷ったように精霊たちとレンを交互に見ると精霊たちに別れを告げてからレンに駆け寄った。

「もーおわりー？」

「はい。ルーシェもユルンガル様に指導していただきましたので」

「ほむ……」

ひとつ頷いたウィルがユルンガルを見上げる。指導の内容はウィルの知るところではないがレンが言うならば間違いないだろう。

「どーですか？ うちのるーしぇさんは？」

『うむ。見込みはあるな』

偽りない笑みを浮かべるユルンガルの返答に満足したのか、ウィルも笑みを浮かべてルーシェに向き直った。

「るーしぇさん、がんばって！」

「はい。ありがとうございます、ウィル様」

ルーシェも笑顔でウィルの頭を優しく撫でる。傍にいたレンもウィルが精霊たちに武技のアドバイスを求めると言い出した時にはどうなるかと思ったが、今回の訪問は予想以上にルーシェの力になっていた。

ルーシェの手に身を任せていたウィルがレンの手を取って帰路に就く。

『ルーシェとやら』

「はい？」

ウィルの後ろ姿を眺めていたルーシェがユルンガルに向き直ると、ユルンガルはルーシェの額に指を添えた。その指先が微かに輝く。

笑みを浮かべたユルンガルが戸惑うルーシェの目をまっすぐ見返して静かに告げる。

『ここから先はそなたの頑張り次第だ。努々、忘れるでないぞ』

「は、はい」

額から指を下ろされたルーシェは深々と頭を下げた。

「本当にありがとうございます」

『うむ。何か困ったことがあれば、また相談に乗ってやる』

精霊たちに見送られ、並んだウィルたちがユルンガルたちのほうへ向き直る。

「ゆるんがる、みんな、またねー」

『ああ、気をつけてな』

ぶんぶん手を振るウィルにユルンガルが手を上げて応えた。

帰っていくウィルたちの後ろ姿が見えなくなるとユルンガルの隣でネルが小さなため息を吐いた。

『本当によろしかったのですか？』

『何がだ？』

ユルンガルが視線をネルのほうへ向けると彼女は眉根を寄せてユルンガルを見上げていた。

『あんな真似をして……レクス様に何を言われるか』

『奴が正しく歩み、努力を続けて初めて意味を成すことだ。そうならなければ、何の意味も成さぬ。それだけのことだ』

『どうなっても知りませんからね？』

『ルナ様もウィルに目をかけていらっしゃるのだろう？　ならば何の問題もあるまい』

ネルの不安を一蹴したユルンガルの笑みが愉快そうに深まる。まるで面白いものを見つけた子供のようだ。

『それに、ほら……祭りは準備している時が一番楽しいと言うしな』

喉の奥で笑い声を押し殺すユルンガルにネルは深々と嘆息するしかないのであった。

ウィルたちのソーキサス帝国親善訪問も日に日に近づいており、使用人たちもその準備に追われている。多くの物資は王国側から支給されるとはいえ、細々としたものは当然トルキス家で用意しなければならない。

「あとは、ルーシェさんの中級申請でしょうか～？」

「そうですね……」

「いままで申請してなかったことに驚きだわ」

申し訳なさそうに縮こまるルーシェの前でミーシャが嬉しそうな、モニカが呆れたような顔をしていた。

本来、冒険者たちは初級に分類されるランク3まで早々にクリアし、ランク4の中級へ申請する。

なぜなら初級の依頼はお使い程度のことが多く、生活を安定させるほどの報酬を期待できないからだ。

だが、ルーシェは冒険者登録した日にトルキス家に拾われている。これは特殊なことで、十分な報酬と衣食住を得ていたルーシェは自信のなさも手伝って昇級申請をしていなかったのである。

「でも、よかったですね～。ルーシェさんもモニカさんも、大抜擢ですよ～」

どこか弾んだようなミーシャの声。

この度、ふたりはソーキサス帝国親善訪問のトルキス家従者として指名されたのだ。

冒険者は特別な理由がない限り、登録申請した国で中級以上にならなければ国外へ移動できない。貴族に雇われた形になり、国外への移動も問題ないルーシェだが、その始まりは冒険者であり、初級のままでは格好もつかない。なのでこの度、中級に申請することになったのだ。もっとも――。

「こんな腕の立つ初級冒険者がどこにいるのよ……」

ルーシェが武技の習練を始めて以来、勝率が芳しくなくなったモニカはわかりやすく頬を膨らませた。モニカ自身はトルキス家に雇われる前から中級で、雇われてからというものトルキス家の的確な指導でメキメキ力をつけている。

そんなモニカ相手にルーシェは互角以上に渡り合えるようになっていた。

「まぁ～……モニカさんはルーシェさんと相性悪いですよね～」

ルーシェとモニカの立ち合いを思い返したミーシャが人差し指を顎に当てる。

戦闘のスタイルや武技によって立ち合う者の有利不利が出ることはよくある。ルーシェとモニカはその典型であった。

「それを見かねたウィル様の提案で一片様(ひとひら)もモニカさんにアドバイスしてくれるようになりましたし～」

「ほんと。このままルーシェに負けっぱなしでは終われないわ」

むん、とやる気を入れ直すモニカにミーシャが「頑張ってくださいー」とのんびり口調でエールを送る。

そんな和気あいあいと盛り上がるふたりの後ろで少し肩身の狭いルーシェなのであった。


「あら～……?」

三人が冒険者ギルドの前まで来ると中はずいぶんと騒がしかった。

どうやら新参の冒険者たちが中で憤っているらしい。レティスの冒険者ギルドは他所と比べても落ち着いているが、それでも時折この手の輩が来訪する。大抵はレティスを拠点とする冒険者に取り押さえられるのだが、今は昼時でもあるし、すぐに対処できる者がいないのかもしれない。

「ったく……」

中から聞こえてくる怒号にモニカが眉根を寄せた。獣人である彼女はルーシェたちより五感が優れているのだ。

「ウィル様がついてこなくてよかったわ。あんな奴らに合わせたら、また大惨事になっちゃう」

モニカの言いようにルーシェとミーシャが苦笑した。

ウィルは相手が悪行を働いていると判断すると魔法で制裁を加えようとする。良いのか悪いのか、ウィルは魔力の加減も絶妙で、おまけに回復魔法も達者だ。よくレンの目を盗んでは魔法を行使し、後で怒られている。

普段は心優しいウィルではあるが、どうやら大好きな魔法を使うことに関しては我慢が効かないらしい。

「どうしますか～？」

ミーシャがふたりの顔を交互に見た。冒険者の問題は冒険者で対処するのが基本。となればミーシャではなくルーシェかモニカが対処するのが妥当であった。

「僕が行きますよ」

間を空けず、進み出るルーシェにモニカは内心驚いた。ルーシェは率先して荒事に首を突っ込む性格ではない。自信のなさの表れなのか、周りに頼ることが多い。

だからモニカは今回も自分が出張ることになるだろうと思っていたのだが。

「どういう風の吹き回し？」

「それは……僕もやる時はやりますよ」

怪訝そうなモニカに苦笑いを返したルーシェはひとり、ギルド内に足を踏み入れた。

両開きの木製扉が開く音がして、騒いでいた男たちがルーシェのほうへ視線を向ける。

中は予想どおり、初級くらいの冒険者が数人いる程度で、三人の男たちがギルドの受付嬢と揉めているようだった。

ルーシェに気づいた受付嬢が少し驚いたように口を動かし、それからルーシェに向かって軽く手を上げた。それにルーシェも手を上げて返す。

騒ぎ立てる冒険者に対し、受付係が他の冒険者に手を上げる。対処してほしい、という冒険者ギルドでは有名な合図だ。当然、相手の男たちもそれを知らないはずがない。

「なんだぁ、ずいぶん弱そうな小僧が出てきたなぁ」

年若い上に優男。そんな外見のルーシェを見れば男たちの感想も頷ける。が、中身までそうとは限らない。

（僕もウィル様のことをとやかく言う資格はないなぁ……）

やる気満々で向き直る男たちを見てルーシェは思わず自嘲してしまった。

武技を習得し、訓練で色々試したものの、ルーシェはまだ実戦で武技を使用していなかった。訓練でその力を示せても、実践で使えなければ意味がない。なのでルーシェは大胆にもこの場で武技を試してみようと思ったのだ。

「なに、ニヤついてやがる！　この野郎！」

ルーシェの自嘲を嘲笑と捉えたのか、正面にいた男が勢いよくルーシェに飛びかかった。

それに合わせてルーシェが短く息を吐き、自分の間合いに水属性の魔力を注ぐ。一気に注がれたルーシェの魔力が間合いという器を満たし、飛び込んだ男を絡め捕った。

男の手がルーシェの胸ぐらへ一直線に伸びる。

「えっ……？」

目測を誤った男の手が空を切り、逆にルーシェに捕まって勢いよく一回転して背中から地面に落ちた。

何が起こったのかわからず、場が静まり返るのを他所にルーシェが残りふたりと間合いを詰めた。

「この！」

「やりやがったな！」

我に返った男たちがふたり同時にルーシェへ摑みかかる。しかし、男たちの手もまた空を切り、いつの間にかルーシェに腕を摑まれて同時に捻り上げられていた。

「いてててて！」

「まいった！　離してくれ！」

痛みに耐えかねた男たちが泣き叫ぶ。

「次はありませんからね。ルールを守ってくれるなら、僕たちはいつでも歓迎しますから」

ルーシェはそれだけ言い置くと男たちの腕を放してやった。男たちが慌てて最初に投げ飛ばされた仲間の元へ向かう。どうやら気絶しているようだ。

加減を間違えたルーシェが思わず苦笑する。本当は気絶するほど叩きつける気はなかったのだ。

ルーシェが冷や汗を搔き始めたころ、静まり返ったギルド内にゆっくりとした拍手が響き渡った。

全員がそちらに視線を送ると壁に背を預けた女性がひとり立っていた。

「ギルドマスター、いたんですか？」

受付嬢が眉根を寄せて唇を尖らせる。どうやら自分が絡まれているのに助けてくれなかったことを非難しているようだ。

しかしギルドマスターは笑みを浮かべると視線をルーシェに向けた。

「騒ぎがあってすぐ、彼が来たんじゃないか。私が入る間もなく、な。だが、おかげでいいものが見られた」

「はぁ……」

ルーシェとしては誰もいないのならと男たちを諌めたのだが、どうやらギルドマスターは最初からいたらしい。

しかし、ルーシェが介入したのは無駄ではなかったようだ。

「礼を言う。私がことを片づけてしまうと処分は避けられないからな」

ギルドマスターはそう言うと、今度は騒ぎ立てていた男たちのほうへ視線を向けた。処分と聞いて青ざめていた男たちがびくりと肩を震わせる。

「お前たちも今日は帰りなさい。彼に免じて、今回は大目に見てやる」

「「は、はい！」」

鋭い眼光に射抜かれて、背筋を伸ばした男たちが仲間を担いでギルドを出ていった。

その背中を見送ったルーシェの肩にギルドマスターが手を置く。

「さて……確か、ルーシェと言ったか」

「は、はい……」

力任せに向きを変えられ、間近で顔を覗き込まれたルーシェの目が泳いだ。

ギルドマスターもまだ若く、美しい容貌の持ち主なのだが、それとは違う意味で目を合わせられない理由がルーシェにはあった。

「こっそり武技を使ってたな？」

「ナ、ナンノコトデショウ？」

思わず片言になってしまうルーシェである。だが、ギルドマスターは気にした風もなく続けた。

「本来、街中での攻撃魔法や武技の使用は原則禁止されている」

「ソウデスネ……」

「実戦で試したくなる気持ちはわからんでもないが、時と場所は選んだほうがいいな」

「はい……」

すっかり見抜かれており、観念したルーシェが頭を下げると、ギルドマスターは優しく微笑んだ。

と、そこで「こほん」と誰かの咳払いが響いた。

ルーシェたちが振り返るといつの間にかギルド内に入ってきていたミーシャとモニカが並んで入り口の前に立っていた。

(あれ……？　怒ってる？)

いつもと同じようなニコニコ顔のミーシャだが雰囲気が違う。ルーシェもその違いを察する程度の付き合いはある。しかし、優しいミーシャが不機嫌になる理由はとんと思い至らなかった。

「ルーシェさん〜、中級申請は終えられたんですか〜？」

やっぱり怒っていた。普段ののんびり口調も微かに責めるような調子がある。

「えっ……？　まだです、けど……」

「いつまで待たせるんですか〜？」

「ええっ……!?」

状況についていけていないルーシェがキョトンとしてしまう。ひょっとしてミーシャにも武技を使ったことがバレていて、それを咎められているのか。

真剣に悩み始めたルーシェを見たモニカがその鈍感さに深々と嘆息し、何事か察したギルドマスターも思わず笑ってルーシェから離れた。一歩引いて見ていたギルド職員や初級冒険者たちにも察した者が多く、それぞれ思い思いの顔をしていた。

「わかった。ルーシェの中級申請だな。こちらで手続しておこう」

ひとしきり笑ったギルドマスターがルーシェの肩をポンポン叩いて送り出す。

「ありがとうございます」

「なに、気にするな。免状は後日取りに来るといい」

頭を下げてミーシャたちの下へ向かうルーシェを見送ったギルドマスターが小さく息を吐いた。

「よろしかったのですか?」

ギルドマスターに歩み寄ってきた受付嬢がそんな風に尋ねてくる。本来、ギルド内の申請は冒険者立会いの下で行われる。その申請をギルドが受け持つということは冒険者として特別な信頼を寄せているという証だ。普通は中級申請程度のことで行われない。

「構わんだろう。今や彼はトルキス家の家臣だ。その信頼も厚いと聞く。それに――」

ギルドマスターも元上級冒険者だ。そんな彼女だからこそ感じるものがあった。

「今はまだ技も荒いが……彼は強くなる。そんな気がする」

お世辞にもルーシェの依頼達成履歴は多くない。そのほとんどがトルキス家の門番としての従事である。しかも、今日まで初級冒険者であったのだ。普通に考えれば将来を有望視できる材料は少ない。

「はぁ……」

考えが至らず、ギルドマスターの予感に曖昧な相槌を打つしかない受付嬢なのであった。

キョウ国風茶店『夢心地』――。

王都レティスに本店を構えるその店はキョウ国出身の店主がある人物の出資を得て一代で築き上げた。良心的な価格で異国の菓子を堪能できるとあって貴族だけではなく、幅広い層から人気を集め、今や近隣諸国の大きな街に支店を構えるほどになっている。

西方のフィルファリア王国から東方のキョウ国までは遥か遠く、その食文化を知っている者などほとんどいないが、出資を行った人物の一声により先代公爵の知るところとなり、フィルファリア王国内に広まったのは有名な話である。

そんな茶店の暖簾をくぐり、メイドがひとり、店内へ足を踏み入れた。

メイドに気づいた女性が顔を上げ、相好を崩す。

「あら、マイナちゃん。いらっしゃい」

「こんにちは、女将さん」

マイナを出迎えてくれたのは店主の夫人であった。前掛けで手を拭き、小走りにマイナへ歩み寄る。

「今日はどうしたの?」

「店長に会う約束をしてたんですけど……」

どうやらマイナの目当ての人物の姿は見えない。マイナの横で夫人が呆れたような顔をした。

「あの人ならちょっと用があるとか言って店を出ていったわ。すぐに戻ると思うけど……マイナちゃんとの約束、忘れてるのね」

「あはは……」

ついつい苦笑いを浮かべてしまうマイナ。マイナは勧められるまま奥の個室へ案内された。

「ごめんなさいね、マイナちゃん。お茶を出すから少しのんびりしていてくれるかしら？」

「わかりました」

マイナが頷くと夫人は一度退席してお茶と菓子を用意してくれた。

しばらくそれらに舌鼓を打っていると店のほうが僅かに騒がしくなった。

「お前さん、マイナちゃんとの約束忘れてたでしょ！　奥で待ってるわよ！」

「いけね、こいつはうっかりだ」

責めるような口調の夫人に対して調子の良い男の声が返ってくる。それからバタバタと足音が近づいてきて、戸を叩く音が響いた。

「マイナちゃん、いいかい？」

「どうぞ、ハッチさん」

マイナの返事を待って戸が開き、人の良さそうな男が顔を出す。

男は困ったような恥ずかしそうな表情を浮かべて腰を低くしながら部屋に入ってきた。

「失敬失敬。ちょっと立て込んでてね……」

「構いませんよ。ハッチさんもお忙しい身ですから」

「だめよ、マイナちゃん。甘やかしちゃ」

遅れて入ってきた夫人がハッチと呼ばれた男の前にもお茶と菓子を用意して、ついでに男の頭を小突いて部屋を出ていった。

「やれやれ……すぐ頭を小突くんだから」

肩を竦めるハッチにマイナがくすりと笑う。しかし、緩んだ空気はそこまでだった。

「ハッチさん」

「頼まれていた件だね」

ハッチは懐から封書を取り出すとテーブルに置き、マイナの前に差し出した。

封書にはこの店の封蝋印が押されている。内容はハッチがまとめたソーキサス帝国の内情だ。

ハッチはその商人としての才覚を利用し、市井の中で幅広い情報網を確立している。そこには時として国が見落としてしまうような情報も含まれており、フィルファリア王国の情報機関である御庭番も一目置いているほどだ。

「マイナちゃんも行くのかい？」

「はい。今回は人手も入り用ですからね」

「そうか。なんにせよ、気を引き締めて行くことだ」

茶を啜るハッチに対してマイナの表情が微かに引き締まる。

「危険……ということですか？」

「フィルファリア王国よりかはそうだろうね」

一息吐いたハッチがソーキサスの簡易地図をテーブルに置く。国が発行する詳細地図もあるにはあるが、国外への持ち出しは原則禁止されている。なので冒険者や商人は簡易的な地方地図に各々手書きしたり、張り合わせて使っている。そんななか、個人の商会として他国の流通網もしっかり構築しているハッチの地図は詳細地図に引けを取らない。

「ソーキサス帝国は新皇帝が即位してから民衆の生活向上に力を注いでいる。新しく取り立てられた貴族も皇帝の意向を理解し、自分の領地の発展に尽力しているようだ」

「なら問題ないのでは？」

「急な変革というのは時として治安の悪化も招く。多くの交戦派貴族が失脚したとはいえ、そういった貴族たちの中には家の再興に尽力する者もいれば、賊に身を落とす者もいる。多くの者をふるいにかけた先の戦いで人材不足に陥っているソーキサス帝国には治安に回す人手が足りていない」

「冒険者に依頼してないのですか？」

「してるだろうけどね。でも、どれだけの冒険者が賊を捕らえられるかという話だ。ただでさえ盗賊の討伐依頼は高ランク依頼だ」

誰でも気軽に受けられる依頼ではないのだ。それに冒険者たち自身の生活もある。一定の冒険者であれば魔獣の討伐やダンジョンの出入りで十分な収入を確保でき、無理をして盗賊の討伐に乗り出すこともない。

「変革や先の戦いの後始末でソーキサス帝国に金がない、というのもひとつの要因ではあるかな」

直接冒険者へ依頼する指名依頼を出すことも可能だが、当然依頼料は従来の相場を上回る。ようするに高ランク依頼を出す側のソーキサス帝国が依頼報酬を上乗せできるほど金銭的に余裕がないということだ。

結局、ソーキサス帝国は自国の力だけで治安悪化を食い止めなければならず、冒険者の力を借りる効果は限定的な範囲に留まっている。

「ただ、数年の苦労の甲斐あって、この手の問題は主に地方の小さな村の周辺で起こっているようだ。帝国軍をどうにかできるほどの戦力を賊も持ち合わせていないということだろう」

昔に比べれば賊の規模は小さくなっている、とハッチは言う。

「詳細は封書の資料にもまとめてあるが、気を抜かないに越したことはないね。ソーキサス側も客人を招く以上、しっかりと護衛を配してくるだろうけど」

「はぁ……大変な旅になりそう」

先の苦労を思い描いて頭を抱えるマイナにハッチも苦笑を浮かべるしかなかった。

ひと通り情報交換を終えたマイナが席を立つ。ハッチとともに個室を出ると夫人が土産を包んでくれた。

「いつもすいません」

「いいのよ。主人に出資してくれたシロー様のためだもの」

「みんな、いつも喜んで食べてますよ」

用があって訪れるといつもこうしてシロータちの分だけではなく使用人たちの分まで用意してくれるのだ。おかげで帰りはおいしいモノで手いっぱいだ。

「はい、またいらしてね」

「ありがとうございます。また来ます」

マイナは両手で土産を受け取ってハッチ夫婦に頭を下げるとそのまま帰路についた。

▽▽▽▽▽▽▽▽▽▽▽▽▽▽▽▽▽▽▽▽

ソーキサス帝国領内——。

始まりは些細な出来事であった。

男は旅先の村人たちに懇願された。周辺の村で暴れまわる盗賊団を討伐してほしい、と。

盗賊団の存在は昔から知れ渡ってはいたが、その活動が活発化したのは最近のことであるらしい。

目的はあれど先を急ぐ旅でもない、と男は村人の依頼を快く引き受けたのであったが——。

「おい……」

魔獣に盗賊、討ち捨てられたそれらの真ん中で男は首を摑んで宙吊りにした盗賊に質問を投げかけた。空いた手で筒状の魔道具を突きつける。

「こいつは何だ？　なぜ、お前たちはこの土地にいない魔獣を使役している？」

「ば、ばけもの……」

たったひとりで二十を超える盗賊団と高ランクの魔獣を倒してしまった男への素直な感想である。

圧倒的な実力差に身を震わせる盗賊を男は乱雑に投げ捨てた。

「ひぃ……」

「もう一度聞く。こいつは何だ?」

「し、知らねぇ……見たこともねぇ白いローブの男に貰ったんだ。魔獣を召喚できる筒だと……それがあれば思うがままだと……盗賊団に配って回っていると言っていた……」

「ふん……」

どうやら盗賊団の活性化にはそのローブの男が関わっているらしい。どうも一個人の思惑ではないような気がする。

嫌な予感を覚えて男は深々と嘆息した。

「そいつは今どこにいる?」

「し、知らねぇ……ほんとに知らねぇんだ……」

怯えた様子で知らないと繰り返す盗賊。それを呆れた様子で見下ろしていた男はその意識を適当な所作で刈り取った。

「やれやれ……また変なことに巻き込まれてるんじゃないだろうな……」

男が頭をガシガシ掻きむしって見上げた曇天は、まるで不穏な空気を暗示するかのようであった。

第二章

いざソーキサス帝国へ

episode.2

will sama ha
kyou mo mahou de
asondeimasu.

「ソーキサス帝国ですか？」

「さよう……」

奥まった日の光も差さぬ一室。魔道具の光の下、膝をついたハンスの前には台座に飾られた水晶と、その脇に豪奢なローブを身にまとった仮面の男が立っていた。

声を発した仮面の男が小さくため息を吐く。

「彼の地を任せている大司教が我らの思想から逸れた動きを見せているとの報告がある。そこでお主を呼んだのだ」

「…………」

黙って聞いていたハンスの頭上で水晶の光が怪しく揺らめいた。

それに気づいた仮面の男がハンスと同じように膝をつく。

『彼の地の大司教はその土地と縁深き者……世俗の欲に抗えなかったと見える……』

ゆらりゆらり。発せられた声に合わせて水晶の光が怪しく揺れる。

仮面の男もハンスもその声により深く頭を下げた。

「おお、神よ……我が判断が甘かったばかりに無用な心配をおかけして申し訳ございません」

『よい……その判断を承認したのは私だ。それに、彼の者の土地勘を頼る判断は間違えてはいないのだから』

「身に余る、寛容なお言葉……ありがたき幸せにございます」

『だが、このままではいかん。我らの目的は政の表に立つことではないゆえに』

「重々、心得ております」

『頼んだぞ……教皇、新たな枢機卿よ……』

水晶の光が収まるのを感じ、仮面の男とハンスが顔を上げる。

仮面の男は立ち上がるとハンスに視線を向けた。

「大司教のほうはこちらで予め手を打ってある。だが、我らの真の目的はそなたに達成してもらわねばならぬだろう」

「はっ。すぐにソーキサス帝国に向かいます」

「現場での判断は任せる。期待しておるぞ、ハンス」

「お任せください」

一礼して去り行くハンスの背を仮面の男は目を細めて送り出すのであった。

◆

「どぉおー？　みてみて～」

リビングに駆け込んできたウィルは旅の装いに身を包んでいた。

今日はウィルの友達を呼んで魔法の練習をすることになっていて、ウィルが旅装をみんなに見せたがったのだ。

着替えが終わるのを待っていたティファ、ラテリア、モンティスの三人はウィルの姿を見て感嘆の声を上げた。

「よくおにあいですわ、うぃるさま！」

「うぃる……よくにあってる」

「かっこいいよ、うぃる」

「いやぁ～」

三人に褒められたウィルがくねくねしながら頭を掻く。照れているのだ。その様子に使用人たちからも笑みがこぼれる。

こうして見ているととても平和な子供たちなのだが。

「うぃるさま、わたしとれんしゅーしましょー」

「うぃる……こっち」

同時にウィルの両手を摑んだティファとラテリアの動きが止まる。視線を合わせた双方の間に暗雲が立ち込め、稲妻が走り、ウサギさんとリスさんが――。

「はいはい、みんなで仲良く魔法の練習をしようね」

「「ご、ごめんなさい」」

居合わせたニーナが間に入り、ティファとラテリアの手を取った。我に返ったふたりはすぐに謝って、ニーナに促されるまま庭へと向かう。

そんな姉たちの後ろ姿を見ていたウィルは緊張が解けたようにため息を吐いた。

「もー、ふたりはすぐけんかするー」

「気持ちもわからなくはないですが」

レンが笑みを浮かべてウィルの頭を撫でる。ティファとラテリアが喧嘩をするのはウィルを取り合っているからで、傍から見れば気づかない者はいない。

しかし、ウィルはモンティスに向き直って、真剣な顔つきでお願いをしていた。

「もんちゃん、うぃるがいないあいだ、ふたりをよろしくね？」

「だいじょーぶだよ、うぃる。うぃるがいないときはふたりとも、なかよしだもん」

「じゃー、あんしんだねー」

（ウィル……）

（（ウィル様……））

安心できる要素を何ひとつ見出せないセレナと使用人たちが思わず苦笑いを浮かべる。

どうやらウィルは自分が争いの元になっていることにまったく気づいていないらしい。

ウィルが全幅の信頼を寄せているモンティスも同じようなもので、ふたりはわけのわからない得心をしていた。

ウィルたちが女の子の感情を理解するのはもう少し時間がかかりそうである。

「さぁさ、ウィル様。着替えてくださいませ」

「はーい」

旅装をお披露目できて十分満足したのか、ウィルがエリスに従って退場する。

残されたモンティスはレンに従い、セレナと一緒に庭へ移動した。

「うぃる、どれくらいでかえってくるー？」

「およそ、ひと月ほどですね」

見上げてくるモンティスにレンが答えると、今度はセレナが不思議そうな表情を浮かべた。

「短くないですか？」

セレナの言うことは正しい。普通の旅路を行けば王都レティスからソーキサスの帝都まで片道でひと月近くかかる。往復するわけなので、当然ひと月で帰ってくるなど不可能だ。

これはセレナが正しく学んでいるから出た発言で、レンも理解しているからこそ嬉しそうな笑みを浮かべてセレナの頭を撫でた。

「さすがです、セレナ様。セレナ様のおっしゃるとおり、普通の旅路を行けばひと月で往復するなどとてもできません。ですが、カルツがいれば可能なのです」

「カルツ様……？」

カルツは今回のソーキサス訪問が決まった際、トルキス家の先行部隊と一緒に王都を出ていた。彼の得意な属性を考えれば、セレナも自然と答えに辿り着く。

「空属性の魔法……ひょっとして、空間転移ですか？」

「ご名答です、セレナ様」

レンはあっさり認めて、その代わり口の前で人差し指を立てた。珍しい魔法なのであまり言い触らしていいモノでもない、ということなのだろう。

「カルツたちは王様の勅旨を携えてフンボルト辺境伯領に向かっています」

「フンボルト辺境伯領……」

セレナが小さく反芻する。フンボルト辺境伯領はソーキサス帝国と国境を接していて先の戦争の話をすれば必ず出てくる。成績優秀なセレナが知らないはずがない。

「長距離の空間転移を行うには一度訪れて座標を設定しなければなりません。二か所の地点に出入り口を設置することで初めて使用可能なのです」

「座標を設定するのに王様の勅旨が必要なんですか？」

セレナの疑問にレンは頷いて返した。

「転移魔法は防犯上、脅威に思われがちです。特に今回は国家間の親善訪問になりますので人や物を大量に移動します。なんの報告もなしにそんなことをしては相手側から要らぬ疑いをかけられる恐れもあります。それならいっそのこと王命にしてしまえ、というのが王様のご判断のようです」

王様の勅旨であれば、辺境伯も協力を惜しまない。

そもそもウィルの負担を軽減するための転移魔法なのでアルベルト国王が命令を出し渋ることはないのである。

「本来であれば、貴族は旅の途中でお金を使い、その土地の民衆を潤さねばならないのですが……今回は例外ですね」

「はは……」

レンの説明を聞きながら。王国貴族の決まりに例外を作ってしまう弟に苦笑いを浮かべずにいられないセレナであった。


その日の夜――。

夕食を終えたトルキス家の人々はリビングに集まっていた。

「みんな、お疲れ様。今日、転移魔法の準備をしていたカルツが仕事を終えて戻ってきた。出発準備も数日で整うそうだ」

シローがそう告げると使用人たちの表情が引き締まる。

「ずいぶん早かったですね」

準備にはもう少しかかる予定であった。そのことをレンが指摘するとシローは笑みを浮かべた。

「新しく雇い入れた家臣たちが優秀だったのさ」

カルツとともに行動していたのはモーガンの率いる【大地の巨兵】とガスパルの率いる【火道の車輪】だ。どちらも冒険者としてかなりの実績を積んでおり、モーガンたちは旅路の護衛を得意とし、ガスパルたちは旅路の輸送を得意としている。先のフラベルジュの救援活動も彼らは共に行動していた。

旅慣れた彼らにカルツを加えたら行き道の短縮など楽であっただろう。

「あと、フンボルト辺境伯様の耳にも王都の噂は届いていたらしくてね。精力的に動いてくれたようだ」

シローがそう言って、今度は苦笑いを浮かべてウィルに視線を向けた。噂の内容をなんとなく察したセシリアや使用人たちも同じような苦笑いを浮かべてウィルを見る。

「…………？」

その噂の張本人であるウィルはまったく気づいてないようであったが。

「出発は来週になる。トマソンさん、ジョンさん、留守は頼みます」

「かしこまりました、旦那様」

シローの言葉にトマソンが礼で応える。それを見ていたウィルが眉根を寄せてシローを見上げた。

「とーさま、じぃやとじょんおじさんはおるすばんー？」

「そうだよ」

シローが答えるとウィルは不満だったのか頬を膨らませた。

「うぃる、じぃやとじょんおじさんともおでかけしたかったなー」

「すまんなぁ、王子」

「申し訳ございません、ウィル様。爺めもご一緒したいのはやまやまなんですが……」

「むぅ……」

ウィルを宥めるようにジョンとトマソンが交互に謝る。

安全に配慮すればふたりがいたほうが当然心強い。しかし、そうできないわけがあった。

ふたりの二つ名【フィルファリアの雷光】と【フィルファリアの赤い牙】は十数年前に起きたソーキサス帝国との戦争の褒美のひとつとして下賜されたものであった。そして、ふたりはその戦争の論功行賞において特級戦功を授与されている。つまり、ソーキサス帝国の脅威であったのだ。

戦争は終結したとはいえ、そんなふたりが同盟締結前のソーキサス帝国に入れば余計な軋轢を生む可能性がある。そのため、トマソンとジョンは今回の親善訪問を前もって辞退していた。

「むぅむぅ……」

「ほら、ウィル」

シローがウィルを抱き上げて、頭を優しく撫でる。

ウィルもなんとなく理解は示しつつも、納得はできないらしく口を尖らせて抗議の声を上げている。

「代わりといってはなんだけど、みんなでお出かけしよう」

「おでかけー？」

興味を示したウィルにシローが笑みを浮かべて続けた。

「ああ。レクス様のお誘いで、ソーキサス帝国に出発する前に一度みんなで精霊の庭へ来るように言われたからね」

「ほぅほぅ。とーさまもやりますな」

「それはどこから目線なんだ、ウィル……」

偉ぶって腕組みするウィル。シローの笑みが苦笑いに変わるのも仕方ないことであった。

気を取り直したシローがセシリアや子供たち、使用人たちを順に見回す。

「そういうわけだから、お弁当を持って全員で精霊の庭にお出かけです」

「わかりました。たくさんお弁当を用意しておきますね」

シローの提案に隣で聞いていたセシリアが快く頷いて。ウィルをはじめ、セレナやニーナも期待に表情を綻ばせ、それを見た使用人たちも笑みを浮かべた。

「ソーキサス帝国親善訪問前の最後の息抜きです。みんなで楽しみましょう」

「「「はい」」」

家族会議はそのまま団欒へと移行し――。

貴族になってもどこかアットホームなトルキス家なのであった。

「ウィル様、おはようございます」

「うみゅ……」

「もう朝ですよ、起きてください」

「んー……」

いつもどおり、起こしに来たレンの声に反応したウィルが寝ぼけ眼で布団から這い出た。

ウィルはまだ眠気におぼつかない様子で体を揺らしながら、傍に置いてある小さな杖と精霊のランタンに手を伸ばす。

「こばこぉ～」

怪しい口調で略式の魔法を発動したウィルの前に小さな空属性の穴が姿を現した。

ウィルがその穴に手を入れて、中から綺麗な箱を取り出す。国王から送られた小箱。

中には魔石が綺麗に納められている。

開けた小箱から覗くそれらにウィルはぺこりとお辞儀した。

「きまいらさん、どらごんさん、おはようございます」

国王から譲り受けて以来、取り出した魔石に挨拶をするのがウィルの習慣になっていた。

当然返事が返ってくることはない。だが、幼いウィルも思うところが色々あるのだろう。

レンも黙ってその様子を眺める。

「おまたせー」

「もうよろしいのですか？　ウィル様？」

「あさのごあいさつはおわったー」

「それでは身支度を整えましょう。今日は精霊の庭へ、みんなでお出かけですよ」

「はーい」

レンに促されたウィルがベッドから下りて笑顔を返してくる。

レンはそんなウィルの寝癖を優しく撫でつけて、朝の身支度を始めるのであった。


ウィルたちがレクスの呼びかけに答えて精霊の庭に赴いたのは昼前のこと。シローとの約束どおり、使用人たちも連れてのお出かけにウィルはご満悦の様子だ。

『来たな、ウィル』

「きましたー」

（なんだかなぁ……）

高位の者としての立ち居振る舞いを見せるレクスに対し、腰に手を当てて胸を張るウィル。

我が子の堂々たる姿にさすがのシローも苦笑いを浮かべる。大幻獣の尊厳を前にしても恐れることなく胸を張る我が子の胆力はいったいどこから来ているのか。隣にいるセシリアなどはウィルの態度を無礼と見て冷や汗を浮かべていた。

「いけませんよ、ウィル」

『よいよい』

慌てて態度を改めさせようとするセシリアをレクスが手で制す。レクスも幼いウィルに礼儀などというものを期待しているわけではないらしい。

『それよりも……』

気になることがあったのか、レクスの視線が横を向く。それはシローたちも来た時から気になっていたことだった。

『なぜ、お主がここにいる？』

『……ん？』

全員の視線が集まって水色の髪色をした偉丈夫が首を傾げた。水の大幻獣、海竜ユルンガルである。

『なに、レクスが我が友に用があると聞いてな』

「れくすー、うぃる、ゆるんがるとともだちになったのー」

『な』

ウィルの反応に気をよくしたユルンガルが周りの視線を気にした風もなく笑みを浮かべる。

その堂々たる様にレクスは思わずため息を吐いた。

『まぁ、いい……どのみち、いずれは他の大幻獣の理解も得なければならなかったしな』

大幻獣ともなれば人間と軽々しく友好関係を結ぶべきではないのだが、ウィルの特異性を考えるなら話は別だ。他の大幻獣にも話を通しておく必要がある。その手間が省けたのだから良しとするべきことだ。

ただ、ユルンガルの好奇心旺盛な面は同じ大幻獣のレクスからすれば改めてほしいところでもあるのだが。

『レクス様……』

『うむ、本題に入ろう』

傍に控えていた地の上位精霊ジーニに促され、レクスがシローたちへ向き直る。

緩んだ空気が一瞬で引き締まった。

『お前たち、こちらへ』

レクスが精霊たちのほうへ向き直り、声をかける。するとアジャンタ、シャークティ、クララが緊張した面持ちでシローたちの前に立った。

どこか所在なさげにしている既知の精霊と、それを興味深そうに眺める周りの精霊たち。

「もじもじしている……」

アジャンタたちを見上げたウィルが端的に言い表す。

同じように見ていたシローたちも何が行われるのか、なんとなく察した。

『ウィル、クティたちの前に立ちなさい』

「おー？」

レクスが今度はウィルを指名し、ウィルは疑うこともなくシャークティたちの前に立った。自然とウィルとシャークティたちが向き合う形になる。

『此度の訪問、何かあっても精霊たちは助けに行けぬ。ゆえに、ウィルを守るため、クティたちにはウィルと本契約を結んでもらう』

「ほんけーやくー？」

キョトンとするウィルの前でアジャンタたちが頬を赤く染め、周りの精霊たちが囃し立てる。あからさまな反応を示す精霊たちにレクスが呆れたように目を細めると、意味を理解したウィルの目がキラキラ光り出した。

「うぃるといっしょにいてくれるのー？」

『そうじゃ』

「やったー！」

嬉しそうに跳びはねるウィル。周りの精霊からも祝福するように拍手が巻き起こる。

その様子を見ていたユルンガルが笑みを浮かべて顎を撫でさすった。

『本来なら水の精霊もつけてやりたいところだが……』

『さすがに、そこまで急くこともないだろう。此度の契約ももしもの時のための用心じゃ』

『うむ……』

『いずれはウィルの下に向かう精霊も現れるであろう？　その時の後押しをしてくれれば良い』

『あい、わかった』

何やら画策している大幻獣たちの話を聞いてシローたちは苦笑いを浮かべた。精霊との契約は人生においての一大事のはずだが、ウィルにおいては序の口であるらしい。

次の候補に上がりそうな水の精霊たちもざわめいて、精霊の庭を賑やかしている。

そんななか、レクスとユルンガルが話を纏め、ウィルたちに向き直ったレクスがパンパンと手を叩いた。

『盛り上がるのもその辺にしておけ。クララ、ウィルに真名を』

レクスに促されたクララが緊張した面持ちでウィルに歩み寄る。彼女はウィルの前で膝をつき、手招きした。

「ウィル、耳を……」

本来、精霊の真名とは多くの人間に知らせるものではない。契約していない精霊なら尚更だ。

クララが耳打ちしようとしていることを理解したウィルがクララに耳を寄せる。

こそこそと真名を告げるクララに対し、ウィルがこくんとひとつ頷いて。

「わかった！　よろしくね、くろーでぃあ！」

耳打ちした理由までは思い至らなかったらしいウィルの発言に大人たちが肩をこけさせる。可哀想に、クララの顔は恥ずかしさで真っ赤になっていた。

『ほら、とっとと契約してしまわぬか、クララ』

「は、はい……」

気を取り直したレクスに促され、クララ――クローディアが両手を広げる。彼女の魔力に反応して魔法陣が広がると使用人たちから感嘆の声が漏れた。

魔法陣によって生み出された光がウィルとクローディアを優しく照らし出す。やがてクローディアの掌から緑光の塊が生まれ、ウィルの胸の中に優しく溶け込んでいった。

『アーシャ、クティ、お主らも』

「はい」

「これからよろしくね……ウィル」

アジャンタとシャークティも順番にウィルとの契約を果たしていく。

一度に三柱の精霊との契約は類を見ない出来事である。

きっとウィルはそのことをわかっていない。だが、大切な友達がこれから自分と一緒にいてくれるのだということはしっかりと理解していた。

ウィルが精霊たちの光が納められた自身の胸に小さな手を当てる。それから目の前にいるアジャンタたちを見上げた。

「これからよろしくね、あじゃんた、しゃーくてぃ、くろーでぃあ」

満面の笑みを浮かべるウィルにアジャンタたちも笑みを返す。それは小さな子供が信頼する友を得た瞬間であり、とても優しく微笑ましい光景であった。

そんな我が子と精霊を見守っていたセシリアがあることに気づいて我に返った。

「あの、レクス様……」

小さく手を上げるセシリアにレクスが不思議そうに向き直る。

『なんじゃ、セシリアよ?』

「ひとつお伺いしたいことがあるのですが……その、精霊王の婚姻のことで」

話を切り出した瞬間、周りの精霊たちが思い出したようにざわめきだした。

知らなかったこととはいえ、ウィルはアジャンタたちに対して求婚してしまっているのである。そんなウィルと契約することは求婚に応えることになるのだ。

無邪気なウィルに心温まってはいた精霊たちだが、アジャンタたちを茶化すには絶好の機会なのである。

レクスは騒ぎ出しそうな精霊たちを手で制すると、言葉を選んで話し出した。

『……難しく考えるでない。精霊王のころは時代が悪かったのじゃ』

「時代……?」

反芻するセシリアにレクスが頷いて小さくため息を吐く。

『そうじゃ。未曽有の大厄災より数百年……魔法技術も拙く、人間たちは生きていくだけで精いっぱいの時代だ。精霊王と肩を並べる人間は皆無であった。結果として、精霊王は常に精霊たちと行動を共にし、人間たちに多くの魔法技術を残して崇められることになった。崇められはしたが、心許せる友はどうであろうな……』

「「…………」」

黙って聞いているセシリアたちの前でレクスはウィルに歩み寄り、その髪を優しく撫でた。不思議そうに見上げるウィルに笑みを返し、また視線をセシリアのほうへ向ける。

『だが、今は違う。ウィルにはお主たちがおる。そして、お主たちを慕う者、さらにはウィルの友になる者も……精霊王のように独りではない』

数多の精霊を従えはしたが、人としては孤独。レクスの話を聞けば、精霊王は本当の意味で心安らげる時はなかったのかもしれない。

だが、ウィルの考えは違った。なんとなく意味を理解したのか、ふるふると首を横に振る。

「せーれーおーはさびしくなかったよ。せーれーさんたちがいっしょにいたもん」

『……ふふっ、そうじゃな』

一瞬、キョトンとしてしまったレクスであったが、ウィルの言わんとしていることを理解して笑みを浮かべた。精霊とともにあった精霊王は孤独ではなかった、と。

「うぃる、せーれーさんといっしょにいれて、とってもしあわせ」

身振りで幸せを表現しようとするウィルに皆が笑みを浮かべて。

『わかったわかった……』

降参したレクスがウィルの頭をポンポンと叩く。

『儂の用は済んだ。ウィルよ、精霊たちと存分に遊ぶがいい。旅に出れば、しばらくは精霊たちと会うことも叶わんのだからな』

「はーい。ねーさま、めるでぃあ、いこー」

姉たちの手を取ったウィルがメルディアを抱いたステラを従えて歩き出し、興味津々な精霊たちが一緒に遊ぼうとウィルたちについていく。

そんな子供たちの後ろ姿を大人たちは優しく見守るのだった。

「この手紙をソーキサス皇帝に渡してくれ」

「かしこまりました、陛下」

「全ては両国の利とウィルを護るために動いてくれ。頼むぞ、シロー、セシリア」

「はっ！」

「はい、お従兄様」

「うひょー!!」

一室に幼い奇声が響き渡り、大人たちの視線が一か所に集まる。

声の主は当然のようにウィルであった。

転位魔法の座標固定のため、特別に用意された部屋ではカルツが使用人たちを転位先に送り始めており、ウィルは転位先からカルツについて帰って来たのだ。

「かるつさん、これはとってもすばらしいです！」

「お気に召して何よりです、ウィル君」

当たり前だが、行って帰ってくる必要性はまるでない。転位魔法に興奮したウィルがカルツに頼んで舞い戻ってきたのは想像に難くない。

「今日も楽しそうだな、ウィルは……」

「申し訳ございません、陛下」

「よいよい」

アルベルト国王が頭を下げるシローを手で制すると、ウィルが興奮した様子で駆け寄ってきた。

「よい！」

「ウィルが言うことじゃないんだよ？」

どうにも手をつけられない我が子に嘆息するシローを見て、アルベルトは思わず笑ってしまった。

「ウィル、カルツ殿の転位魔法はどうだった？」

「こっから、こう！」

ウィルが鼻息荒く手を横から横へスライドさせる。どうやら移動を表現したいらしい。

子供らしい表現に気を良くしたアルベルトはウィルの頭を優しく撫でた。

「ウィルにも使えそうか？」

ウィルは魔法を見て、なんでも真似してしまう。アルベルトがそう尋ねるのも無理はない。

アルベルトの質問にウィルはふるふると首を横に振った。

「これはつかえないです」

「そうかそうか」

ウィルはできないことはできないと、はっきり言うタイプのお子様であった。

アルベルトも転位魔法が精霊魔法に属すると知っているので真似するにも容易でないことを理解している。ウィルの返事を聞いても相好を崩したままであった。

「うぃるにはむこーがわからないからー」

転位魔法の行使に際して把握しておかなければならないことが二つある。それが移動先の座標と状況である。

座標はその土地を訪れることで一時的に把握できるのだが、恒久的に記憶することは不可能だ。ゆえに、カルツは転位したい場所に目印となる魔法を展開している。しかし、それでも転位先の状況は刻一刻と変化している。離れた場所の状況確認など人の身でできるはずもない。もし障害物があれば膨大な魔力を含んだまま衝突する恐れがあり、そうなれば大惨事になるのは火を見るよりも明らかだ。

結局、転位魔法は離れた場所でも状況を把握できる精霊の力を頼ることになるのである。

「こんごにきたいします！」

ただ、ウィルは習得を諦めてはいないようだ。

それを理解したアルベルトがウィルの頭を優しくポンポンと叩いた。

「それでは、陛下……」

「うむ」

最後の転位となり、シローとセシリアがウィルを迎えに来る。ウィルはふたりに導かれるまま、後方で控えるカルツに歩み寄った。

「行ってまいります、お従兄様」

「いってきまーす！」

「セシリア、ウィル、気をつけてな」

アルベルトが見送る前で優雅に一礼したカルツが魔力を展開した。魔力が意味を成し、それに合わせて空属性の精霊スートが座標を固定する。

次の瞬間、ウィルたちの視界は突如変化した。


「ようこそ。フンボルト辺境伯領、ルクレスト迎賓館へ」

シローたちが転移すると出迎えてくれたのはフンボルト辺境伯その人であった。

初老とは思えぬほど筋肉質で礼装よりか鎧兜のほうが似合いそうである。実際、そのとおりの人物で先の戦で功績を挙げ、二つ名【フィルファリアの鉄壁】を授かっている。武勇だけでなく軍略にも長け、ソーキサス帝国の猛攻に対して一度も退かなかった名将だ。

従者を背後に並べ、恭しく一礼したフンボルト辺境伯が顔を上げるとセシリアが相好を崩した。

「ご無沙汰しております、フンボルト辺境伯様」

「セシリア様、また一段と美しくなられましたな」

セシリアとフンボルト辺境伯は面識があった。

十余年前、ソーキサス帝国との戦いの際、フィルファリア王国軍を率いたのはセシリアの父オルフェスであり、フンボルト辺境伯軍と肩を並べて戦い抜いたのである。以来、フンボルト辺境伯は王都に訪れると決まってオルフェスの屋敷を訪れ、セシリアもよく可愛がってもらっていた。

「それに、婿殿も変わらず元気そうだ」

「辺境伯様もお元気そうで」

「丈夫なのが取り柄だからなぁ」

フンボルト辺境伯から手を差し出され、シローが固く握り返す。シローとセシリアの結婚もシローの叙爵もフンボルト辺境伯は進んで祝福してくれた人物だ。シローからしても信頼できるフィルファリア貴族のひとりであった。

「すぐに打ち合わせか？」

「はい。詰めておかなければならないこともございますので」

フンボルト辺境伯の質問にシローは申し訳なさそうに答えた。

出立は明日だが、シローやセシリアにはまだ事前の打ち合わせが残っている。日中にフンボルト辺境伯とゆっくり談笑している暇はなかった。

貴族としての旅路の面倒さを理解しているフンボルト辺境伯がそんなシローの顔を見て苦笑する。

「わかった。夜にでもゆっくり話をしよう。それまで、子供たちの面倒はこちらで見させてもらおうか」

「よろしいのですか？」

迷惑がかかるのでは、とセシリアが心配するがフンボルト辺境伯は笑みを浮かべてウィルの頭を撫でた。

「構わんさ。なぁ、ウィルベル？」

「うっ？」

フンボルト辺境伯が不思議そうに首を傾げるウィルに視線を合わせる。

「お前たちの父君と母君が仕事の話をしている間に私がルクレスト要塞を案内してやろうと思うのだが、どうだ？　興味はないか？」

ウィルも男の子だ。要塞という言葉の響きに興味を持つと思ったのだろう。案の定、ウィルは反応した。

「きょーみはあります」

「そうかそうか」

「でもー……」

ウィルが少し困った顔をして、今度はフンボルト辺境伯が不思議そうな顔をする。

「どうかしたのか？」

フンボルト辺境伯に尋ねられ、ウィルは視線を横に向けた。ウィルは知っているのだ。フンボルト辺境伯の提案が誰の心を一番くすぐるのかを。

フンボルト辺境伯がウィルに釣られて視線を追うと、そこには目をキラキラさせた姉のニーナの姿があった。

「フンボルト辺境伯様、私も要塞が見たいです！」

「ねーさまにはまけます」

姉の勢いを代弁するウィルにフンボルト辺境伯は豪快に笑ってしまった。

シローたちと別れた子供たちにはカルツが付き添った。カルツは今回の訪問メンバーには含まれていない。シローたちの訪問は貴族としてのものであり、その安全は隣国によって保証されるものである。従って、家臣以外の護衛は礼を欠く行為になるのだ。

「じーやもだめ、じょんおじさんもだめ、かるつさんもだめ」

不満に口を尖らせるウィルであったが、事情を知るカルツとフンボルト辺境伯は笑みを浮かべてウィルを宥めていた。

「私はシローの友人であると同時にテンランカーでもありますから……」

「ははっ、大人の事情だなぁ」

「むー……」

ウィルとしては道中にカルツがいたほうが楽しめるのだが、今回ばかりは諦めるしかないようだ。大人の事情は子供に優しくないのである。

「ほら、着いたぞ」

そうこうしているうちにウィルたちが辿り着いたのは訓練場であった。

「おおー……」

「すごい迫力ね」

兵士たちの気迫に感嘆するウィル。それを安心させるようにセレナがウィルの背を支えた。

模擬戦を行う兵士たちが体ごとぶつけるように盾と盾を叩きつける。その音を聞く度にウィルの体がぴょん、と強張った。

「あんなに盾同士でぶつかり合うんですね……」

ウィルだけではなく、セレナもその迫力に圧されているようだ。唯一、興奮したニーナが目を輝かせてセレナを振り向いた。

「そうよ、姉様！　盾は前に出て捌くためにあるんだから！」

妹の興奮ぶりにセレナが苦笑いと疑問符を同時に浮かべる。どうやら近接戦闘のイロハはニーナのほうが理解しているらしい。そのことにフンボルト辺境伯も感心を顕にした。

「よく知っているな」

「お城の訓練場で見て、その時に教えてもらいました！」

ニーナはフィルファリア王国第二王女フレデリカと大変仲が良く、時折剣の稽古を共にしている。その時に教えてもらったのだ。

得意げに目を輝かせるニーナの頭をフンボルト辺境伯が優しく撫でた。

「そのとおり。盾の基本は退いて守るのではなく、前へ出て相手の動きを制することにある」

技の出を潰したり、視界を遮ったり、体ごと押し込んだりと用途も様々だ。逆に退いて身を固めれば相手に押し込まれることになる。下手をすると窮地に陥りやすくなるのだ。

「なんでも突っ込めばいいというわけではないが、覚えておくといい」

「はい！」

素直に頷くセレナにフンボルト辺境伯も相好を崩す。

しばらく戦闘訓練の様子を見学したウィルたちはフンボルト辺境伯の案内で次の場所へ移動した。

「さて、次は城壁から街の眺めを見せてやろう」

「おおー」

心地よい風が吹き抜けて、ウィルたちの髪を揺らす。城壁の上からも街の活気が伝わってきた。転移魔法で室内から入場したウィルたちがルクレストの街並みを見るのは当然初めてだ。その感動があとからやってくる奇妙さも相まって、ウィルたちは一層目を輝かせた。

「素晴らしい景色ですね……護られた街ルクレスト」

「まもられたまちー？」

セレナの呟きに聞きなれない言葉を感じてウィルが顔を上げる。

「そうよ、ウィル。この街は戦争の最前線にあって、一度たりとも敵の侵攻を許さなかったの。だからそう呼ばれてるのよ」

「はー……」

わかったかわからなかったのか、曖昧な返事をするウィル。だが、少しだけ理解できた単語もあって、ウィルはフンボルト辺境伯の顔を見上げた。

「せんそーはだめって、とーさまとかーさまがいってた」

「そうだな」

フンボルト辺境伯がウィルの頭を優しく撫でる。

「どんな綺麗事やお題目を並べても戦争で苦しむのは民だ。民あっての国だというのにな。そのことを真に理解する者でなければ、世界がどう変わろうが名君と称されることはない」

「んー……」

「はは、ウィルベルにはまだ難しかったな」

「そんなことはございませんが！」

背伸びして言い張るウィルであるが、やはり難しいことは理解していないだろう。まだまだお子様なのだ。フンボルト辺境伯もウィルに全てを理解せよと言う気はない。だから彼も言いたいことだけを続けた。

「戦争終結から十年以上が経ったとはいえ、未だ苦しむ民は大勢いる。それは隣国も同じだ。だから子供たちよ、両親の言うことをよく聞いてソーキサス帝国の民たちを助けてやってくれないか？　そうすればフィルファリアとソーキサスは共に明るい未来へと進んでいける」

「はい」

セレナにはフンボルト辺境伯の言葉がよく理解できていた。しっかりと頷いて返す姿は彼女の聡明さや柔らかな表情もあって年に似合わぬ安心感がある。

「わたしも！」

最近、成長著しいニーナも負けじと胸を張る。勢い余って少し心配になるが、彼女の笑顔は不思議と周りを明るくする。とても気持ちの良い娘に成長していた。

「うぃるもー！」

姉たちに習って、ウィルも元気よく返事した。ウィルなりの責任感が芽生えたのかとも思ったが。

「うぃるのまほーでみんなをいっぱいえがおにしてくるー」

違った。ウィルは魔法が使いたいだけだ。ウィルのことを知らない人たちに魔法を見せて笑顔にしたいのだ。

そのことに気づいた姉たちやカルツが思わず苦笑いを浮かべる。まぁ、苦しむ人たちを笑顔にすることはいいことだ。ウィルにもできることはいっぱいあるだろう。

「これは頼もしいな」

「まかせてー」

子供たちのやる気を見て快活に笑ってみせるフンボルト辺境伯の前で、ウィルもまた今回の旅に思いを馳せて満面の笑みを浮かべるのだった。

ソーキサス帝国――。

フィルファリア王国、フラベルジュ王国と並んで西の三大国のひとつである。

領内の東に位置する山脈から上質な鉱石が取れ、多くを軍備に利用していたことから別名、軍事大国と呼ばれていた。

南に属国を従え、近隣諸国へ権勢を振るっていた帝国が方針を一変したのが十数年前に起こったフィルファリア王国との戦争末期であった。

先代の皇帝には三人の子供がいた。父と同じく他国を侵略することこそ国を潤すと唱える第一皇子。

戦争を起こす財を民のために使い、平和の道を模索すべきだと主張する第二皇子。側室の子であるため、早々と政争から身を引いた第三皇子。

争いは第一皇子と第二皇子の間で起こったが、皇帝の意向から当然第二皇子は受け入れられず、第二皇子に賛同した貴族ともども地方へと追いやられた。

元々病弱であった第二皇子だがそれでもめげず、民のためにと思案を巡らせ続ける。一方で、皇帝と第一皇子の派閥はフィルファリア侵攻への気運を徐々に高めていった。

そしてフィルファリアと開戦するころには自然と戦争支持派、反対派、様々な思惑を持った日和見派などに分かれていた。


「どーなったのー？」

ソーキサス帝国の国境へと進む馬車の中。シローの話に耳を傾けるセレナとニーナに挟まれて、逸ったウィルが素直な質問をぶつけた。ウィルに戦の経緯を説明するにはまだ早いようである。

お暇です、と言わんばかりに足をぷらぷらさせ始めたウィルを見てシローとセシリアが苦笑いを浮かべ、シローは簡潔に結果を述べた。

「第三皇子が皇帝になった」

「ふぇ？」

これにはウィルも予想外だったらしい。足を止めて不思議そうな顔をしてシローを見上げた。

「なんでー？」

それを説明しようとしていたのだが。気を取り直したシローがウィルの興味を逸らさぬよう、言葉を選んで説明を続けた。

「フィルファリアとの戦争は、結局ソーキサス側の内乱に戦争反対派が勝利することで終わったんだ」

「みんななかよくしましょーのほう？」

「そうだよ」

「よかったー」

ウィルも戦争は悪いことだと思っているようで、反対派の勝利を素直に喜んだ。

「でも、どうしてですか？」

ウィルと同じく不思議に思ったのだろう、ニーナが続きを催促する。

話を聞くに反対派を指揮していたのは第二皇子だ。第二皇子が皇帝になっていないのはおかしい。

その質問にはセレナが答えた。

「書物では内乱の最中、第二皇子が亡くなられたと書かれていました……」

やはりセレナは賢い。本好きの彼女は本来ならまだ教わることのない他国の歴史を独学で修めているのだ。

シローは満足げに頷いて、ウィルとニーナにもわかりやすく説明した。

「第二皇子はご病気で亡くなられたんだ。だから第三皇子が跡を継いだ」

本来なら、それは簡単なことではない。早々に政争から身を引いた第三皇子には第二皇子のような信頼できる後ろ盾もない。急遽祭り上げられたとして、何を成せるというのか。

「当然、皇帝や第一皇子たちは第三皇子が反対派を纏めるのは難しいと考えた」

「でも、そうじゃなかった……？」

首を傾げるニーナにシローはまたも頷いた。

「そうじゃなかった。第三皇子は子供のころから第二皇子と仲が良くてね、体の弱かった第二皇子を裏で支えていたひとりだったんだよ。加えて、優秀な冒険者でもあったんだ」

貴族の中には跡取りになれず、冒険者となる者も多い。第三皇子はそんな貴族の子弟や優秀な冒険者と交友を深めつつ人脈を広げ、自らも冒険者となって戦争反対派のために奔走した。

「国内では多くの日和見派の貴族や冒険者たちを味方に加え、国外では東のドヴェルク王国と秘密裏に停戦、西のフィルファリア王国とは共闘の約束を取りつけた」

「戦争してたのに、よく隣国に入れましたね」

幼いニーナも当時の状況では帝国から他国へ渡るのは難しいと考えたらしい。それはまったくそのとおりだ。特にフィルファリア王国は唯一国境を接していた場所で戦争をしていたのである。

ニーナから思ったとおりの反応を引き出せてシローの笑みが深まった。

「今の皇帝陛下はフィルファリア王国の長い歴史の中で、唯一ロコウ連峰を踏破した冒険者パーティーのリーダーだったんだ」

「「おー」」

知らされた事実にウィルとニーナが揃って感嘆の声を上げる。その様子がおかしかったのか、セシリアとセレナからも笑みがこぼれた。

ロコウ連峰は険しい山脈なうえ、強力な魔獣の生息域としても有名だ。ゆえに侵入困難で優秀な国境線としても機能している。生半可な冒険者では到底ロコウ連峰を踏破などできない。

「前皇帝も、まさか自分の息子が戦争中の隣国と共闘しているとは思わなかっただろうなぁ」

シローも当時に思いを馳せる。

結局、ソーキサス帝国の内乱は上手く立ち回った現皇帝がフィルファリア王国との戦争で消耗してしまった戦争支持派を圧倒した。

「うーん……」

「どうした、ウィル？」

何事か考え始めたウィルを不思議に思い、シローが尋ねる。

ウィルはそんなシローを見上げ、こくんと首を傾げた。

「とーさまたちはおやまをこえられないのー？」

「ん……？」

一瞬間を置いて、シローはウィルの言わんとしていることを理解した。

ウィルは【大空の渡り鳥】のメンバーでロコウ連峰を越えられないのか、と聞いているのだ。

「越えるだけなら越えられるぞ」

「………？」

シローの言い回しが理解できなかったのか、ウィルが不思議そうな顔をする。

「皇帝陛下のパーティーがすごかったのは、生息域に住まう魔獣を刺激せずに踏破したからだ。強い魔獣というのは下手に刺激してしまうと人里を襲うようなものもいるからな」

「はぇ～」

竜域などがいい例だ。竜域は人が侵入し、ドラゴンを刺激すると報復のように暴れ出し、周辺の人里などにも被害が出る。それは他の魔獣も同じだ。どのような影響を及ぼすかはその時になってみないとわからないが、基本的に生息域の魔獣が強ければ強いほど人里に与える影響は大きい。

シローが説明するとウィルは驚いたような、それでいて感心したように口を開けた。

「それじゃあ、お父様たちがロコウ連峰を越えようとするとどうなるんですか？」

興味を示したニーナが素直な質問をぶつけてくるとシローは顎に手を当てて考え込んだ。

「うーん……他の人に迷惑がかかるのは嫌だからなぁ……」

それは【大空の渡り鳥】の望むところではない。誰に相談しなくとも意見は一致するだろう。なので、【大空の渡り鳥】がロコウ連峰に足を踏み入れればどうなるか、答えはおのずと辿り着いた。

「お父さんたちなら襲ってくる魔獣を全部倒して山を下りてくるんじゃないかな」

身も蓋もない話である。さすがにセシリアもセレナも、質問したニーナも苦笑いを浮かべている。

だが、ひとりひとりが一騎当千の実力者である【大空の渡り鳥】であればさほど難しいことではなさそうだ。

しかし――。

「でも、欲しい素材があるわけじゃないし、なんでも狩ればいいってわけじゃないからなぁ……だからお父さんはロコウ連峰の踏破はしないかな」

シローはそう締めくくると不思議そうに見上げてくるウィルの頭を優しく撫でるのだった。

ソーキサス帝国辺境伯領。迎賓館の中庭にて、頭を抱える男がひとり。

「ぬぉぉぉ……なぜなんだぁ……」

「おもしろそう！　うぃるもやるね！」

「あ、これは見苦しいところを……」

「あああああ！」

「えっ？　私、そんな感じでしたか？」

「だいたいー」

頭を抱えて前後するウィルの姿に己の無様な姿を想像した男が頬を引きつらせる。

男はソーキサス帝国の貴族デンゼル。爵位は子爵だ。この度、トルキス家の案内役を任された若手の有望株である。

ソーキサス帝国の辺境伯に挨拶をしたシローたちはその場でデンゼル子爵と引き合わされ、今回の訪問経路や戦力などの詳細を詰めることになった。

「ウィル様……」

「はっ！」

撫でるのではない、レンの手の感触を頭に感じてウィルがピンッと姿勢を正す。これは怒っている時のレンだ。

「失礼ですよ、ウィル様」

「ごめんなさい……」

「いえ、こちらこそ……」

しゅん、と項垂れるウィルに対し、デンゼル子爵も申し訳なさそうに頭を下げる。貴族だがどうにも腰が低いのは彼がシローと同じ新興の貴族家であるからだ。元テンランカーであるレンに対しても、デンゼルは当然のように敬意を以て接していた。

「何かお悩みのようでしたが……」

差し出がましいと思いつつも、レンがデンゼルに尋ねる。彼の苦悩っぷりはウィルでなくても気にかかるところだ。

レンの足元でウィルも気を取り直して胸を張る。

「うぃるになんでもきいてみて！」

「ありがとう」

そんなウィルの様子に笑みを浮かべたデンゼルがウィルの頭を撫でて、少し躊躇った。

本来であれば迎え入れる側のデンゼルが来賓であるレンたち相手に悩みを相談することはないだろう。相手を不安がらせてしまう恐れもある。しかし、ことがことだけにデンゼルにはどうしても聞いておきたいことがあった。

「今回の訪問経路のことです」

訪問経路については事前に申請を出している。シローたちが指定した経路は帝都に向かう一般的な経路とは異なっており、そのことにデンゼルは疑問を持っているのだ。

「今回ご希望の経路はお世辞にも整備されてるとは言いにくく……」

内乱の中心地となったソーキサス帝国の西側では人手や物資の不足により未だ支援の行き届いていない場所も多い。トルキス家の提示した訪問経路にはそういった村も含まれていた。

「このままでは大変なご不便をかけてしまうのではないかと……」

仮にも相手は王国の貴族であり、夫人のセシリアは公爵令嬢で皇妃の親戚関係にある。接待を取り仕切る者としてデンゼルが不安に駆られるのも頷ける話だ。

「その点に関してはご心配なく」

デンゼルの話を聞いたレンが特に気にした様子もなく答える。トルキス家の者たちには今回の訪問経路について、事前の説明がなされていた。

「トルキス家の家臣にひとり、今回の訪問先出身の者がおりまして……」

こんな機会でもない限り、なかなか挨拶にも来られぬだろうとシローとセシリアが気を利かせた結果なのである。

ウィルもそのことをきちんと覚えていた。

「もーがんせんせーのおうちがあるんだよー、ねー」

「モーガン、先生……？」

見上げて笑みを浮かべるウィルの頭をレンが優しく撫でる。その前でデンゼルが首を傾げた。

「その……家庭教師の方かなにかですか？」

「ちがうよー、うぃるにごーれむさんのまほーをおしえてくれたのー」

新たにトルキス家の家臣となったモーガンはウィルにとってお気に入りの魔法を教えてくれたひとりであり、土属性の精霊シャークティと出会うきっかけを与えてくれた人物でもあり、今も変わらず大好きな先生なのだ。

そんなモーガンの故郷へ赴くことをウィルはとても楽しみに思っていた。

「へぇ、面白そうな話をしてるじゃないか」

突如横から入った声にウィルたちが振り向く。

「ああ、ガーネットさん」

「やぁ、デンゼル卿」

歩み寄ってきた女性とデンゼルが挨拶を交わす。赤髪に褐色の肌の大柄な女で冒険者を思わせる衣服を引き締まった筋肉が押し上げている、なかなか雰囲気のある女性だ。実力も相当にあるだろう。

「こちらの方は……？」

初対面のレンがデンゼルに目配せをするとガーネットと呼ばれた女性が笑みを浮かべて進み出た。

「初めまして、ガーネットだ。今回、帝国の騎士たちと一緒に護衛させてもらう冒険者さ」

「恥ずかしながら、帝国にはまだまだ女性騎士は少なく……」

トルキス家には女性が多いこともあり、デンゼルが気を利かせたようだ。

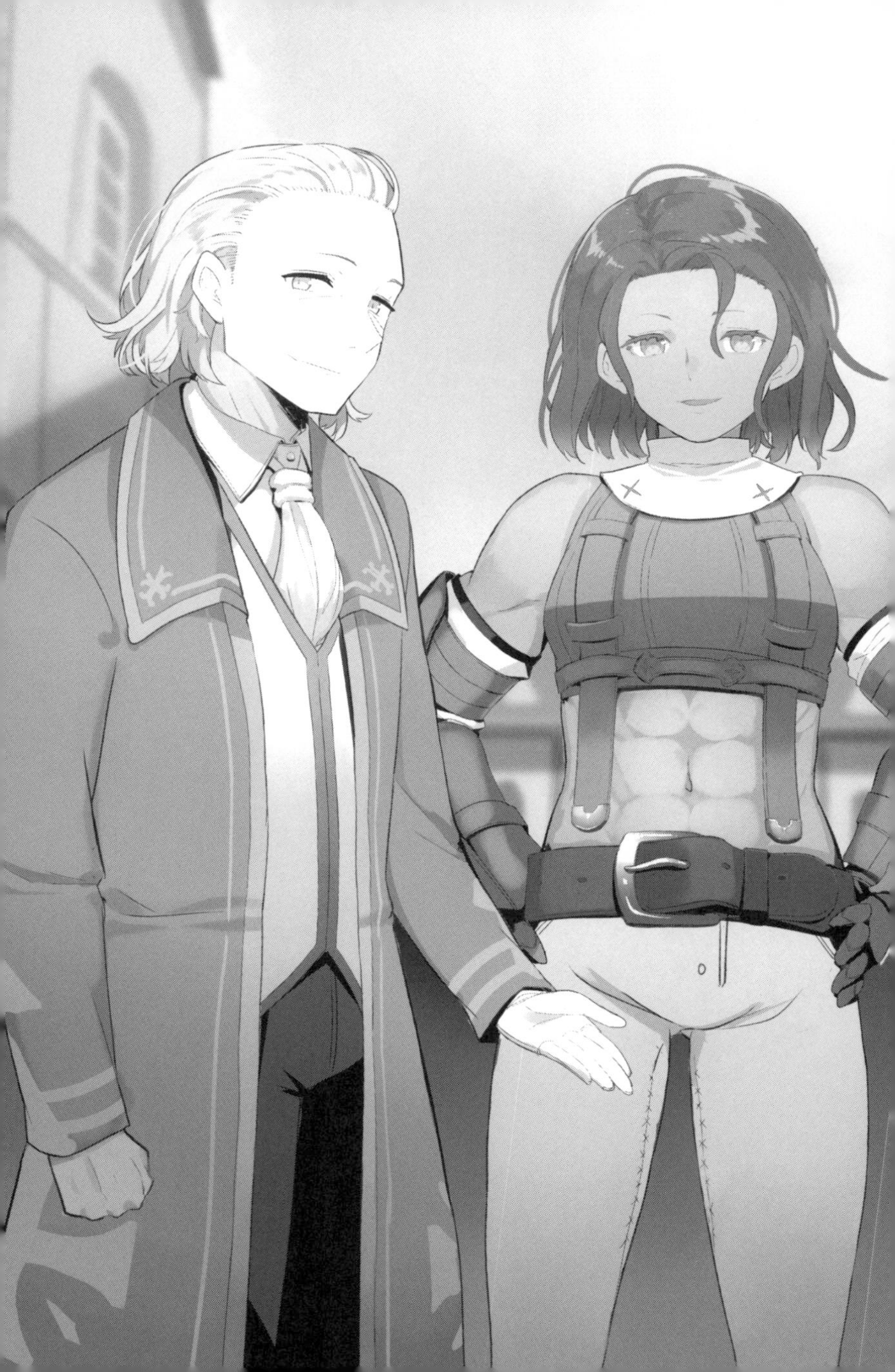

ガーネットがパーティーリーダーを務める【荒野の薔薇】は女性冒険者のみで構成されている。とはいえ、他国の来賓を出迎える任務に指名されるなどなかなかないことで、ガーネットたちが如何に帝国とギルドの信頼を得ているかが窺い知れる。

ガーネットは笑みを浮かべるとウィルの前へしゃがみ込んだ。

「ゴーレムの魔法が使えるんだって？」

「つかえるよー」

「それは頼もしいな」

嬉々として答えるウィル。そんなウィルの頭をガーネットが撫でまわす。

本来であればゴーレム生成のような高度な魔法をウィルほどの歳で操るのは不可能だ。ガーネットはウィルの発言を子供の見栄として受け取って話を合わせていた。

「みたいー？」

「見たい見たい」

「ほんとー？」

「ああ、本当だよ」

ウィルのことを知らないガーネットからしてみればそれは貴族の子供に対しての単なる接待なのだが、ウィルを知る者たちからすれば冗談では済まない。しかし、レンが止めるには少々遅すぎた。

我が意を得たり、と笑みを深めたウィルがガーネットに抱き着く。

「じゃー、みせてあげるー」

そう応えるなり、ウィルは勢いよくレンに向き直った。

「れんー、うぃるはやくそくしました」

「はぁ……」

気のない返事を返すレンにウィルが胸を張って続ける。

「だから、うぃるはごーれむさんのまほうをつかいます！」

一応はゴーレム生成の魔法を使うには許可がいると学習しているのだろう。約束を盾にするのがいい証拠だ。

どこか勝ち誇った様子のウィルを見て、レンは小さくため息を吐いた。

「わかりました。ですが使用するのであれば、まずはシロー様に許可を取ってからにしてください」

きっぱりと言い切るレンに、今度はウィルがキョトンとした表情を浮かべる。それから怒ったように頬をぷくりと膨らませた。

「れん、ずるい！　いつもやくそくはまもりなさいってゆーのに！」

「そうは言いましても……私に魔法の使用を許可する権利はございませんので」

口を尖らせて抗議するウィルを涼しい顔で受け流すレン。

そんなふたりのやり取りにデンゼルとガーネットが顔を見合わせる。

「いーもん！　とーさまにおはなしするもん！」

横を向いてプンプンしているウィルを宥めるようにレンがウィルの髪を梳く。それからデンゼルたちのほうへ向き直った。

「なんだか、申し訳ない……」

何に謝っているのかわからなそうな表情で謝罪してくるガーネットにレンが表情を和らげる。本来であればガーネットの対応のほうが一般的なのだからレンに含むところはない。

「いいえ、お気になさらず……いつものことです。それよりもそろそろ会議なのでは？」

「そ、そうですね」

レンに促されて気を取り直したガーネットがデンゼルとともにこの場を後にする。

レンはというと、ウィルの機嫌を取るのにしばし時間を要するのであった。

第三章
死に向かう森

episode.3

will sama ha
kyou mo mahou de
asondeimasu.

街から街へ移動するにも時間がかかる。それはどの旅行者も例外ではない。

だからウィルの行動はシローたちにとってある程度想定内の反応であった。

「うぃるがおうまさんたちをびゅーん、ってはやくしてあげるね！」

「だーめ」

ウィルが魔法で行軍速度を上げようとするのをシローはやんわりと遮った。ウィルの頬が不満げにぷくりと膨らむ。

「なんでー？」

「訪れた場所を潤すことも貴族の勤めだからさ」

「………？」

ウィルはすぐに理解できなかったが、貴族の勤めには訪れた場所の経済を回したり、問題点を解決することも含まれる。緊急でもないのに魔法で無理やり押し通ってしまってはその勤めを果たすことができないのだ。

「特に今回訪れる場所は帝国の支援がまだ不十分な土地だからね」

戦場になってしまった土地などは魔素が乱れ、自然の恩恵が乏しくなってしまう。そのうえ、支援も不十分とあってはその土地に住まう人々は大変な苦労をしているに違いなかった。

「行く先々で困っている人を助けるんだ。ウィルもたくさん魔法が使えるぞ？」

「おおー！」

幼いウィルに今回の勤めを理解せよ、というのはなかなか難しい。だが、ウィルには困っている人を助けることと魔法がたくさん使えることがわかれば十分であった。ウィルの魔法でたくさんの人を助ける。これほどウィルのやる気を引き出すものはなく、その様子を見たセシリアたちも思わず頬を緩めた。

シローが身を屈めて興奮するウィルの頬を両手で挟む。

「ウィル、お父さんとの約束を覚えているかい？」

「おつきさまのまほーはつかっちゃだめー」

「そうだ」

正しく言い当てるウィルの頭をシローが撫でる。

ウィルは一度、村の救援に訪れており、月属性の魔素を解放して問題を解決してみせた。しかし、その強大な力はおいそれと人に見せていいモノではない。要らぬ誤解を生まぬため、それは親子で交わした固い約束であった。

「心配しなくても乱れた魔素は一片や精霊さまが通るだけでも十分に落ち着く。言い換えれば、ウィルたちがそういう土地を訪れるだけで助かる人がいっぱいいるんだ」

「まかせてー！」

シローの説明に納得したのか、ウィルが鼻息荒く胸を張る。そんなウィルの様子にシローたちも胸を撫で下ろした。しかし——。

「それはそれとしてー」

どこで覚えたのか、なんだか難しい言い回しをしてくるウィルにシローが嫌な予感を覚える。ウィルがガーネットとした約束をシローも聞いていたからだ。

「ごーれむさん、みせてあげてもいーい？」

まるでおねだりするような上目遣いにシローが言葉を詰まらせる。さすがに約束を破れとは言い辛い。それにウィルがここ最近大人しく、大きな魔法を自重していたのも事実だ。

シローは悩んだ末、諦めたようにため息を吐いた。

「わかった。でも、この辺はまだ人が多いから、もう少し待ってくれ」

「はーい」

色よい返事を聞けて、ウィルが笑みをこぼれさせる。この様子であれば勝手にゴーレムを生成することもないだろう。ソーキサスの民をいきなり驚かすという事態も避けられるはずだ。

嬉しさのあまり小躍りし始めたウィルにシローとセシリアは顔を見合わせると少し困ったような笑みを浮かべるのだった。


そんなわけで、辺境伯領を出発したウィルたちはシローたちが計画したとおりの道順で村に宿泊し、それもなければ街道に整備された旅行者の休憩所で野宿をしていた。

「ウィル様、こちらの土を盛り上げてもらえますか？」

「ウィル、頑張って」

「あいあい！」

ニーナの声援を背に、ウィルが魔法の杖と精霊のランタンを掲げて魔力を込める。

街道の整備は領主の管轄であるが、休憩所などは冒険者ギルドに依頼されたり、訪れた有力者の厚意で行われたりもする。今回のウィルたちがまさにそうだ。

付き添いのエリスの指示を受け、ウィルが魔法で土を盛り上げていく。護衛部隊が宿泊すると手狭になってしまう田舎の休憩所の面積を魔法で広げているのだ。

当然のことながら、無作為に広げるわけにはいかない。

「もっとー？」

「いいえ、ウィル様。まずはこれくらいにしておきましょう」

「わかったー」

広げすぎると魔獣の生息域を侵食してしまい、休憩所が魔獣に襲われやすくなってしまう。また整備した土地を維持するにも問題が発生してしまうことがあった。

「むぅ……」

土を盛り上げて綺麗に整えたウィルがその出来栄えに眉根を寄せる。エリスもその様子に苦笑した。

「どろんちょ……」

「ですね……」

土地に多くの水分が含まれていたのか、広げた部分が泥になっている。これではすぐに活用することができない。

「しゃーくてぃ……」

ウィルがこっそり土属性の精霊であるシャークティに泣きついてみるが色よい返事は返ってこなかった。

『これはしょうがない……初級魔法には初級魔法の難しさがある……』

ゴーレム生成のような高度な魔法であれば水分を避けることもできるそうだが、整地はその場の土を利用する初級魔法。土質の影響を受けやすい。

『土の中の水分に干渉できないと解決しない……なんとかできるのは水属性か火属性の精霊か幻獣だけ……』

姿を見せぬまま解説するシャークティにエリスも頷いた。そういうことであれば無理をしてもしょうがない。しかし――。

「だったら私の出番ね！」

胸を張ったのはウィルと一緒にいたニーナであった。泥に向かってかざした手が火属性の燐光を帯びる。

「ボルグ、ジーン、力を貸して！」

(幻獣様の名前、あまり叫んでほしくないんですけどー)

元気いっぱいがニーナのいいところなのだが、そう感じずにはいられないエリスであった。

そんなエリスの心配を他所に意味を成した魔力がニーナの小さな手から解き放たれ、泥を包み込んでいく。泥は見る見るうちにその体積を減少させて乾き始めた。

「おおー！」

「じゃんじゃん来なさい、ウィル！」

減った体積の分だけウィルが整地を行い、嵩増した泥をニーナが乾燥させる。広げられた休憩所は瞬く間に綺麗な更地になった。

「でーきたー！」

整地の完了を見て、ウィルが諸手を上げて喜ぶ。遠巻きに見ていたソーキサス帝国の兵士たちもその様子に拍手を送り、ウィルも隣にいるニーナに惜しみない拍手を送った。

「にーなねーさま、すごい！」

「えへへへへ……」

ウィルに褒め称えられたニーナは嬉しさのあまりくねくねした。

そんなふたりの微笑ましい姿にエリスが目を細める。言いたいことはあるがそれは後でもできることだ。

「おふたりとも、お見事ですよ」

労うように頭を撫でてくるエリスにウィルもニーナもご満悦の様子だ。だが、ウィルはそれで収まらなかった。

「もっとにーなねーさまをほめるのです」

興奮に鼻息を荒くするウィル。ウィルは拙い語彙力で一生懸命ニーナの魔法が如何に素晴らしかったかを説明した。

「げんじゅーさんのまりょくをにーなねーさまがびゅーんてのばしてじょーずにみずのまそをつかま

えてそれをきりのまそにかえてつちのまそだけにしちゃったんだよー！」

「落ち着いてください、ウィル様」

なんとなく言いたいことはわかった。が、肝心のすごかった部分が伝わらない。

エリスが困った笑みを浮かべているとシャークティが助け舟を出してくれた。

『ニーナが二匹の幻獣の力を上手に操って土の魔素を傷つけることなく泥の水分と水の魔素に干渉したの……熱属性で土を温めながら、一方で火と光の魔力を泥に含まれる水の魔素に絡ませて霧属性へと昇華し、水分だけを排除……失敗していたら土が焦げて整地した場所は形も魔素もガタガタになっていたわ……』

「そー、それー！」

ウィルが満足げに頷いて、それからシャークティの声が微かに弾んでいるのに気がついた。

「しゃーくてぃもうれしー？」

『そうね……』

普段は物静かなシャークティが上機嫌なのもニーナが土属性の魔素を優しく扱ってくれたからのようだ。

シャークティが喜んでいるとわかってニーナの表情も一層華やぐ。

「せいが出ますな」

突如かけられた声にシャークティが慌てて気配を消した。

ウィルたちが声のしたほうに視線を向けるとそこにはソーキサス帝国のベテラン兵士の姿があった。

護衛部隊の小隊長である。

　旅を始めて数日、ウィルたちは積極的にソーキサス帝国の兵士たちの下を訪れ、怪我や状態異常、心身の疲弊に気を配り、回復魔法を施して回っていた。彼らは魔法を巧みに使いこなすトルキス家の子供たちに最初は驚いていたが、それが魔法教育の一環であると理解すると好意的に受け止め、度々ウィルたちに声をかけに来てくれている。

　部下を引き連れた小隊長がウィルたちの前で膝をつく。

「さすがですな」

「それほどでもー」

　小隊長から賛辞を贈られてウィルとニーナがもじもじする。その姿に部下たちも頬を緩めた。

「おつかれではないですかー？」

「これはこれは……」

　ウィルからの気遣いに小隊長が相好を崩す。

（不思議な子供たちだ……）

　少なくとも両国の間には戦前のわだかまりが少しは残っていたはずだ。直に戦争を経験していなかったとしても大人たちが意識しないのは無理がある。しかしトルキス家の子供たちはそんな大人たちのわだかまりをいとも容易く解いてしまった。

（この子たちには先の戦争など関係ないんだなぁ……）

　小隊長はしみじみ思う。そして、これからの両国の関係を築いていくのはそういう子供たちなのだ。

だとすれば、自分たち大人がしなければならないことは次の世代にわだかまりを持ち込まないことだけ。

「それじゃあ……せっかくのご厚意だし、甘えるとするか」

小隊長が部下に向き直ると部下からは反対の意見はないようであった。彼らもウィルの体力回復魔法がよく効くことを知っている。それに魔法を使えないとウィルが落ち込んでしまうのも短い付き合いの中で理解していた。

魔法の使用許可を得たウィルが楽しげに杖を構える。

「きたれつちのせーれーさん。どじょーのげきれー、なんじのりんじんをもてなせつちのさんかー」

「ああ……やはりよく効くなぁ……」

旅の護衛で体力をすり減らしていた兵士たちにはご褒美とも思える癒やしだ。

深く息を吐く兵士たち。

ウィルもこの魔法にはとても自信を持っていた。

「うぃるね、いつもおにわでねころんでるるーしぇさんとかもーがんせんせーとかにこのまほーつかってあげてるからね、このまほーとくいなのー」

「なるほど……」

ウィルの自信の基を聞いた小隊長が癒やしの余韻に浸りながら納得し、ふと違和感に気づいた。普通に考えて、家臣が主人の家の庭で寝転ぶことなどないからだ。理由はすぐにわかった。

「みんな、いっぱいとっくんしてがんばってるんだよー」

「そ、そっかー……」

寝転んでいるわけではない。訓練が厳しすぎて立っていられないのだ。

小隊長たちとてソーキサス帝国に仕える身だ。日々の訓練がどれほど厳しいか身をもって知っている。その訓練を上回る、立っていられないほどの訓練。きっと地獄のような訓練に違いない。

そして、その訓練がどれほど厳しかろうとトルキス家には優秀な魔法使いが多くいる。子供のウィルたちでさえ舌を巻くほどの魔法の使い手なのだ。きっと気さえ失っていなければ魔法で復活させられる。

そこまで思い至って小隊長はトルキス家の家臣たちの足取りがどことなく軽かったのを思い出した。

それはおそらく、日々の鍛錬より危険を伴う旅路のほうが楽だからだ。

(不憫な……自分なら絶対に嫌だ……)

部下たちの顔にもそう張りついている。彼らは皆、トルキス家の家臣たちに同情した。

そんな兵士たちの様子を不思議そうに見ていたウィルだった、が。

『ウィル』

不意に感じた気配と風属性の精霊アジャンタの声が頭に響き姿勢を正した。

『セレナと一緒にお父様のところに行こう』

アジャンタの提案にウィルがこくんとひとつ頷く。それから小隊長の顔を見上げた。

「そーだ、うぃる、せれねーさまのところいかなくっちゃ！」

苦笑いを浮かべる兵士たちを他所に、ウィルが思い出したかのように告げる。

突然の申し出だったが、小隊長は気を取り直して頷いてくれた。

「そ、そうか。じゃあ、我々もこれで……」

「じゃーねー」

その場を後にする兵士たちを見送ってウィルがニーナに向き直った。ウィルが何かを言わんとする前にニーナが切り出す。

「ウィル、ボルグが落ち着かないの」

「だいじょーぶ」

ウィルはうんうんと頷いて何事か察しているようだった。それを見たエリスが不思議そうに首を傾げる。

「どうしたんですか、ウィルさ――」

「あ、せれねーさまもきた」

エリスが言い終わる前にウィルがこちらに向かってくるセレナを見つけた。アイカを引き連れ、どこか神妙な面持ちをしている。

「ウィル、フロウが……」

ニーナのボルグだけではなくセレナの風狼フロウまで落ち着かなくなっている。一緒にいたエリスもアイカも只事ではないことをすぐに察した。

当然、ウィルもレヴィの変化に気づいていて、より強く事態を感じ取ったアジャンタの声にすぐ耳を傾けたのだ。

「とーさまのところにいこー」

それは明確な異変。兵士に指示が飛んでないところを見るに緊急事態ではなさそうだが、幻獣や精霊を従えて、より気配に敏感になったウィルたちの意見に異を唱えるトルキス家の者はいない。

ウィルたちは直ちにシローたちがいるはずの馬車のほうへ向かうのであった。

特別輸送護衛車両【コンゴウ】。トルキス家所属の特殊車両である。

魔獣の蔓延るこの世界では様々な騎乗獣を生かした移動車両が存在する。

護衛車両は主に貴族や豪商が長旅をする際に用いられるものだが、トルキス家の【コンゴウ】は一般のものと比べてかなり特殊になっていた。

なんと言っても、まず車両設計のアドバイザーをテンランカーとして名を馳せるカルツが務めている。車両の各部にはカルツの培った豊富な知識や技術が使われており、フィルファリア国内において最新の車両となっている。

さらにその設計を支える良質な素材はウィルと仲良しの精霊たちから提供されていた。

トルキス家の車両には最先端の魔法技術や魔法文字、精霊の加護を受けた資材などがふんだんに使われているのである。

この特殊車両の管理は新しくトルキス家の家臣となったガスパルに任された。

ガスパルのパーティー【火道の車輪】は元より輸送依頼を多くこなしており、ウィルの推薦もあって登用されたのである。

【コンゴウ】を任されることになったガスパルはシローの決断に驚きを隠せないでいた。

それはそうだろう、彼は一度王都で酒に酔って醜態を晒し、ウィルにこっぴどくお仕置きされたのである。それ以来、心を入れ替えて依頼をこなしていたとはいえ、トルキス家の目に留まり、さらには最新鋭の護衛車両を託されるとは誰が想像したであろうか。本人が一番驚いたに違いない。

あまりの出来事に涙したガスパルは自身の部下とともにトルキス家へ忠誠を誓ったのであった。


そんな【コンゴウ】の屋根に備えつけられた見張り台にて——。


「ううーん……」

相棒の幻獣、ツチリスのブラウンを肩に乗せたエジルが双眼鏡を覗き込みながら唸る。ブラウンと同調して感覚を研ぎ澄ませたエジルの視界が草原に点在する魔獣を次々と捉えていく。そして最後に視界をスライドさせて少し離れた森を眺めて双眼鏡から顔を離した。

(多いなぁ……)

休息所から見渡せる平原の先、魔獣の数が明らかに多い。休憩所から距離はあるが、軽視できない密度であった。

腰を上げたエジルが軽い身のこなしで見張り台から降りる。

「どうでした?」

「シロー様、明らかに多いですね……ですが、こちらに害意を向けている様子は今のところなさそうです」

卓の上に地図を広げて周囲の地形を確認していたシローに問われ、エジルは姿勢を正した。

この休息所に到着した時、シローとエジルはすぐに異変を感じ取った。シローは強者としての才覚と風属性の幻獣と精霊の契約者として雰囲気を読み、エジルは土属性の幻獣の契約者として魔獣の気配を察知していた。この契約者の特性は他の者から羨ましがられる理由のひとつでもあるのだが。

(最近、気配読みの精度が増しているような……)

エジルは気づいていない。ツチリスのブラウンがウィルを通じて多くの幻獣や精霊と交流を持ち、その能力を少しずつ伸ばしていることに。ウィルの存在は幻獣にまで影響を及ぼし始めているのだ。もっとも気配察知など目に見えない部分であるから、そのことがわかるのはもう少し後になるだろう。

「うーん……」

「夜間の見張りの数を増やしましょうか?」

地図に視線を落として思考を巡らせるシローにデンゼルが提案する。

異変を感じてすぐにシローが集合をかけたため、この場には部隊の主要なメンバーが揃っていた。

シローとセシリア、レン、エジル、ラッツ、モーガン、ガスパル、デンゼルにガーネット。

「すごいねぇ、契約者っていうのは。羨ましい限りだよ」

「あはは……」

ガーネットの妬み交じりの羨望をシローとエジルが苦笑いで返す。

トルキス家の者でガーネットの発言に反応する者はいない。なぜなら、放っておくと高感度で異変を察知してしまうお子様がいるからだ。その特異性を少しでもごまかすためにシローもエジルも出し惜しみなく契約者としての能力を披露しているのである。

そんな風に大人たちが今後の対策を思案していると、予想どおりトルキス家の子供たちがシローたちの下へやってきた。

「とーさまー、まじゅうさんいっぱいいるのー？」

大人たちの苦労はどこへやらである。魔獣の状況はシローたちでしか話し合っていないので、それを開口一番で言い当ててしまったウィルにデンゼルとガーネットがキョトンとしてしまう。

そんなことはお構いなしにウィルがシローの前で両手を上げた。

「うぃるがぜんぶやっつけてあげよっかー？」

やる気満々なウィルの発言はさすがに子供の見栄と受け取られたのか、デンゼルたちの表情にも笑みがこぼれる。

しかし、トルキス家の者たちは知っている。ウィルにはそれが普通に実行可能だということを。下手したら草原ごと吹き飛ばすかもしれない。

「ウィルは魔獣を全部倒したいのかい？」

「そー！」

一歩前に出たシローがウィルに尋ねるとウィルはこくこく頷いた。

それに笑顔で頷き返したシローが胸の前で腕を交差させる。

「だめー」

ふざけた口調で「ぶぶー」と口での効果音付きである。

「なんでー？」

シローから色よい返事が得られなかったウィルが不満げに唇を尖らせた。

貴族らしからぬ態度のシローとウィルのやり取りにまたもデンゼルたちがキョトンとしてしまうが、今度は違った。

瞬間的に張り詰めた空気がその場を満たす。その魔力の流れが真面目な話をするときのシローの合図であると理解しているトルキス家の子供たちはシャンと背筋を伸ばし、理解していないデンゼルたちは背筋を震わせた。

（なんなんだ、今の感覚は……）

ガーネットが粟立ち震える腕を何とか手で押さえつける。それなりに実力があるのであろう彼女はシローから放たれた魔力をなんとなく感じ取り、視線をシローから外せなくなっていた。

ガーネットの様子に気づいたレンがそっと彼女の肩に触れる。

「大丈夫です」

「あ、ああ……」

短く告げられたレンの言葉にガーネットが息を吐いて気を持ち直す。

そんなふたりを尻目にシローは手頃な枝を手に取ると、子供たちの前に円を何重にも描いて見せた。

ウィルたちがその円に視線を落とす。

「魔獣の生息域は基本的に真ん中に行くほど強い魔獣が生息しているんだ。だから街や街道はほとんど生息域の外周を通るように作られている。安全を考えてね」

シローが円の一番外に印をつける。続けてその内側に丸を書いた。

「今、問題になっているのは休息所の近くにたくさんの魔獣がいることだね」

「お父様、それは魔獣の氾濫ですか？」

静かに話を聞いていたセレナがシローに問いかける。魔獣の氾濫とは生息域の魔獣が飽和状態になってしまい、一斉に生息域から溢れ出してしまう現象だ。氾濫した魔獣は興奮状態に陥り、街道を行き交う人や街を襲う。

まっすぐ見上げてくるセレナの問いにシローは笑顔で首を振った。

「氾濫ではないよ、セレナ。氾濫ならこんなモノじゃすまないからね」

自分の懸念が外れてセレナは少し安堵したようだった。それを確認してからシローが続ける。

「そうですか……」

「氾濫ではないが、魔獣の数は明らかに多い。だけど、こちらを襲いに来る様子もない。原因はわからない状態だ」

魔獣の生息域の問題は度々起きる。冒険者ギルドの依頼にはそうした問題にいち早く対応するための調査なども含まれていたりする。討伐したり、素材を納品したりするだけが仕事ではないのだ。

シローが今起きている問題点を説明し終えると視線を再びウィルへと戻した。

「そこで、だ……さっきウィルが言ったみたいに集まった魔獣を全部やっつけてしまうとどうなると思う？」

「んー？」

シローの質問にウィルが可愛らしく唸る。シローは静かにウィルの答えを待った。

「まじゅーさんがいなくなっちゃう？」

「そうだ」

満足いく答えを得たシローが頷いて、また円を枝で差しながら説明する。

「魔獣というのはだいたいが自分より弱い魔獣を生きるために食べているんだ。それなのにウィルが言うように魔獣がいなくなってしまうと……」

「あっ……！」

シローの枝が円の真ん中付近から外のほうへ矢印を引く。その図で何かに気づいたウィルが声を上げた。

「強い魔獣さんが外に来ちゃう！」

「そのとおり」

気づきを得たウィルの頭をシローが優しく撫でた。

「ウィルが全部やっつけてしまった魔獣たちをエサにしていた強い魔獣がさらにエサを求めて人の生活している近くまで出てきてしまうんだよ。そうなったら困るのはウィルじゃなくてウィルの後にこの道を通る人たちだ」

だから大して調べもせず、全部倒そうとするのはいけないことなのだとシローが付け加えるとウィルは素直に頷いた。

「倒せるからといって無差別に倒してしまうのは、それはそれで問題なんだ。どれだけ強くともルールを守れないようでは冒険者として生きていけない。冒険者ギルドもそんな人に依頼を出したくないからね」

「わかったー」

ウィルは優しい子だ。他の人をむやみに困らせるようなことはしたくない。そして自分が間違っていたと理解した時はしっかりと反省する素直さも持ち合わせている。

「ごめんなさい」

ぺこりと頭を下げるウィルに大人たちも目を細め、シローも再度優しく頭を撫でた。

「魔獣の件はお父さんたちに任せておいて大丈夫だから、ウィルたちはできる範囲のことをしてくればいいよ」

「これから調べに行くんですか？」

今まで黙ってシローの話に耳を傾けていたニーナが質問するとシローは首を横に振った。

「明日にはモーガンさんの故郷の村に到着する。その村の冒険者ギルドがすでに異変を感じ取って調査しているかもしれない。魔獣たちの動きに変化がなければ予定どおり村に向かって対処するよ」

モーガンの話によれば、今いる休息所とモーガンの故郷は同じ魔獣の生息域の影響を受けている。

独自に調査するのは非効率なのだ。

「明日は少し早めにここを立つ。セレナもニーナもウィルも、早めに休んで明日に疲れを残さないようにしなさい」

「「はい」」

シローの指示に子供たちはいい返事を返し、その日は何事もなく暮れていくのであった。

「とーさま、みてみてー」

馬車の窓に張りついていたウィルが窓の外を指差しつつシローを見上げる。ウィル越しに窓の外を見たシローが目を細めた。遠目に冒険者たちが魔獣と対峙しているのが見える。

「戦ってるな……村に近づいた魔獣を追い払ってるんだ」

「がんばれー」

声援を送るウィルの姿に同じモノを見たニーナとセレナはキョトンとしてしまった。

「ウィルもお父様もよく見えるわね……」

「豆粒にしか見えない……」

戦っている冒険者たちまではそれなりに距離があり、ふたりの目には小さな影が動いてるようにしか見えない。そんなふたりに助言をしたのはシローの魔刀から姿を現した一片であった。

「ウィルもシローも我々風狼と同調して遠くを見ているのだ。セレナとニーナも試してみるといい。我が子たちもそれができるくらいには成長していよう」

「「はい」」

よい返事を返したセレナとニーナが己の幻獣を召喚してじっと目を凝らす。

「力は込めなくてよいぞ。あくまで風狼との同調を意識するのだ」

一片のアドバイスを受けて成長する娘たち。見守るセシリアの目も細まる。同じような表情のシローも一片の頭をひと撫でしてセシリアの隣に腰を下ろした。

「子供たちはどんどん成長していきますね」

「そうだね。この旅でも文句ひとつ言わずに、本当に偉いよ」

実際、家では学べないようなことを体感して素直に吸収している。その成長度合いは身内のひいき目ではないはずだ。

「あとは子供たちの体調に気を配ってあげられれば……」

「そうですね」

シローの心配にセシリアも同意する。

いくら旅を楽しんでいるとはいえ、子供たちにとって長旅は過酷だ。いつも以上に気を配っておく必要がある。

「うぃるはだいじょーぶ！」

元気よくウィルが反応するが、それはまったく当てにならない。が、言って聞かせてもウィルはたぶん納得しないだろう。

「わかった、わかった。でも村に着いてからウィルにはお願いしたいことがたくさんあるんだから、力は温存しておいてくれよ」

「はーい」

結局、シローは理解を示したフリをしてウィルをうまくコントロールするのであった。

「ようこそ、お越しくださいました」

親善使節団の到着の報を受け、トルキス家を出迎えてくれたのは年配の村長であった。

村長はデンゼル、シローと挨拶を交わすと家臣たちの中に並んだモーガンの前で足を止めた。

「まさか、本当にお前が貴族様の家臣になっているとは……」

「なんだよ、村長。ちゃんと手紙送っただろう？」

「そうは言うが、この目で見るまでは安心できぬよ」

村長は人の良さそうな笑みを浮かべてモーガンや家臣たちも丁寧に労った。

前もって訪問を知らせていたモーガンは少し憮然としていたが、村長からしてみれば村の子であったモーガンのことを案じずにはいられなかったのだろう。周りで見守る者たちにとっては微笑ましい光景であった。

その中に在って、ウィルはこの場の魔素の異変をしっかりと感じ取っていた。それは休息所で感じたモノとは別種で、より強い。

（まそがすわれちゃってる……？）

（そうね……）

大地を通して村の魔素がどこかに吸い取られている。おそらく、森の方角だ。

そう感じたウィルの胸中に土の精霊シャークティの同意が返ってきた。

「シロー」

顔を上げたウィルがシローに何かを言う前に、顕現した一片がシローに声をかけた。本来、人前に出ることを嫌う幻獣の出現に出迎えた村の人々やソーキサスの兵士たちが感嘆の声を上げる。

「ああ」

一片のひと声だけで理解を示したシローは軽く頷いて村長の前に進み出る。代わりに一片はトルキス家の子供たちの傍に寄り添った。

「ひとひらさん」

「ウィルは何か感じ取ったか？」

「うん……」

はっきりと反応を示すウィルに一片が小さく頷く。そして視線をセレナとニーナに向けた。ふたりも異変を感じ取っているのか、表情が少し硬い。だが、露骨に顔に出さないようにしているのが見て取れて、一片は思わず表情を緩めた。

「大丈夫だ。お前たちの感じ取っているモノは正しい」

ただ感じる気配を飼い慣らせていないだけだ、と。一片が経験の差を説いて聞かせる。

契約者は魔素や魔力といった目に見えぬ気配に対して敏感になる。感じ取った気配は精度を増せばそのままセンサーとして機能する。磨き上げられた契約者特有のセンサーは熟練の戦士が備える直感を凌駕（りょうが）するものだ。

「学ぶのだ、子らよ。その感覚はいずれお主たちの力になる」

一片の言葉に子供たちが力強く頷く。それを見た一片は視線を近づいてくるシローに向けた。

「一片、まずは宿に案内してもらう。それから冒険者ギルドに行こう。村長さんに話はつけた」

「わかった。三人ともついてくるがいい」

「「「はい」」」

全ては子供たちに学ばせるため。感じ取った気配の答え合わせである。それはトルキス家の子供たちだけではなく、子供たちと契約した我が子たちの成長を促すためにも必要不可欠なことだ。

（一片……ホント、子供好きになったよなぁ……）

一片自身は自分の変化に気づいているのだろうか。

そんな風に思いながら自分の幻獣と子供たちの背中を見たシローは思わず頬を緩めてしまうのであった。


「わ、我々も手をこまねいている状態でして……」

冒険者ギルドの応接室に通されたシローたちは緊張気味のギルドマスターから現状の報告を受けた。

すでにテンランカーから退いているとはいえ、シローやレンの素性を知れば平静を保てるギルド職員は少ないほうだ。

「ひと月ほど前から魔獣が増え始め、調査依頼を出したのですが調査対象となる森に近づくこともできないのですよ」

攻撃的な魔獣が多く、すぐ足止めされてしまうという。無理をして突き進めば背後を取られる冒険者も危険だし、刺激された魔獣が村を襲う可能性もある。調査するにはそれなりの数の冒険者パーティーか、帝国の部隊が必要なようだ。

「問題は外ばかりではございません。普段は大人しい草食の魔獣が村に入り込み、畑を荒らしたという報告も受けております」

「うーん……」

説明を聞いていたシローが顎に手を当てて唸る。本来、人に慣れていない野生の魔獣というのは人間を警戒しており、村や街を遠巻きにする傾向にある。氾濫でもないのに村へ侵入してくるのは違和感のあることだ。

「囲いはなかったのですか？」

黙ってしまったシローの代わりにセシリアが質問する。いくら小さな村でも魔獣に備えて防備を固めている。歩哨も立てていたはずだ。

「それがどういうわけだか、朽ちてしまったようで……」

「朽ちて……？」

「はい。老朽化が進んで、そこを突き破られたようです……ただ、村人は囲いを建て替えてからそれほど経っておらず、老朽化するのは不自然だと」

魔獣の増加、それによる魔獣の侵入、不自然な老朽化など。何やら不可解なことがたくさん起きているようだ。過去の記録を掘り返してみても、このような出来事は村始まって以来だと言う。

静かに話を聞いていたシローがギルドマスターの顔を見た。

「ギルドマスター、森にはどんな魔獣が生息しているんです？」

「だいたいは動物系の魔獣ですね。昆虫系はいません。領域のボスも動物系の魔獣ですから深部に入らなければそれほど難易度も高くはない森になっています。あと……トレントが確認されています」

「トレント……？」

トレントとは森に住まう魔法生物の一種で木に意志が宿り森を徘徊している。あまり好戦的な種ではなく、冒険者が森で出くわしても興味を示さないことが多い。

（判断に迷うところだな……）

不可解なことは多いが、緊急性があるかと問われれば難しい。冒険者ギルドがすでに動いている案件であり、だとすれば親善訪問中の貴族であるシローが介入するべきことではないのだ。今回の一件が緊急性の高い案件だと判断されれば別の話なのだが。その調査はまだ完了しておらず、さりとて予定している数日の滞在中に調査が完了するとも思えない。

シローとしては、自分の家臣になってくれたモーガンの故郷に少しでも恩返しできればと思っていた。しかし、勝手な行動は他の冒険者たちの仕事を奪うことにもなり、シローの一存で決行できるものではない。

そんな風にシローが黙考していると、ウィルが自信ありげに胸を張っていた。

「うぃる、とれんとしってる。まいごのおとこのこをおうちにつれてかえってあげるんだよ」

そんな本を読んでもらったのだ、とウィルが言うと大人たちの表情も綻んだ。

シローも思わず笑みを浮かべる。

しかし、それとはまた少し違った反応を見せる者がいた。

（トレント……）

ウィルの中にいた樹の精霊クローディアが呟いて、ウィルが自分の胸に視線を落とす。

（どーしたの、くろーでぃあ？）

（ウィル……お父様と話がしたい）

不思議に思ったウィルが心の中で尋ねるとクローディアはそう伝えてきた。

（今回の件はトレントが関係していると思うの……）

この中では誰よりも森に詳しいクローディアの言葉だ。ウィルも信頼している。だが、トレントを優しい存在だと思っているウィルは少し首を傾げた。

（とれんと、いいこじゃないのー？）

（いつもはいい子よ。でも、悪いことが重なると人に迷惑をかけてしまうことがあるの……そうなったら……）

ウィルの疑問に答えてクローディアが言葉を少し詰まらせる。

（この村は滅んでしまうかもしれない……）

「えっ!?」

ウィルが思わず声を上げてしまい、慌てて口を押さえた。

何事かとみんなの視線が集まるなか、ウィルとシローの視線が合う。

「どうかしたかい、ウィル？」

「なんでもないです」

ぶんぶんと首を横に振るウィル。うっかりクローディアの声に反応してしまったウィルは精霊たちの存在を気取られないかと慌てているようだ。

「なんでもないけどたいへんなのでおはなしがあります」

本当に慌てているようだ。なんでもないのか、大変なのか、どっちなのか。

おかしなことを言い出したウィルにギルドの職員たちもくすくすと笑い出す。

だが、トルキス家の人間は知っている。ウィルのその反応が子供ながらの戯言ではないということを。

シローがウィルと視線の高さを合わせ、落ち着かせるように、しかしはっきりと尋ねた。

「ウィル、それは急ぎかな？」

（できるだけ早く）

「とっても！」

「わかった。今日は宿で旅の疲れを癒やすからその時でいいかな？」

（ええ、いいわ……）

「いいって」

シローの質問に一拍遅れて答えるウィル。妙なやり取りはウィルの言葉遣いも伴って、ギルド職員たちの緊張を溶かしていく。

だが、彼らは知らない。ウィルがシローとやり取りしたことでトルキス家の緊張度合いが一段増したことを。

「よし。じゃあ、後でゆっくりお話ししような」

シローが周りに緊張を伝えぬよう笑みを浮かべ、ウィルの頭をポンポンと撫でる。

そして、ウィルから離れたシローはこれからの予定をギルドマスターと少し詰めるのであった。

「トレントたちは番人として森の秩序を守っています。ですから森の問題はトレントたちが自ら解決します。問題を起こさなければ、トレントは人間にも魔獣にも優しい存在なんです。ところが、ごく稀に問題を解決したトレントが悪性化してしまうことがあります。問題解決に深手を負ったトレントがその再生中に良からぬ要素を取り込んで暴走するんです。暴走したトレントはその生息域を支配し、各所に悪影響を及ぼします」

村の迎賓館の一室に集まったトルキス家の者たちとデンゼルは樹の精霊であるクローディアの言葉を深刻な表情で聞いていた。

ウィルと精霊に魔力の清さを認められたデンゼルは顕現したクローディアの姿を見て土下座でもしそうな勢いであったが、緊急であるというクローディアの話を聞いてそれどころではなくなっていた。

周辺の村が滅ぶ可能性がある――精霊からそんな話を聞けば誰だってそうなる。

「クローディア様の見立てでは今回の問題はトレントの悪性化が引き起こした可能性であると

……？」

「もしくはトレントでは御しきれなくなった悪性の魔獣が生息域を支配したか、ですが……」

シローの質問にクローディアがそう付け加える。

トレントは人や魔獣の営みに不可侵ではあるが、決して脆弱な存在ではない。それでは森の秩序は守れない。そんなトレントがいる森での異常はそれだけで緊急事態なのだ。

もちろん、元テンランカーであるシローがそのことを理解できぬはずがなかった。

「クローディア様、このまま事態が進行するとして、どのようなことが起こりうるか予想できますか？」

「悪性の魔獣であれば種族差は出るかと思いますが……もし、トレントの悪性化が原因であれば近隣の村や街が爆発的に広がる樹海に呑み込まれます」

そうなれば耕した土地は荒れ果て、魔獣の生息域も広がる。仮に、森の周辺に住まう人々がその樹海の波を生き延びたとしてもそのまま同じように生活することは難しく、おそらく移住か離散を余儀なくされるだろう、と。

しかし、クローディアの予想はそれだけでは終わらなかった。

「最悪の場合……もし、トレントが不死化していたら森は如何なる命も育まない死の森と化します」

死の森という単語に大人たちが息を飲む。

死の森に捕らわれた生物は浄化されず、死した後も原始的な本能のみで彷徨い、生者を襲う魔物になる。俗にいうアンデッドだ。そして、そんな負の連鎖を好んだ不浄の魂たちが延々と引き寄せられ、さらなる死を招く。捕らえた命を奪い、延々と死を振り撒く呪われた森。それが死の森だ。

「むぅ……」

クローディアの説明を大人たちと一緒に聞いていたウィルが口を尖らせる。その顔はなんだかよくわからない、といった様子だ。お子様には難しい単語が飛び交っていたため、ウィルの理解力を超えてしまったのだ。

「あくせーとか、ふしとか、よくわからないけどー」

むぅむぅ言いながらも皆が困っていることは理解できたらしい。

「うぃるがとれんとさんをたすけてあげよっかー？」

ウィルがそんな提案をしてくる。ウィルは精霊たちをとても信頼しており、樹の精霊であるクローディアと繋がっている自分がいちばん問題を解決できると思っているのだ。ちなみに、根拠はない。お子様だから。それも仕方のないことだが。

ウィルの提案を聞いてトルキス家の面々はキョトンとしてしまった。ついで、ウィルが大人たちの会話をまったく理解できていなかったことを悟った。話の中にはウィルが絶対近寄りたがらない理由があったからだ。

そのことを傍にいたニーナが丁寧に説明した。

「ウィル、森の中には不死——つまり、おばけがいるのよ？」

「えっ……？」

ウィルの動きがピタリと止まる。ウィルは得体の知れないおばけが怖くて嫌いであった。

表情を固まらせたまま、ウィルが大人たちを見回し、最後にシローと目が合う。ウィルはぎこちない動きでシローの傍に寄るとポンポンとシローの足を叩いた。

「こんかいはとーさまにおまかせしてあげます」

「ありがと、嬉しいよ」

ウィルの取り繕う姿に大人たちが思わず笑みを溢す。

ウィルもそろそろ理解するころだろう。どれだけ魔法の才能があったとしても、できることとできないことがあるということを。

ちょっと震えているウィルの頭を撫でたシローがデンゼルに向き直った。

「デンゼル卿、今回の異変は冒険者ギルドに緊急依頼として提案します。そして、解決には我らトルキス家が当たらせていただきますが、よろしいでしょうか?」

「そ、その……私としては大変有難い申し出なのですが……よろしいのでしょうか?」

話を振られたデンゼルが申し訳なく思うのも無理はない。本来ならソーキサス帝国や冒険者ギルドが責任を持って対処するべき案件だ。当然、危険もつきまとう。それを国外の貴族であるトルキス家に任せるというのである。

デンゼルは落ち着かない様子でセシリアにも視線を向けたが、セシリアは気丈に振る舞っていた。

クローディアの話を聞いて現場へと向かうシローのことを心配しないはずがない。しかし、人々の窮地を察してシローが動かないわけがないことも理解しているのだ。

その辺りはシローも十分承知しており、心苦しくもある。

「ですが、あなた。ひとりでは行かせられませんよ？」

「わかってます」

シローは貴族。それも今はフィルファリア王国の代表として、ソーキサス帝国に訪問している最中だ。ひとりで危険な場所へは行かせられず、釘を刺してくるセシリアにシローが頷いて応える。

「明日までに森への突入メンバーと村の防衛メンバーを振り分けておく。どちらに選ばれても力を尽くせるように、今日は各人旅の疲れを少しでも癒やしておいてくれ」

「「「はっ！」」」

シローの宣言に姿勢を正したトルキス家の配下たちは解散し、緊張の中、各々眠りにつくのであった。


翌日——。

「同僚は恋人と森へピクニックに、彼氏の故郷の散策にとイチャイチャしてるのに、私は離れ離れかぁ……っ！」

「遊びじゃないんだぞ！」

ツインテールを揺らしながら頭を抱えるマイナにラッツが苦言を呈する。その頬が少し朱に染まっているのは見間違いではないはずだ。ラッツもマイナが誰のことを言っているのかわからないほど、朴念仁でもない。

「申し訳ございません、お館様……」

「いやいや……」

シローもマイナが本気で責めているわけではないと知っているので苦笑を浮かべて聞き流していた。

トルキス家では家中の恋愛事情まで言及することはなく、最近いい仲であるアイカとモーガン、ミーシャとルーシェに口出しするようなことはしていない。それどころか、初めのころからずっと一緒にいるマイナとラッツを温かく見守っていることもあり、なかなか認めないラッツに「いい加減、折れたらどうなの？」と家中一同あきれている節すらあった。

しかし、ラッツの小言ももっともである。

「ふざけるにしたって時と場合を考えてもらわないと……」

「彼女なりに、緊張をほぐそうとしてくれているのかもしれないな」

「そうでしょうか？」

森への突入メンバーに選抜された者たちは村の命運を背負って立つという並々ならぬプレッシャーにさらされている。それも、元テンランカーにして救国の英雄と呼ばれるシローと並び立つ者として。

マイナが気を使ったとしても不思議ではない。

「エリス、ミーシャ。重責だけどよろしくお願いね」

「はい、セシリア様」

「お任せください～」

選抜メンバーとなったエリスとミーシャを送り出すセシリアにふたりが笑顔で応える。

彼女たちも彼女たちなりに王都レティスの魔獣騒動、大規模な飛竜の渡りを経験して成長しているようだ。村の行く末を左右する戦いを前にしても気負った様子はない。

共に選出されているエジルとラッツは元々の戦力としてトルキス家で鍛え上げられている強者だ。こちらは余裕すらある。

「ご心配なさらずとも……みな無事に帰還致します、セシリア様」

「見てください～みんな、やる気満々ですよ～」

少しでも心配を晴らそうと選抜メンバーに視線を向けるエリスとミーシャ。

セシリアもそんなふたりに笑みを浮かべて視線の先を追った。

「ぼぼぼぼぼぼくが、せせせせ選抜メンバーにぃいいいい！」

「わわわわわたしが、せせせせ選抜メンバーにぃいいいい！」

二名ほど、足元が地震で揺れているのではと疑いたくなるようなメンバーがいた。ルーシェとモニカである。ふたりは諸々のプレッシャーを身に受けて可哀想なくらい震えていた。

「るるるルーシェ！　ここここんな時は掌に獣と書いて飲み込むといいらしいわよ！」

「ててて手が震えるぅううう！　かかか画数、おおお多すぎるよぉおおお！」

なぜ、ふたりが選抜メンバーに選ばれたのだろうか。確かにふたりはトルキス家で鍛え上げられているが、村の命運を背負うには圧倒的に経験が足りていない。

傍で見守る村人たちも不安を通り越して気の毒になっているほどだ。

「しゃんとしなさい。いつもどおり、やることをやればいいのです」

見かねたレンがルーシェとモニカを激励し、背を叩くとふたりの揺れがピタリと止まった。

踵を返したレンが嘆息しながらセシリアの元へ歩み寄る。

一部始終を見ていたセシリアたちがそんなレンを苦笑しながら迎え入れた。

「ご苦労様、レン」

「いえ、それほどのことは……」

レンは至って真面目に答えるとルーシェたちへ視線を向けた。

「あの子たちは変に気負いすぎなんです。シローと行動を共にすることも、それほど構える必要はありません」

「でも、実力的にはどうなのかしら？」

セシリアもルーシェたちが日頃から訓練に勤しんでいることを知っている。だが、緊急依頼に駆り出されるほどの実力があるかと聞かれれば疑問だ。

そんなセシリアの杞憂にもレンは首を横に振った。

「問題ありません。シローと一片、それにアロー様もご一緒ですし、危険はないでしょう。それに、弱い魔獣を相手にし続けるよりも緊張感のある状態で格上の相手と戦うほうが何倍も成長できます」

レンがシローの実力を測り間違えることはなく、そしてシローもまたルーシェたちの実力を測り間違えることはない。シローはふたりを実力はまだまだながらも鍛えるに足る者だと評価しているのだ。

それにシローとレンには未熟な者を鍛えた実績もあった。

「シロー様とあなたのことは信じていますけど……心配なものは心配よ。ふたりは大切なトルキス家の家臣なのだから」

「ご心配なく」

心配を口にするセシリアにレンはきっぱりと答え少し遠くを見つめた。在りし日を思い浮かべるかのように。

「ヤームも通った道です。彼もよく泣き叫びながら魔獣の相手をしていましたよ」

(((ヤームさん、どんな目に合わされてたんだろう……)))

知り合う前のヤームがどんな目に合っていたのか。容易に想像できず、セシリアたちは苦笑いを浮かべることしかできないのであった。


「どうだ、落ち着いたか?」

「は、はい、もう大丈夫です」

緊張で凝り固まったルーシェとモニカにシローが声をかけると、ふたりはまだ幾分表情を強張らせたまま頷いてきた。

(呼吸は落ち着いているな……)

浮足立っての失敗はシローさえしっかりしていればふたりが犯すことはなさそうだ。

シローはそう判断すると微かに笑みを浮かべた。

「いつもどおりでいい。それができれば十分動けるはずだ」

「「は、はい!」」

背筋を伸ばすルーシェとモニカに頷き返し、シローが周囲を見渡す。すでに準備万端のエジルとラッツが頷き、セシリアの傍にいたエリスとミーシャもシローのほうへ歩き出した。

「アロー様」

「もう、アローでいいって言ってるのに……」

シローの呼びかけに応えて風の上位精霊であるアローが魔刀の鞘から顕現する。その姿に見送りに来ていた村人たちからどよめきが起こる。

「森の入り口まではアロー様に運んでもらう。行くぞっ！」

シローの号令一下、表情を引き締めた選抜メンバーがアローの風に乗って舞い上がり、森へと向かって飛び立っていった。

「おー、とーさまたちとんでっちゃったー」

ウィルが飛び去るシローたちを満足げに見送る。

その横で、デンゼルは不安そうに表情を曇らせていた。

「本当に、大丈夫でしょうか？」

デンゼルの役目は来賓であるシローたちの歓迎であり、魔獣討伐のような危険な任務を依頼するためではない。彼も元テンランカーであるシローの実力を疑っているわけではないが、心配になるのは仕方のないことであった。

そんなデンゼルをウィルが笑顔で見上げる。

「だいじょーぶ！　とーさまはやるときはやるおとこです！」

どこか上から目線で胸を張るウィルにデンゼルも思わず笑みを溢した。

ウィルはシローのことを信じているのだ。

「いやなことはとーさまにまかせて、うぃるはじぶんのしごとをしなくっちゃ！」

身も蓋もない言い方をするウィルにセシリアも困った笑みを浮かべる。しかし、ウィルに任された仕事も重要なものだ。ウィルを支えるようにセシリアが寄り添った。

「ウィル、大変だけどお願いするわね」

「まかせて、かーさま！」

ウィルが笑顔でセシリアを見上げる。

ウィルに任された仕事――それは精霊たちの力を使って村の土地や建物を復元する作業だ。村は森の方角から魔素を吸い取られていて土地が枯れ、建物の老朽化にも影響を出し始めている。そのことに気づいた精霊たちが協力を申し出てくれたのだ。

ウィルが精霊と契約していることを公開したくはないため、修復作業はウィルの主導で行われることになっている。魔法を使いこなすフィルファリアの天才児、ウィルベルによる村の救済活動である。

他国の来賓であるウィルたちが村の修復に手を貸す行為が領地の経済の妨げになりはしないかという懸念はあるが魔獣による災害のため、デンゼルは快く了承してくれた。

「それでは案内します」

村の出身であるモーガンを案内役に、ウィルたちは村の建物を一軒一軒回り始めるのだった。

「着いたぞ」

飛行魔法での移動は快適そのもので、ルーシェたちが呆気に取られている間に目的の森の入り口に辿り着いた。

風属性の魔素を纏ったシローたちが順次地面に降り立つ。

「うっ……なに、この匂い……」

最初に異変を示したのは獣人であるモニカであった。普通の人間と比べると五感に優れている彼女は漂う異臭に思わず顔をしかめた。

同じく嗅覚に優れる一片がシローの魔刀から姿を現し、油断なく森を睨みながら答える。

「……死臭だ」

「どうやらクローディア様の懸念が当たったみたいだな」

シローも不気味なほど静まり返った森の奥に視線を向ける。

おそらくだが、魔獣の生息域が広がったのは死臭や森の中心から発せられる異様な魔力を警戒し、魔獣たちが距離を取ったためだ。

森の入り口に立っている今でさえ、肌に刺さるような異質な魔力を感じ取ることができる。

「討伐対象はアンデッドになる可能性が高いな……」

アンデッドは他の魔獣や魔法生物などと違って普通の攻撃や属性魔法が効きにくい。もっとも効果的な攻撃は光属性による浄化魔法、もしくは光属性によって強化された他属性の魔法や浄化効果を得たアイテムである。

「モニカさん、これを……」

エジルがマジックバッグから液体の入った小瓶を取り出してモニカに手渡した。光属性によって清められた対アンデッド用の魔法水である。

冒険者上がりのエジルが用意周到であったことにモニカは少なからず驚いた。

本来、普通の冒険者にアンデッド討伐の依頼は回ってこない。依頼の数が少ないことと対応が特殊なため、光属性の聖堂に勤める祭司や光属性の魔法使いに直接割り振られるのだ。ゆえにアンデッド用のアイテムを常備している冒険者は少ない。

「ずいぶん慣れてるんですね」

「そりゃあ、ね……」

率直な感想を漏らすモニカにエジルが照れたように頬を搔く。よく見れば、ラッツも同じ小瓶の液体を武器に振りかけていた。

視線に気づいたラッツが肩を竦める。

「俺たちは手伝いに駆り出されてたから」

「手伝い？」

「それはですね～」

首を傾げるモニカにミーシャがおっとり口調で説明してくれた。

「ステラさんがとってもすごい光属性の魔法使いだからなんです～」

エジルの妻であるステラ。いつもはトルキス家の人々においしい食事を作ってくれている存在だが、一線を退く前までのステラはフィルファリア王国の大魔法使いであったオルフェスの直弟子であり、フィルファリア国内屈指の光魔法使いであった。

当然、ステラに回ってくるアンデッド討伐依頼もあり、エジルとラッツはステラの護衛として討伐依頼を手伝っていたのだ。

「まぁ、こういう事態は想定済みってことで」

シローがモニカを安心させるように笑みを浮かべる。クローディアの一番悪い予感が当たったわけだが事前に察知できたことは大きい。シローは何が起こっても対応できるメンバーを選別していたのだ。

「エジルさん、ラッツさん、今日の後衛はエリスさんだからケアを厚めにお願いします」

「「了解」」

シローが普段の布陣との差異を指摘するとふたりは頼もしい返事を返してきた。

「よろしくお願いしますね、ふたりとも」

気を引き締めたエリスが長尺の杖を握り直す。

普段はステラが務める後衛を今回はエリスが務める。エリスは四つの属性の加護を持ち、ステラから光属性の手解きも受けている。ステラのようなスペシャリストではないため、エリスの肩には若干力が入っているが、実力は申し分ない。

そしてもうひとり――。

「ルーシェ、行けるな?」

「はい、大丈夫です」

シローに呼びかけられ、ルーシェが緊張しながら頷いた。

なぜ、ルーシェが選ばれたのか。経験を積ませたいというシローの思惑もあったが、それ以上にルーシェもいざという時のためにステラから対アンデッド戦闘の手解きを受けていたからだ。選抜メンバーの中ではアイテムなしでアンデッドと立ち回れる貴重な戦力なのである。

「ブラウン」

エジルの呼びかけに応えた幻獣のブラウンがエジルの肩に顕現し、魔力を同調させたエジルとブラウンの知覚が共有される。

全員の準備が整ったことを確認したシローが再度森へ向き直る。

「さぁ、行こうか」

シローが静かに促して、一行は不気味な気配を漂わせる森へと入っていった。

◆

森には人の行き来があったことを示すような、微かな小道が見て取れる。鬱蒼(うっそう)とした感じはなく、ところどころ木漏れ日で煌めく草木の様は美しく、心が洗われるようだ。

ぞんざいに扱われた様子は微塵もなく、村人たちが森を大切にしてきたことがよくわかる。村人たちはこのトレントの棲まう森に敬意を持って接し、多くの糧を得て生活していた。しかし魔獣の生息域が変動してからそれもままならないらしい。

「静かすぎるな……」

「そうだな……」

ぽつりと呟く一片にシローが同意する。

森には魔獣の気配がまるで感じられない。魔獣の生息域が拡大し、中央の魔獣の流入も警戒していたが、どうやら異様な気配を感じ取って息をひそめているらしい。力の弱い魔獣に比べると露骨な動きは見せていないようだ。

「エジルさん」

先頭に立ってブラウンとともに気配を探っているエジルにシローが声をかける。見通しの悪い森においてエジルの索敵ほど心強いものはない。トルキス家においても絶大な信頼を得ている。それは風の一片を有するシローも同じだ。

そのエジルは警戒したまま眉をひそめていた。

「シロー様、侵入に気づかれました」

死者は生者に対して敏感である。だが、エジルが眉をひそめる理由はそれだけではないようだ。

「葉を踏む音、歩調、布がこすれる音……これは少し厄介なことになりそうですね」

エジルの懸念はシローたちにもすぐに知れた。木陰から姿を見せた一体のゾンビによって。

「人間……!?」

ルーシェの驚きがそのまま答えだ。兵士然とした人間のゾンビ。それが生気のない目でシローたちを見ていた。

「詮索は後だ。進むぞ」

シローが覚悟を決めてルーシェを促す。

当然、ゾンビはシローたちを襲うべくゆっくりと近づいてきた。

「点在しているゾンビたちがこちらに移動してきています。結構な数だ……」

「まばらな間は前衛で処理する。エリスさんはいつでも動ける準備を」

「はい！」

エジルの報告にシローが指示を出し、一行が前進を再開する。

ゾンビは人間と魔獣の混合であり、それに紛れて時折スケルトンが姿を現した。

「ふっ……！」

人型のゾンビを相手取っていたルーシェが一体二体と連続で浄化させる。兵士たちのゾンビに生前の機敏さはなく、物量で押されなければ今のルーシェでも十分に渡り合える相手だ。

「ルーシェさ～ん、頑張ってくださ～い」

「あ、はい……」

ルーシェの横にいたミーシャから声援を受けて、間の空いたルーシェがミーシャを流し見る。彼女は両手にメイスを構え、突進してきた熊型のゾンビを片手で受け止めると空いたもう片方のメイスで頭部を殴り倒した。

致死に至った強烈な一撃が光属性の聖水と相まって熊の巨体を浄化し、消滅させる。

（熊、一撃で殴り倒しちゃったよ……）

それが光属性に弱くなったゾンビとはいえ、熊と張り合える膂力（りょりょく）を有したミーシャにルーシェの頬が若干引きつった。彼女はその後も普段のおっとりとした印象を微塵も感じさせない動きで魔獣ゾンビを叩き伏せていた。

「来たれ、光の精霊！　明けの福音、彷徨える不浄の夜を祓え、暁光の波紋！」

エリスの詠唱により発動した光属性の波動が周囲を優しく照らし、包み込まれたゾンビたちが抗うことなく浄化され、消滅していく。

「今のうちに進むぞ！」

周囲からゾンビの気配が消えたことを確認したエジルが一行を森の奥へ誘導する。そしてゾンビの気配が強くなるとまた足を止め、交戦状態に突入した。

「木が……」

何度か前進と交戦を繰り返しているうちに森の景色が一変してモニカが表情を曇らせた。木々が枯れたように変色し、異様な気配がより強くなっていく。

「中心に近づいた証拠だ……」

足を止め、油断なく周囲を見渡すラッツ。だが、これまでと違ってゾンビたちはすぐに襲いかかってこなかった。

「ここから少し先に開けた場所があって、そこにターゲットがいます」

不死化したトレント。今はこの森の主となっているはずである。

注意深く観察するエジルが一行をこの場に留まらせる。ここから先はボス戦だ。規模を正確に推し量る必要がある。無防備な突撃はパーティーを壊滅させかねない。

もっとも、その精度に関して、エジルの右に出るものはそういない。なにせ幻獣のブラウンと感覚を共有できるエジルには筒抜けなのだ。

「最奥にトレント。向かって左手に元領域の主らしき熊型ゾンビ。後は人型ゾンビと魔獣ゾンビが二十体ほど。トレントと領域の主は大型ですね。どうしますか？」

「ふむ……」

状況報告を受けたシローが小さく唸る。大きさの異なる魔獣や魔法生物を相手にするときは距離感や視野に差が出てくる。ゆえに乱戦を避けるのがセオリーだ。

「俺が主を抑えます」

「シロー様がですか？」

シローの言葉にエジルが難色を示す。シローの強さはトルキス家の誰もが知るところだ。しかし、当主がひとりで領域の主に立ち向かうなど歓迎する家臣はあまりいない。それに——。

「あまり派手に戦うとセシリア様も良い顔しませんし～」

「絶対心配しますよね」

ミーシャとモニカの言うことももっともでセシリアが心配しないはずがないのである。シローもそのことは理解しているので苦笑いを浮かべるしかない。

「その辺は上手くぼかしてくれると嬉しいなぁ……」

「そうはおっしゃいますが、我々メイドはセシリア様に報告の義務がありますので」

懇願するシローだが色よい返事は得られず、エリスに断られてしまう。どうやらシローの行いはセシリアに報告されてしまいそうだ。

「あのー」

そんなやり取りのなか、重要なことに気がついてルーシェが手を上げた。

「誰がトレントを倒すんですか？」

元凶であるトレントを誰が倒すのか、話し合われていない。

ルーシェの疑問に一同が顔を見合わせた。

「誰、って……適任がいるじゃないか」

シローがそう告げると周りの視線はルーシェへと集まった。

「えっ⁉　ぼくですか⁉」

「光属性の加護があって武技も使える」

「ルーシェの長所と短所を考えれば一番の適任だな」

驚きを隠せないルーシェにラッツとエジルが頷き合う。エリスやモニカも同意見のようで頷いて見せた。

正直、いきなり大役を振られたルーシェに自信はない。

ルーシェは最後の助け舟とばかりにミーシャを見た。

「ルーシェさん～」

「ミーシャさん」

「頑張ってください〜」

「あ、はい……」

助け舟は戦場への特急券であった。

そもそもミーシャはルーシェの努力をずっと見てきているのである。ルーシェにできること、できないことの判断はしっかりとできていた。

「ルーシェさんなら大丈夫です〜」

「はぁ……」

自分より自信ありげなミーシャにルーシェも頷くしかない。

結局、トレントの担当はルーシェになった。

「心配じゃないの？」

すごすごと引き下がって装備の確認を始めるルーシェの背中を見ながらエリスがミーシャの顔を見る。彼女はいつものニコニコ顔を少し困らせた。

「それは〜心配ですよ〜」

まだ若いルーシェの背中は小さい。ミーシャの視線も少し揺れている。できることなら代わりたい。

そう思っているようにも見える。

「ルーシェさんはまだ粗削りですけど〜間違いなく強くなってます〜。でも、自信を持てず、自分自身で過小評価してしまってるんです〜」

実のところ、ルーシェの努力もその実力もトルキス家の誰もが認めるところであった。

ルーシェが大幻獣ユルンガルの教えを受け、努力の末に習得した武技は優秀なものであり、その能力は生半可なモノでは太刀打ちできない。

「そうなってしまっているのは～、私たちの責任だと思うんです～」

問題はそんなルーシェの武技に対してトルキス家のほとんどの人間が対応できてしまう点にある。

基礎的な修練が未だ発展途上なルーシェからすれば、自分はトルキス家では下から数えたほうが早いのである。

「ですから～ルーシェさんに自信をつけてもらうためにも～私が後押ししなければ～」

ミーシャはそれが自分の使命だと感じている。間違いなく、ルーシェのために一番心を砕いているのは彼女だろう。

「ルーシェさんにできることはルーシェさんに任せて～、もし失敗しても～私が助けてあげれば～」

ルーシェがトレントと対峙することは賛成で、それが失敗だったとしても一番に駆けつける。ミーシャはヤル気に満ちていた。

(((なんというか……姉さん女房の貫禄……)))

誰もがそう思わずにはいられなかった。

そんな家臣たちを遠巻きに見ていたシローの目がスッと細まる。シローから見ればその実力もまだまだな彼らだが微笑ましくも頼もしいのだ。

「ご機嫌だな」

「そう見えるか？」

一片の言葉もシローは否定しない。一片も仲間の温もりに頬を緩めてルーシェの傍へ歩み寄った。

「緊張しているか、小僧」

「え、ええ、まぁ……」

突然、一片に話しかけられたルーシェが曖昧な返事を返す。

「でも、言われたからにはやるしかありませんし……」

「そうだな。シローはできないことを他人に押しつけるような真似はしない」

ルーシェにトレントと戦えるだけの実力が備わっているとシローは判断したのだ。

「緊張するのは致し方ないことだ。そこで、儂がアドバイスをやろう」

これは一片なりの応援であった。

そのことを理解してルーシェが向き直って姿勢を正す。幻獣や精霊の教えがどれほどためになるか、ルーシェは身をもって理解していた。家臣たちも興味を持って一片の言葉に耳を傾ける。

「小僧はウィルのゴーレムを見たことがあるな？」

「はい」

ウィルの操る超重量なのに走ったり飛んだりするとんでもない魔法ゴーレム。トルキス家の者なら知らぬ者はいない、破壊の権化である。

「トレントの相手をするのはウィルのゴーレムを相手にするよりも１００倍マシだ」

「「あー……」」

声を揃えて納得する家臣たちにシローが苦笑いを浮かべる。確かに、どう見積もってもトレントのほうが遥かに格下であった。アレを相手にするくらいであればトレントのほうが断然楽だ。

「ちょっと自信が出てきました」

「であろう」

頷き合うルーシェと一片。家臣たちの意見は一致した。

本来、ボス戦の前ともなればそれなりに緊張感が増し、気負いなども出てくるものだ。そうならなかったのは彼らの実力もあるが、ウィルの非常識さのおかげでもあった。

とはいえ、緩んだ空気のまま領域の主へ突撃するわけにもいかず。

「準備は整ったな。それじゃあ、行こうか」

シローが全員の気を引き締め直し、一行はボスの領域へと足を踏み入れるのだった。

シローを先頭に一行がボスの領域へと足を踏み入れる。そこではアンデッドの群れが揺れ動きながらシローたちを待ちかまえていた。

「統率が行き渡っているな……」

シローが目を細め、広場の最奥へ視線を向ける。本来、本能に従い生者を襲うアンデッドだが、その支配は奥に佇む浅黒く変色した巨大な木人に掌握されているようであった。

「やっぱり、異様ですね……」

そう呟くモニカの言葉にも頷ける。兵士に魔獣に魔法生物と、アンデッドたちに外見上のまとまりはない。死した者という共通点がそうさせるわけだが、それがわかっていてもやはり目の前の光景は異様なものだ。

それは幻獣である一片からも長く見るに耐えられるものではなかった。

「とっとと終わらせてやるのがこの者たちへのせめてもの手向けである」

アンデッドになって彷徨うことに希望などありはしないのだ、と。

一片の意を組んで、シローが手にした魔刀を静かに構えた。

「三式、閃空衝波・薙ぎ」

横薙ぎに払われた魔刀の切っ先から解放された魔力が強大な空気の塊となって奥にいた巨大な熊型魔獣を側面から殴り飛ばす。鳴く間もなく吹き飛ばされた熊型魔獣が広場の端の枯れ木を押し潰して轟音とともに倒れ込んだ。

(武技、か……？)

(威力がえげつない……)

傍で見ていたエジルとラッツの頬が引きつる。シローは特に力を込めたような素振りはしていない。ということは大型魔獣を吹き飛ばすだけの威力を発していても、シローはまだ加減して武技を放っているのだ。

「それじゃあ、後は手筈どおりに……」

シローはそれだけ言い置いて、熊型魔獣のほうへふわりと飛び去ってしまった。

呆気に取られていたラッツたちが目配せをする。

兵士や魔獣のゾンビたちは目の前の自分たちを標的としているようで、シローの援護は必要なさそうだ。後はルーシェをトレントの元へ送り届け、自分たちは成すべきことをすればいい。

「ルーシェさん、行きますよ？」

エリスが手短に音頭を取ってルーシェが頷くのを確認すると、長尺の杖を前方へ掲げた。

「来たれ光の精霊！　光輝の直槍、我が敵を貫け光の閃刃！」

一直線に伸びた光の奔流がゾンビたちを触れる端から浄化して道を切り開いていく。その人ひとりが通り抜けられそうな幅に向かってルーシェが駆け出した。

「水禍の陣！」

ルーシェがひと声上げるとルーシェの周囲を水の魔力が取り囲む。するとその背を見守っていたミーシャたちの視界でルーシェの姿にぶれが生じた。ぶれはルーシェの虚像となってゾンビの群れへと飛び込んでいく。

「相変わらず、反則的な武技よね……」

モニカが少し納得いかなさそうに呟くのは彼女が訓練でルーシェに負け越しているからで。彼女の呟きを聞いてみんなが苦笑する。

モニカもトルキス家で訓練を積んでメキメキと実力をつけているひとりだ。それでも彼女がルーシェとの訓練に手を焼いているのはルーシェの水禍の陣の効果による。

ルーシェの水禍の陣は間合いに水属性の魔力を満たすことで二種類の効果を得ることができる。

ひとつ目は間合いの外からルーシェを見ると水属性の魔力が光を屈折させ、ルーシェの立ち位置がずれて見えること。遠距離からの攻撃ではルーシェの位置が摑めず、ピンポイントでの攻撃はほぼ不可能となる。

二つ目はルーシェの間合いの中ではルーシェと違う速度で動くと行動が阻害されてしまう効果だ。ルーシェより速く動こうとすればするほど動きが重く遅くなり、逆に遅く動いてしまうと満たされた水属性の魔力に押し流されてバランスを崩してしまう。

ルーシェの動きひとつで相手に不利を押しつけてしまうこの武技は相当な実力者であっても対応するのが難しい。攻略するには外から広範囲高威力の魔法をぶつけるか、間合いに入って水禍の陣を他の武技で無力化するか、もしくはルーシェの動きに合わせた上でルーシェに勝つしかない。

獣人であるモニカは自身の身体能力と機敏さを生かす戦い方を得意としており、ルーシェの水禍の陣とは相性が悪かった。

「まぁまぁ～、ルーシェさんの武技にも弱点はありますし～」

「現状では、ね……」

頬を膨らませるモニカをミーシャが宥める。

ルーシェの弱点。それは水禍の陣がまだ完成の域に達しておらず、効果範囲が敵味方お構いなしに発動してしまうという点だ。つまり、味方が近くにいると味方の動きまで阻害してしまい、使用できないのである。

「ほらほら、俺たちは俺たちの仕事をするよ」

エジルがふたりに注意を呼びかける。突入したルーシェに気を取られる個体もいたが、半分以上はラッツたちのほうを目がけてゾンビが進行していた。

（ルーシェさん〜、ファイト〜）

心の中で声援を送りながら、ミーシャは迫ってくるゾンビの群れへ手にしたメイスを構えた。

力強く踏み切って、ルーシェが一気に加速した。エリスの切り開いてくれたゾンビの群れの間を突き抜ける。

ゾンビの群れはルーシェの虚像に踊らされ、そのほとんどがルーシェの間合いに入れていない。入れたとしてもルーシェの水禍の陣に押し流され、その爪がルーシェに届くことはなかった。

完全にゾンビの群れを通り過ぎるとゾンビたちがルーシェを追うのをやめる。

（トレントの周りには近づかないようになってるのかな……？）

それはルーシェにとっても好都合である。できると言われても、さすがに他を気にしながらトレントの相手をする自信はない。

「……よし」

ルーシェのショートソードが光属性の魔力を帯びる。対峙したトレントがゆっくりとルーシェと距離を詰め始めた。

（大丈夫……）

ルーシェが心を落ち着かせる。確かに巨体を誇るトレントだがルーシェと視線は合っていない。巨体のため、ルーシェの虚像に惑わされているのだ。

振りかぶったトレントが拳をルーシェの虚像に向けて叩きつけた。

(遅い!)

今のルーシェであれば、トレントの攻撃範囲が如何に広くとも的を外した攻撃は容易く潜り抜けられる。

「光刃剣っ!」

相手の一撃を目くらましに肉薄したルーシェがトレントの足を目がけてショートソードを一閃した。

光の軌跡を残した一撃がトレントの足に食い込んで。

こーん、と。いい音がした。まるで木こりが斧で木を打つように。

「あ、れ……?」

浄化の手応えがなく、ルーシェが焦って頬を引きつらせた。

異変に気づいたトレントが大きな腕を振って足元を払う。

「あっぶな……!」

慌てて後方に飛び退いたルーシェがショートソードを構え直した。

トレントは一瞬ルーシェを視界に捉えたものの、また虚像に惑わされた。しかし、訝しんでいるのか、すぐに追撃はしてこなかった。

一方、ルーシェは油断なく構えながら、視線をショートソードに向けた。

（武技は発動してる……ってことは単純に威力が足りないんだ）

加えて相手は魔法生物である。生身の相手であればどこに一撃を打ち込んでも相応の効果を得られるが、魔法生物であればそうはいかない。魔法生物には核があり、核に響く一撃でなければ効果は期待できない。

（あの強度に対抗するには流水剣でないと……）

水の大幻獣ユルンガルに教えてもらった伸縮自在の水の魔法剣。ルーシェが初めて会得した武技であり、ウィルとユルンガルへの感謝からルーシェはこの武技を一番に磨いてきた。ルーシェの中で一番の攻撃力を誇る。

だが、流水剣にはアンデッドを祓う力はない。

（流水剣で深手を負わせてから光刃剣で討つ……）

現状、ルーシェが思いつく手立てはこれしかない。大型のトレントが暴れ出したら水禍の陣だけで抑えきれる保証もない。

（相手が慎重になっているうちがチャンスだ……）

意を決すると、ルーシェは再びトレントとの間合いを詰めた。今度は足元ではなく、一気に胴を払う。

「————っ！」

ショートソードから延びた水属性の剣閃がトレントの脇腹をえぐる。しかし、二の太刀を構えたルーシェはその場で踏み止まった。

流水剣で切り裂かれた場所はすぐに再生を始め、踏み込んで光刃剣を叩き込む隙がない。

（だめだ……一撃ずつじゃ間に合わない）

薙ぎ払うように腕を振り回すトレントから距離を取りつつ、隙を突いては踏み込んでルーシェの流水剣がトレントを切り裂く。しかし、続く一撃を繰り出す隙はやはり見出せなかった。

次第にトレントの攻撃も精度を増し、ルーシェを捉え切れないまでも踏み込む隙が少なくなってきた。

ルーシェの打ち終わりに合わせてトレントの拳が迫り、ルーシェが後方に飛び退く。トレントの攻撃がとうとう水禍の陣の圏内を掠めて、ルーシェが眉根を寄せた。

（このままじゃ……）

いずれトレントに近づけなくなる。そうなる前に倒さなければならないが、トレントを倒すには流水剣以上の一撃がいる。

呼吸を整えたルーシェは今まで以上に集中した。

「こうなったら……」

トレントはこちらに倒すべき一撃がないことを悟ったのか、慎重になるのをやめて自ら前へと進撃し始めている。

もう何度もチャンスはない。

ルーシェのショートソードが今まで以上の魔力を帯びた。

（流水剣と光刃剣、同時に叩き込むしかない！）

それはルーシェも試したことのないことであった。同時に発動できるかも怪しい。だが、ルーシェは知っている。ウィルという小さな男の子はまるで呼吸でもするかのように違う属性の魔法をくっつけたり合わせたりしているのだ。

ルーシェの覚悟を示すように、ショートソードを包んだ魔力が溢れ、波打つ。

（一撃、それ以上は考えない！）

ぶっつけ本番。最大まで高めた水属性の魔力に光属性の魔力を重ねる。そして——。

「清流剣！」

気合とともにひと声して、ルーシェは魔力の限り振り切った。どこまでも届くような水の斬撃をイメージした一刀がショートソードから延びて煌めく水流となった。

空気を切り裂き、トレントを切り裂き、その後ろの木々までも切り裂き——。

上下真っ二つになったトレントが断末魔を上げる間もなく、地に落ちた。

「あっ……」

急激な魔力の消失を感じたルーシェが膝をつく。力の加減ができず、魔力量いっぱいまで消費してしまったらしい。意識を手放さなかったのが奇跡のようだ。

視線の先で浄化されたトレントが消えゆく。

「勝てた……」

何とか立ち上がったルーシェがトレントの消えた場所に歩み寄った。足元には掌ほどの種子を模った核が転がっていた。淀んだ光が消えて澄んだ輝きを取り戻していく。

ルーシェが種子の核を拾い上げる。

「フラフラであるな、小僧」

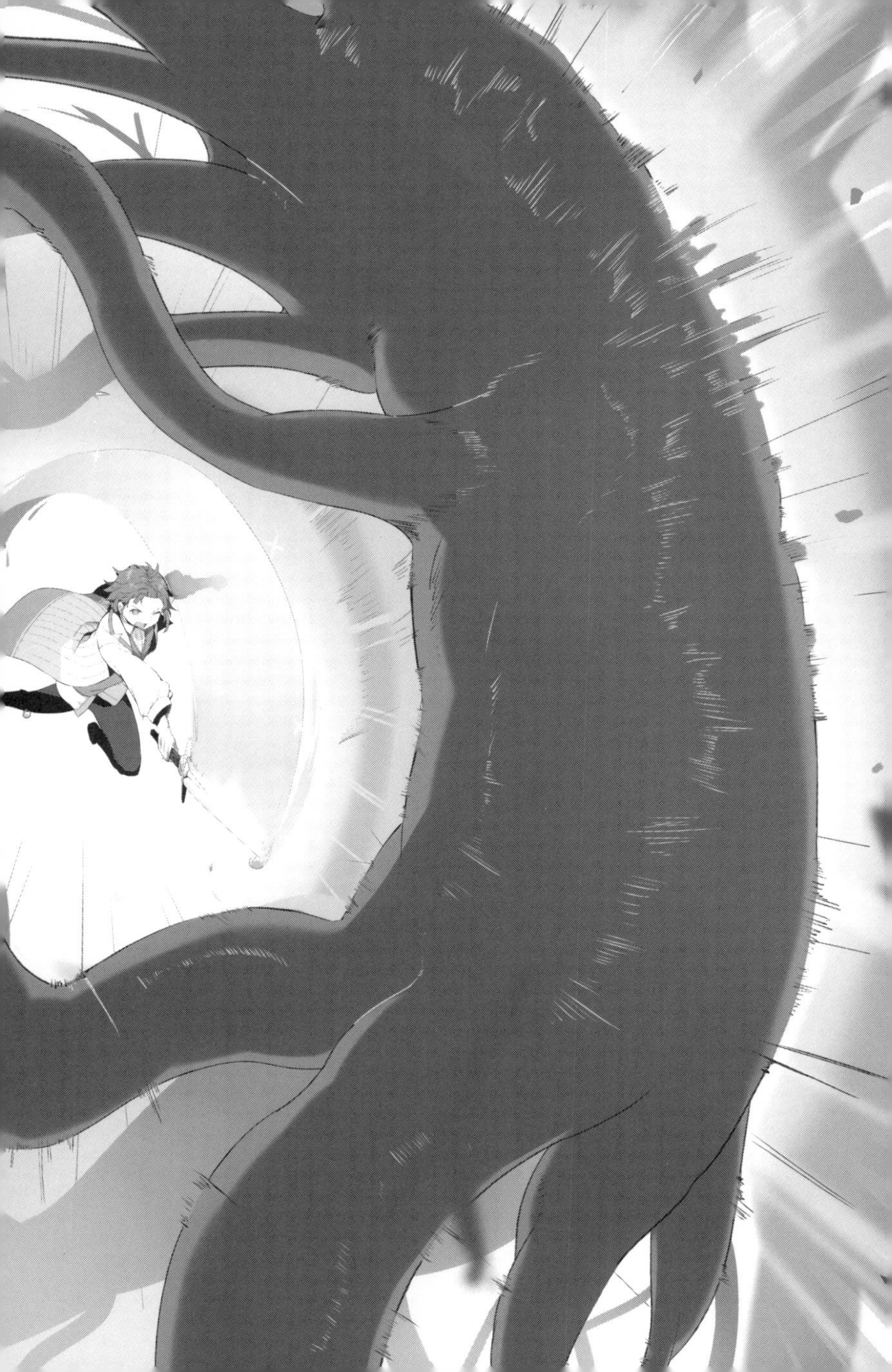

不意に声をかけられ、ルーシェが振り向くとそこには一片が佇んでいた。

ルーシェが苦笑しながら向き直る。

「なんとか……魔力切れ寸前ですけど……」

「あれだけ威力のある武技を初めて放ったのだ。当然である」

一片はルーシェに理解を示すと鼻先でルーシェの後方をさし示した。釣られてルーシェもそちらに視線を向ける。

「わぁ……」

「それは返してやるといい」

一片とルーシェの視線の先には新たなトレントがいた。先ほど対峙した者に比べると樹も葉も鮮やかで、おそらくこれが本来のトレントなのだと納得できる。

ルーシェが手にした種子の核をトレントに差し出すと、トレントはゆるりとした動きでルーシェから種子の核を受け取った。

『迷惑をかけた……』

「えっ……？」

頭の中に直接そんな声が響いてルーシェが目を白黒させる。

その様子を横目で見ていた一片が鼻を小さく鳴らした。

「トレントの声が聞こえたか？」

「えっ？　ええ……迷惑をかけた、と……」

「うむ」

確認して、一片がひとつ頷く。

本来であれば、それは普通の人間が聞くことのできない声である。では、なぜルーシェが聞けたのか。それは水の大幻獣ユルンガルが密かに施した加護にあった。

(無自覚のまま使徒に仕立てるなど……ユルンガル様も困った御方だ……)

大幻獣の使徒。それは大幻獣が己の名代として人間に与える特別な加護だ。受け取る人間もそれを自覚したうえで使命を全うするよう努める。

ところがユルンガルはルーシェに何も伝えていないのだ。当然、ルーシェ本人に使徒としての自覚はない。

幻獣としてそのことを理解している一片にはため息を吐くことしかできなかった。

(まぁ、いい……)

ユルンガルには今度会った時にでも言い含めるとして。

「小僧、後は他の者に任せてゆっくり休むといい」

一片はそれだけ言い置くと、軽快な足取りで今なお熊型魔獣を楽にあしらっているシローの元へと戻っていった。

よく見ればミーシャたちのほうもほぼ浄化が終わり、大勢は決しつつある。

「はぁ……疲れた……」

ルーシェも立ち続けているのが限界で、崩れるように座り込むと空を仰ぎ見るように姿勢を崩した。

森に立ち込めていた異様な気配はもうほとんど感じなくなっていた。

「これで帰るんですか……？」

「そうですよ～だってルーシェさん、歩けないじゃないですか～」

情けないルーシェの声にミーシャが嬉々として答える。

ルーシェはミーシャの背中に担がれていた。魔力がほとんど枯渇してしまってまっすぐ歩けないからだ。魔力回復のポーションもあるが緊急性がないため、使用を控えるように指示された。

こんなとき頼りになりそうなエジルやラッツはモニカを伴って浄化し終えたゾンビたちの遺品を回収している。本来はルーシェもそこに加わらなければならないのだが、疲労が激しいため免除された。

「それとも～お姫様抱っこのほうがいいですか～？」

「……遠慮しておきます」

もっと恥ずかしい運ばれ方を提案されて、ルーシェは丁重に断った。ルーシェが静かになったことをいいことに、ミーシャがルーシェを背負い直す。

そんな様子を離れて見守っていたシローの目が細くなる。

「どうかしたか、シロー？」

横に居並ぶ一片がシローの表情に気づいて声をかけると、シローは小さく笑った。

「いや……ウィルが連れてきたどこにでもいそうな少年が冒険者として一段高みへ登るのを見てるとな……少し感慨深いなぁと」

「同感である」

一片は素直に同意した。少なくとも、ウィルが連れ帰ってきたころは頼りなげな少年であった。

トルキス家の指導があったとはいえ、ルーシェが短期間で見違えるほど強くなれたのは彼が素直で真面目なうえ、根気強かったからだ。そして今回見せた難敵に立ち向かう勇気、新たな武技をぶつけ本番で挑戦する度胸。

シローや一片でなくても評価するだろう。

「帰ったらもう少し訓練のレベルを上げるか」

「うむ、それがいい」

ただでさえ厳しいといわれるトルキス家の訓練。ルーシェの訓練レベルは本人の知らないところで上がることが決定した。

「シロー様……」

そんなシローたちの下へ神妙な顔つきをしたエジルが歩み寄ってきた。

ただならぬ雰囲気を感じたシローの表情からも笑みが消える。

「どうしました？」

「騎士の遺品の中にこれが……」

エジルに差し出されたものを受け取って、シローがピクリと反応する。

それは王都レティスを混乱に陥れた魔獣召喚の筒であった。

第四章
陰謀の影

episode.5

「むかしむかし、この地には小さな村がたくさんあり、人々は助け合いながら静かに暮らしておりました。しかし、平和な生活はある時を境に終わりを告げました。どこからともなく現れた白いオーガの群れが村を無差別に襲い始めたのです。村人たちは力を合わせ白いオーガに対抗しようとしましたが白いオーガの力は凄まじく、村はひとつ、またひとつと滅ぼされていきました」

「たいへん……」

「村人たちはこのまま白いオーガに滅ぼされることを覚悟しました。その時です。ひとりの若者がこの地を訪れました。若者は精霊さまとともにあり、人々に迫る白いオーガをあっという間に退けてしまいました」

「おお……」

子供たちが年老いた女性の語りに目を輝かせる。

ウィルたちが聞いているのはこの地方に伝わる昔話で、そういう類の話はどこでも大抵ひとつか二つは伝わっているものである。

「俺も子供のころによく聞かされましたよ」

ウィルたちの背中を見守りながらモーガンがセシリアたちに説明する。

「だからこの辺りの子供たちは『悪さをすると白いオーガが攫(さら)いに来るぞ』、と脅かされたりするんです」

「まぁ……」

肩を竦めるモーガンを見たセシリアが上品な笑みを浮かべた。

モーガンの様子からモーガンも子供のころに散々脅されたのだろうと推察できたからだ。

「若者は村人たちを救うだけでなく、白いオーガたちが二度と悪さをすることがないように封印してしまいました。そして、この土地の人々とともに村を再び築き上げ、繁栄を祈りながら旅立っていったのでした」

「ぱちぱちー」

ウィルが満足そうに拍手すると周りの子供たちも語り終えた女性に拍手を送る。女性も嬉しそうに目を細めていた。

ホクホクした笑顔で戻ってきたウィルをセシリアが出迎える。

「おかえりなさい、ウィル」

「ただいまー」

「満足した?」

「まんぞくしましたー」

セシリアはウィルの髪を梳くように優しく撫でると前に出て、ウィルに語り聞かせてくれた女性に頭を下げた。

女性が慌ててセシリアよりも深く頭を下げて返し、視線を背後に向ける。その視線の先を追ったセシリアは思わず困った笑みを浮かべた。

「我が子のために貴重な時間を割いていただき、ありがとうございます」

「そんな、滅相もございません。こんな小さな村の年寄りの話に耳を傾けてくださるお嬢様方やお坊ちゃまの優しさに私も感無量でございます。それに……」

女性が背後に視線を向け、セシリアもそれに続く。そして困った笑みを浮かべた。

そこにはウィルの手によって綺麗に修復された村人たちの家がある。新築とまではいかないが老朽化した場所は丁寧に補修されており、修復前とは雲泥の差だ。

「古くなっていた民家をこんなにも綺麗にしていただいて……お坊ちゃまの魔法の力にただただ驚くばかりでございます」

「えへへぇ～」

褒められたウィルが嬉しそうに照れ笑いを浮かべている。ウィルが民家を修復した魔法は土の精霊であるシャークティと樹の精霊であるクローディアの魔力を使用した、いわゆる精霊魔法である。

女性はそのことに及びもつかないだろうが、精霊魔法だと知っているセシリアは魔法の効果を見せつけられて冷や汗を浮かべるしかない。下手をしたらウィルは勝手に新しい家を建ててしまう可能性すらある。地域の経済を考えれば、それは簡単に許されることではない。

隣にいるレンも同じ危惧をしているのか、魔法の詳細を後でウィルたちに確認すべくメモを取っている。場合によってはこの修復魔法も禁呪指定である。

セシリアたちは改めて女性に礼を言うと、村の巡回を再開した。

「つぎ、どこいくー？」

ご機嫌で見上げてくるウィルにセシリアが笑みを返す。

「次は精堂にお邪魔するのよ」

「せーどー？」

精霊を祀る精堂は大きな街であれば属性ごとに分かれているが、小さな村では一か所にまとめられている。そして大抵は孤児院としても運営されていた。

「自分の育った家でもあります」

モーガンがそう付け加えるとウィルが驚きに声を上げる。

「もーがんせんせいのおうち！」

「ええ」

「これはあいさつしなければ！」

なぜかやる気を漲らせるウィル。そのままウィルが走り出しそうになったので気を利かせたレンがウィルの手を取った。どうも先ほどの女性の話にまだ興奮しているようだ。

そんなウィルとは対照的に考え込むセレナに気づいたセシリアが不思議に思ってセレナに声をかけた。

「セレナ、どうかした？」

「あ、いえ……」

セシリアの視線に気づいたセレナが慌てて顔を上げる。

「おばさまのお話に出てきた若者って、ひょっとしたら精霊王のことなのかなって……」

セシリアとセレナがモーガンへ視線を向けるとモーガンは首を傾げた。モーガンも村に伝わる話の若者が精霊王であると聞いたことはない。

「どうしてそう思ったんです？」

素直に聞き返してくるモーガンにセレナがはっきりと答えた。

「家の書庫には精霊王の物語もいくつかあるのですが、よく出てくるんですよ、白い悪魔とか白い仮面の魔獣とか……白い敵と戦っている描写が」

もちろん毎回白い敵と戦っているわけではないが、精霊王の話の中でも割と有名な描写である。精霊王にまつわる多くの謎。この白い敵もそのひとつだ。

セシリアも白い敵の件は知っており、セレナの推察に頷いて返した。

「セレナがそう思うのであれば、精霊王なのかもしれないわね」

実際のところはわからない。類似の話も数多く語り継がれているからだ。

「はやく！　はーやーくー！」

急かす声にセシリアたちが顔を上げると待ちきれないウィルがレンに窘められていた。

「ウィル様、そんなに急かさなくてもすぐにいらっしゃいますよ？」

「えー？」

「騒いでいるとウィル様も白いオーガに攫われてしまいますよ？」

「じゃー、うぃるがしろいおーがをやっつけてあげる」

「……おばけさんが――」

「それは、むり」

ウィルは大人しくなった。おばけは怖いのである。

そんなやり取りを眺めていたセシリアたちが笑みを溢す。

「私たちも行きましょうか」

「はい」

セシリアに促されてセレナも頷く。一緒にいたニーナもウィルを気遣って駆け出した。

「ウィル、待って」

「ウィルもニーナも元気ですね」

駆けていく妹とそれを待つ弟を見ながらセレナがぽつりと呟く。旅は順調に進んでいるがそれでも幼い弟妹には大変な道のりだ。だが、ふたりが弱音を吐く素振りはない。常に元気である。

「セレナは大丈夫？」

「はい」

セシリアの気遣いにセレナは笑顔で答えた。

「見るのも聞くのも新鮮で。疲れなんて忘れてしまいます」

ひょっとしたらウィルやニーナもセレナと同じなのかもしれない。忘れているだけで疲れはあるのだろう。ただ、大人も精霊たちも無理させないように目は光らせている。

そしてセレナも姉の視点からウィルたちに目を光らせていた。

「気づいたことがあったら教えて頂戴ね」

「はい」

セシリアはセレナを頼りにしている。そのことを理解して、セレナも笑みを深くして頷き返すのであった。

村の冒険者ギルドの一室。そこにはトルキス家の他に村や護衛部隊の代表者が集められていた。

「これは……」

帰還したシローたちが森で回収した遺品を広げるとデンゼルが唸って眉根を寄せた。

横に並んだギルドマスターや護衛部隊の指揮官も同じような表情をしている。

遺品の防具にある統一感は国や有力貴族の保有戦力に見られる傾向であり、遺品の持ち主が普通の冒険者でないことは一目瞭然であった。

デンゼルの視線が遺品の中の紋章で止まる。

シローがデンゼルの視線に気づいて促すとデンゼルはひとつ頷いた。

「見覚えはありますか？」

「ええ、これは……先の戦で取り壊された貴族家の紋章です」

「と、すると……これは落ち延びて野盗と化した貴族のモノか……」

ギルドマスターが納得したように顎を摩る。

帝国には先の戦で没落した貴族家がいくつかあり、中には反発の末、盗賊に身をやつしてしまった者たちもいるという。そういった者たちのほとんどは旧帝国の威を借り、後ろ暗いことを行っていた者たちだ。

「旧体制の中で甘い蜜を啜っていたとはいえ、こうなってしまっては哀れなものです……」

アンデッドとなって意志なく徘徊する。それがどれだけ救いのないことかデンゼルも理解している。

しかし、シローたちの懸念はそれより他のところにあった。

「デンゼルさん、これに見覚えは？」

「それは……？」

シローが取り出した筒に視線を向けたデンゼルが首を捻る。その他の代表者も見覚えがないのか、同じような反応だ。逆に討伐に参加していなかったトルキス家の大人たちの間には緊張が走る。

周りの反応を観察したシローは一拍置いて静かに告げた。

「これは魔獣を捕らえて召喚する魔道具です。レティスの魔獣騒動にも同じ物が使われました」

筒の正体を聞いた代表者たちが騒めく。シローの説明を聞けば、それがどれほど危険な代物であるか子供でもわかる。レティスを襲った悲劇の元が自国に出回っているのである。

「シロー」

黙って聞いていたレンが前に出た。その表情はメイドのものではなく、元テンランカーとしての顔だ。レンの威圧感が増して、代表者の中には顔を青ざめる者も現れた。

「落ち着け、レン」

なんとなく言わんとしていることを察してシローがレンを落ち着かせる。

なぜ盗賊と思われる元貴族が魔獣召喚の筒を有していたのか。

「おそらくだけど……俺たちが狙われたわけじゃない。白ローブの集団がその気なら直接襲撃してくるはずだ」

白ローブの集団。どのような目的のもとに行動しているのか知る由もないが、セシリアたちは精霊魔法研究所で一度襲撃を受けている。今更、魔獣の筒を提供してまで盗賊をけしかけてくるだろうか。

「盗賊が生きていたとして、親善訪問中の俺たちを襲ったところで何のメリットもない」

元貴族に実権があるはずもなく、憂さ晴らしか嫌がらせにしかならない。それどころか、帝国軍に捕まれば重い刑が科されるのは目に見えている。そんな危険を冒してまでシローたちを襲うとは考えにくい。

落ち着きを取り戻したレンの威圧感が収まった。

「それは、理解しているつもりです……」

いつもは冷静なレンが感情的になっているのはトルキス家に害が及ぶ可能性を考慮してのことである。白ローブの集団の目的がわからない以上、襲撃の可能性がまったくないとは言い切れない。

そんなレンの態度が愛情の表れであるということを理解しているシローが悟られないように苦笑してから話を元に戻す。

「とにかく。どういった経緯かはわからないが、盗賊たちは筒を手に入れ、魔獣を捕らえようと森へ入り……そして、失敗した」

結果としてトレントが不死化し、その悪影響が村を襲った。そう考えると盗賊たちの狙いは森の番人であるトレントだったのかもしれない。

だが、そう考えるとまた違う問題が出てくる。白ローブの集団がひとつの盗賊団だけに魔獣召喚の筒を提供するだろうか、ということ。

「帝国内で白ローブの集団が暗躍しているとなると……碌なことにはならないな」

カルツも白ローブの集団はそれなりの規模だろうと推測していた。おそらく今回のような不死化したトレント程度の騒ぎでは収まらないはずだ。いつなんどき暴挙に出るのか、予測がつかないのも怖いところだ。

「どうなさるおつもりですか？」

それまで静かに話を聞いていたセシリアがシローを促すとシローは顎に手を当てて考えを巡らせた。

「考え得る手立ては今日中に纏めるとして……とりあえず、護衛の騎士団から先行部隊を出して村での成り行きを皇帝陛下に報告してもらおうかな」

「それは構いませんが……」

シローの提案に今度は護衛部隊の隊長が声を上げた。

「護衛が手薄になりますが、よろしいですか？」

護衛部隊も非常時に対応できるように人員を組んでいる。しかしそれでも護衛が手薄になることに違いはなかった。当然、護衛部隊の負担は増えるし、貴族の中には護衛が手薄になることに抵抗を覚える者もいる。ましてやシローたちは他国の来賓。何かあればソーキサス帝国の面子に関わる。

「今回の場合は仕方ないでしょう。帝国に危機が迫っている可能性もありますので」

シローはあっさり承諾した。何かあれば自分が最大戦力なのだから当然といえば当然だが。

「それに……」

シローの視線が離れたところにいる我が子たちのほうへ向けられる。ウィルと目が合って、ウィルは不思議そうに首を傾げた。大人たちの話し合いをウィルはまだ理解できていないのだろう。

「護衛部隊にだけ負担を強いる気はありませんので」

「はぁ……」

シローの言葉の意味がわからず、護衛部隊の隊長はデンゼルと顔を見合わせるのであった。


翌日――。

「いつでもお立ち寄りください。何もない村ですが……」

「ええ。今度来た時はゆっくりさせてもらいます」

皇帝への報告を優先したシローは先行部隊を送り出した後、立てられるだけの対策をして村を出立することになった。

シローたちへの感謝から多くの村人がその出立を見送りに集まり、代表である村長と精堂の司祭がシローと握手を交わす。

「シロー様、モーガンのことをよろしくお願い致します」

「はい」

モーガンの育ての親である精堂の司祭が深々と頭を下げるとシローは快く頷いた。モーガンは村で一番の出世頭であり、幼い頃から彼を知る者は成功と幸福を心から願っている。

照れくさそうに頬を掻くモーガンの背中をシローは軽く叩いて励ました。

「さて……」

挨拶を終えたシローがウィルたちに視線を向ける。

ウィルたちはシローたちと同じように村の子供たちと別れを惜しんでいた。

出発の時が近づいて、子供たちがシローたちの下へ戻ってくる。

「出発だ。ウィル、頼んだぞ」

「まかされましたー」

元気よく返事をしたウィルが馬車とは違う方へ駆けていき、セレナとニーナもその後について歩く。

それを村人たちは不思議そうに見守っていた。

「あまりお勧めできませんが……」

同じようにウィルたちを見送ったレンのぼやきを聞いてセシリアが苦笑する。

昨日のうちに取り決めたこととはいえ、レンはどうにも子供たちが心配でならないようだ。

「いい機会だから、ウィルたちに色々教えたいそうよ」

「確かに、こんな機会でもないと指導できないでしょうが……」

むしろ、こんな機会でもないと指導できないような力を身につけてしまったのがウィルなのだ。レンとしても諦めるしかない。

「がーねっとさんは、こっちねー」

「何を見せてくれるんだい？」

女冒険者であるガーネットがウィルに誘われるまま子供たちの後についていく。

ウィルたちは待機している馬車の車列の向こう側へと歩を進めた。

「あまり道から外れるんじゃないよ？　魔獣が寄って来ないとも限らないし」

「だいじょーぶー」

ガーネットの忠告に応えるウィルの声が弾む。その楽しげな様子にガーネットも彼女の冒険者パーティーである【荒野の薔薇】のメンバーも笑みを浮かべた。

長い冒険の旅路、貴族とはいえ子供にとって大変な道行きの中で元気を失わないウィルたちの姿は彼女たちにとっても癒やしとなっている。

「このへんでいーい？」

「ええ、大丈夫よ。ウィル」

セレナに確認したウィルは平原に向き直って魔力を練り、心の中に語りかけた。

（みんな、おねがいー）

（（（了解）））

ウィルの声に精霊のアジャンタたちが応える。

魔法の始動を省いたウィルが杖を平原へと向けた。

溢れ出した魔力の発光に見守っていた人々が息を飲む。

「つちくれのしゅごしゃ、わがめいにしたがえつちのきょへー！」

魔力が意味を成し、大地へと吸い込まれる。ついで地面が隆起し、巨大な人型がウィルの前にかしづくように姿を現した。

「上級ゴーレム……」

ゴーレムを見上げたガーネットが圧倒されたように呟いた。

ただでさえゴーレム生成の魔法の使い手は少ない。伝え聞いているだけで上級ゴーレムを見たことのない者も多い。そんな上級ゴーレムを年端もいかないウィルが生成してしまったことに大半の大人は言葉を失っていた。

「ね、いったでしょー？」

向き直ったウィルが言葉を失って佇むガーネットに胸を張る。

ウィルは旅の初めに交わしたガーネットとの約束を果たせてご満悦の様子だ。ゴーレムを見せてあげる、という約束。

当然というか、ウィルと初対面であったガーネットはウィルの話に合わせていただけだったのだが。

「ゴーレム生成の魔法は魔力コストが高いと聞いていたんだけどね……」

何とかそれだけを口にするガーネットにウィルはきっぱりと答えた。

「うぃるのまりょくりょーはおとななの！」

実際、ウィルの魔力量は大人顔負けである。精霊や幻獣と契約しているためでもあるが、魔法が大好きなウィルは毎日毎日魔法を使って何か楽しいことはできないかを模索しており、日に日に魔力の総量が上昇しているのである。

「準備できたか、ウィル」

「じゅんびばんたんです！」

歩み寄ってきたシローにウィルが自慢げなポーズを取るとシローはポンポンとウィルの頭を叩いた。

「ウィル、お父さんとの約束を覚えているかい？」

「はい！　わがまましない！」

「よろしい」

元気よく返事をするウィル。

シローはウィルのゴーレムに相乗りして周囲の警戒をするとともに、子供たちに旅での役立つ知識などを説明する気でいるのだ。今すぐに実践する機会があるとも思わないが、実際に見て聞いて、知っておいて損はない。

満足そうにウィルを見返したシローが部隊へ向き直って号令を下す。

「よし、出発だ！」

ソーキサス帝国、帝都へ。

シローは子供たちとともにゴーレムの上部に乗り込んで、帝都への道を進み始めた。

帝都への道を親善使節団が進む。
その脇を進むゴーレムの姿は遠目から見ても異彩を放っていた。先頭を行く部隊がフィルファリア

王国とソーキサス帝国の旗を掲げていようとも先に目に触れるのは巨大なゴーレムであり、通りかかった人間が何事かと身構えるのは間違いない。

幸い、今のところ使節団とすれ違う者はなく、誤解を招くような事態にはなっていなかった。

「んー、いい景色ね！」

「ねー」

そんな状況を知ってか知らずか、ゴーレムの頭上にはニーナとウィルののんびりした声が響く。

最初は使節団の周辺を警戒するためと張り切っていたふたりであったが何の変化もなく、今は高い位置から一望できる景色を楽しんでいた。

「まぁ……子供の集中力ならこんなモノかな」

ウィルたちの背中を眺めつつ、シローが苦笑する。シローも最初からウィルたちが見張りを完遂できるとは思っていない。

見張りに飽きてしまったものの、ウィルたちは子供にできるだけの集中力で見張りを行ったのだ。長時間見張るための忍耐やコツなどこれから覚えていけばいいだけの話である。

「セレナも休んでていいよ？」

「いえ、お父様。もう少し……」

シローが見張りを続けているセレナを気遣うと、セレナは首を横に振った。

セレナは真面目でせっかくの機会だからと見張りに従事したいようだ。まだ幼いのに真面目すぎて逆に心配になってくる。

「大したもんだね」

「そうかな」

見張りを続けるセレナの背中を見ながら評価したのはゴーレムに同乗したガーネットであった。

「勤勉さとか忍耐とかっていうのは教えてもなかなか習得できないモンだし」

冒険者としての経験が豊富なガーネットは精神的な成熟が如何に難しいか理解している。大人でも難しいことを幼いセレナが示してみせていることは十分評価されるべきことなのだ。もちろん、ガーネットは父親としてのシローの心配も理解している。

「親としては、もう少し子供らしくていいと思うんだけど……」

「そういうところなんだろうねぇ、シロー様が平民に大人気なのって」

普通の貴族なら我が子にも貴族としての振る舞いを強要する。そうした指導が良くも悪くも純粋な子供に影響を与えることが多く、その姿は平民の常識からは縁遠いものとなる。

ガーネットもシローたちに会うまではトルキス家を普通の一貴族とみなしていた。自分たちと縁遠い存在だと。いくらシローが冒険者上がりとはいえ、ガーネットからしてみればテンランカーなど雲の上の存在に変わりはないし、貴族となったシローを同業視するのは難しい。

だが、実際会ってみると、トルキス家の人間は普通の貴族とは違って偏った考え方をせず、平民に寄り添う温かさがあった。恐れ多くも親しみやすい。そう感じているのはガーネットだけではないはずだ。

ただ、ガーネットをもってしても理解できないことはあった。

「でも、フィルファリアではこんな小さな子供にまで強力な魔法を教えているのかい？　正直、驚いたよ」

ガーネットの視線の先にはウィルがいる。

ガーネットもウィルが魔法を使っているのを見ていたので使えること自体は知っている。それだけでも驚くべきことなのに、まさか本当にゴーレムを生成できるとは思いもよらなかった。

『安全を考慮して子供に強力な魔法を教えない』という世間一般の常識を破るのに十分な魔法をウィルは行使してしまっているのだ。

当然というべきか、そのことを追及してくるガーネット。

シローがそのことについて説明しようとすると話題に気づいたニーナが元気よく言い放った。

「ウィルは天才なのよ！　ウィルは誰にも教えてもらわずに魔法を使えるようになっちゃったんだから！」

まるで我がことのように自慢するニーナの姿にシローとガーネット、セレナも思わず苦笑した。その姿からは如何にニーナがウィルのことを好いているかということがありありと滲み出ていて、まさに姉バカ爆発といった様子であった。

気を取り直したシローが興奮気味のニーナをポンポンと撫でる。

「ウィルはね……庭で魔法の練習をしていた姉たちを見て魔力のコントロールを覚えてしまったんだ」

シローの説明はウィルの特殊な能力をぼかしている。さすがに魔力の流れを目で見て捉えていることを大っぴらにはできない。

「ゴーレムもね、たまたま見て覚えてしまったんだよ」

シローの説明を聞いてガーネットは小さく唸った。

トルキス家に仕えているモーガンを見れば、その経緯も薄々納得できる。

モーガンはゴーレム使いとしてそれなりに名が通っており、ガーネットもモーガンのことを噂程度に知っている。ウィルがモーガンの魔法を見て覚えてしまったということだろう。

見ただけで勝手に魔法を覚えてしまうことができるかどうかは別として、だが。もしそんなことができるのだとしたら、ニーナが弟を天才だと自慢する理由もわかる気はする。

シローもウィルの才能を少し持て余しているように見て取れる。望んでそうなったのではないことはガーネットにも感じ取れた。

「ありがたいことは、そんなウィルが回復魔法に興味を示してくれたこととみんなに魔法を教えたいと思ってくれたことかな」

「それは、まぁ……」

ガーネットが困ったように額を掻く。

なぜならガーネットたちもその恩恵に授かってしまっているからだ。

彼女のパーティーである【荒野の薔薇】にはひとり、年若い魔法使いがいる。ガーネットが拾ってきた少女であるのだが、その実力は当てにできるものではなかった。

元々フィルファリアよりも魔法の知識が遅れているソーキサスにおいては魔法の知識の独占はより厳しく、魔法使いとして成長できる機会も限られている。

年若い魔法使いも自身がパーティーのお荷物になっていることを自覚しており、そのことを思い悩んでいた。

ところが、である。

ソーキサス帝国の護衛部隊や【荒野の薔薇】のメンバー相手にウィルの『みんなで魔法を覚えましょう大作戦』がいつもどおり発動してしまった。

この大作戦は、ウィルがみんなに魔法を教えるという口実を元にウィルも大好きな魔法がたくさん使用でき、さらにみんなが喜んでくれるというウィルにとっては得しかないと思っている作戦である。

当然、トルキス家の大人たちから見ればウィルの思惑は透けて見えており、ウィルを好意的にアピールできるという打算もあった。

だが、本来魔法の教授とは大金を積んで頭を下げて初めて受けられるかどうかというものである。無償で奉仕されるべきものではないと考えるのが普通だ。

有利すぎる提案にソーキサス側は当初困惑していたが、トルキス家から説明されるウィルの純粋な思考に納得し、ウィルを心配しつつもその欲望を叶えることになった。

そんなななかにあって、ウィルが悩める魔法少女の相談に乗らないはずがなかったのである。

フィルファリアの魔法知識の源泉ともいえるウィルに加え、優秀なトルキス家の指南。有力な貴族でもこれほどレベルの高い指導を受けることは難しい。しかも個人だけでなく部隊単位でも生かせる運用マニュアル付きである。

断言してもいい。護衛部隊も【荒野の薔薇】も、その戦力はトルキス家に会う以前よりも格段に増していた。

「感謝しているよ。あの娘のあんな笑顔も久しぶりだったし」

「よかったー」

ガーネットもリーダーとして魔法使いの少女を気にかけていたのだろう。

ウィルもガーネットが喜んでくれているのを知って嬉しそうな笑みを返した。ガーネットがウィルの頭を撫でるとウィルも気持ちよさそうに身を任せてくる。

女性としては大柄で日に焼けた体躯を持つガーネットは子供に怖がられることも多いのだが、不思議とトルキス家の子供たちはガーネットにそんな素振りを見せたりしない。それがどうにも心地よく、ガーネットの表情も微かに緩んでしまっていた。

その時である。

使節団の向かう先、その上空に光の玉が打ち上がった。

光に気づいたウィルがそれをポカンと見上げる。

「はなびー？」

それはなんとなく精霊魔法研究所で見た花火に似ていた。

首を傾げるウィルの後ろでシローとガーネットの表情が険しくなる。

「違う。あれは救難信号だ」

「きゅーなんしんごー？」

「誰かが助けを求めてるんだ」

短く説明するシローの顔を見上げたウィルの表情が意味を理解したことで引き締まった。隣にいたセレナとニーナの表情も緊張で強張る。

ゴーレムの足元では光の玉を確認した者たちが騒めいていた。よほどのことがない限り救難信号が打ち上げられることはない。打ち上げた者は手に負えないような魔獣に襲われている可能性が高かった。

「たすけにいかなきゃ！」

「ウィル」

「なーに、とーさま？」

シローが息巻くウィルに向き直って端的に告げる。

「ゴーレムで父さんをあの光の玉に向かって投げてくれ」

「わかったー！　……えっ？」

勢いのまま返事をしたウィルが話の内容に思わずポカンとしてしまう。我が父ながら何ということを言い出すのか。

「父さんならゴーレムが投げた勢いを利用していち早く助けに向かえる」

それはそうなのだろうが。投げるイコール攻撃手段である幼いウィルはすぐに理解が追いつかなかった。

ウィルの理解が追いつかない以上、多少のロスがあっても全力の一片で駆けつけるしかない。

一瞬の間を置いて、シローがウィルへの願いを取り下げようとした時、ウィルの体から土属性の光が溢れ出た。

「わわっ、しゃーくてぃ⁉」

身の内に隠れていた精霊が自ら顕現したことにウィルが驚く。当然それを見ていたガーネットも驚きを露にしていた。

そんなふたりを尻目にシャークティがシローを見上げる。

「調整は私が……」

「お願いします」

シャークティは事態の緊急性を理解していた。だからウィルに無断で姿を現したのである。

「ウィル、やりましょう。人間を救わなければ……」

「わかったー！」

信頼しているシャークティが人前に姿を現してまで行動を起こそうとしている。

ウィルはシャークティの意を汲むとシャークティと魔力を合わせてゴーレムを操った。

いきなり投擲体制に入ったゴーレムに足元の隊員たちが騒然となる中、防御壁を張ったシローがゴーレムの手の上に降り立つ。

「セレナ、あとは頼む！　一片、アロー様、いくぞ！」

シローはセレナに後を託すとまっすぐ光の玉の方角を見つめた。シローの準備が整ったことを確認したウィルとシャークティがゴーレムへと魔力を込める。

「とーさま、ごー！」

ウィルの合図とともにゴーレムがものすごい勢いでシローを投げ、その勢いを殺さず跳躍したシローはまるで砲弾のように光の玉へ向かって飛び去って行った。

「男たちは武器を取れ！」

「押し返すんだ！　魔獣を近づけさせるな！」

冒険者の、商人の、男たちの怒声が響く。力なき者は中央へ固まり、ただ迫る脅威に身を寄せ合っていた。

「シトリ！　お前も武器を持て！　母さんとカミュを守るんだ！」

「わ、わかった！」

どう見ても戦いに向いているように見えない風貌の男が自分の息子に槍を手渡す。息子は震えながらも武器を取り、力強く頷いた。

そんなやり取りを心配そうに見守る女性。まだ幼い愛娘も母にしがみつきながら男を見上げていた。

「あなた……」

「動くんじゃないぞ。何かあったら子供を頼む」

覚悟を決め、男が妻から離れる。その視線の先には蠢くリザードの群れ。

休息所に停留していた商人たちやその護衛の冒険者たちが気づいた時には既に包囲されていた。

「どうなっちゃうの……？」

母にしがみついたカミュが震えながら目に涙を浮かべ、母と兄を見上げる。兄はそんな妹の髪を優しく撫でた。

「大丈夫。救難信号も出したし、もうすぐ助けが来るよ」

精いっぱいの笑顔で幼い妹の恐怖を少しでも和らげる。

助けが来る保証はどこにもない。それでも少年はそのことを考えないようにした。誰の目にもわかる。助けが来なければ自分たちは全滅だ。

顔を上げた少年の目にじりじり後退する冒険者が写る。辺り一面、リザードの海だ。

彼らにとって最悪だったことは初手で騎乗獣や荷車を襲われたことだった。そのせいで強引に逃げ出すという選択肢もなくなってしまった。今も傷ついた騎乗獣が横たわり、苦し気に足を掻いている。

(だれか……)

祈るより他にない。こちらと魔獣の戦力差は圧倒的だ。このままでは父が死に、続いて自分が死んで母も妹も――そんなこと、受け入れられるわけがない。

「あぶない!」

リザードが一匹、抵抗する商人たちの間をすり抜けた。勢いよく少年の方へ襲いかかってくる。

「うわあああああ!」

恐怖。膝から崩れ落ちそうなほどのそれに負けじと少年が声を上げて槍を突く。刃先は真っ直ぐリザードの肩へ。しかし、リザードは少年の槍をものともせず、突き刺さった刃先を強引に払いのけて少年へ迫った。

（噛みつかれ――）

大きく開いた顎が視界いっぱいに広がる。次の瞬間訪れるであろう痛みに少年が顔を背けた。

吹き抜けた一陣の風を少年は感じる余裕すらなく。

「…………？」

いつまで経っても来ない痛みに少年がそろそろと目を開けた。

「間に合ったな」

いつの間にそこにいたのか、身なりの整った若い男が東洋の剣を振って濡れ血を飛ばす。遅れて空から落ちてきたリザードがドスンと音を立てて地面に転がった。首を斬り飛ばされているが、肩には少年のつけた刺し傷が残っている。

様々なことが同時に起きて呆然としている少年の前で状況を把握しようと男――シローが周囲を見渡した。

「囲まれているな……一片、アロー様、魔獣を休息所の際まで押し返してくれ」

「承知」

「ラジャー」

シローの魔刀から顕現した風の一片と風精霊のアローが散開してリザードを蹂躙する。魔獣の圧力から解放された冒険者や商人たちが滅多に見ることのできない幻獣や精霊の雄姿を見て歓声を上げた。

「もうすぐ我々の救援部隊が到着します。ですから今しばらく耐えてください。私も加勢します」

シローの言葉に男たちが活気づく。死を覚悟するような危機的状況から持ち直したのだから無理もない。

しかし、リザードも引き際を見失っているのか興奮したように咆哮を上げ、次々とにじり寄ってきている。まだ危険を脱したわけではなかった。

(シロー、妙な気配はないが……この数、異常である)

(様子を見るしかないわね……)

リザードを相手取りながら一片とアローが魔法で会話を繋げてくる。

(わかった。まずは魔獣を押し返すことに専念しよう。数的不利はまだ解消できないからな)

一匹でも突破を許せば、また先ほどのように誰かが襲われる。そうなれば救援に来た意味もない。

討伐へ移行するのはしっかりと準備が整ってからだ。

「むっ……」

手薄な場所から攻め入ろうとするリザードを見たシローが魔力を込めた魔刀を上段から振り下ろす。

次の瞬間、横幅数十メートルに及ぶ斬撃と風圧が地を走り、巻き込まれたリザードがなす術もなく宙に放り出された。


「まったく……親子そろってやることが派手ですね……」

「………」

「大丈夫ですか、セシリア?」

「……ええ」

さすがに息子のゴーレムが父親を投げ飛ばす様は刺激が強かったようだ。

顔を蒼くして額を抑えるセシリアをレンが気遣う。そこに魔法を通じてウィルとセレナの声が響いてきた。

「とーさま、とんでっちゃったー」

「お母様、お父様に後を託されました。指示をお願い致します」

シロを飛ばした張本人であるウィルのことはとりあえず置いておくとして。救援に向かったシローの後を追わなければならない。ケガ人が多数出ている場合、シローだけでは対処が追いつかない可能性もある。

立ち直ったセシリアが思案して、レンに視線を向ける。

「私も参ります」

「セシリア様がですか？」

「護衛対象は纏まっていたほうがいいでしょう？」

「それは……」

レンがセシリアの言わんとしていることを察する。セシリアはウィルのゴーレムに乗って現場まで向かおうというのだ。

「確かにいち早く現場に向かおうとするならウィル様のゴーレムが一番速いのでしょうが……」

レンもセシリアと同じであまり子供たちを危険な場所に連れて行きたくはない。しかしどうにも止まれなさそうなお子様がひとり、今にも飛び出していきそうであった。

「かーさま、はやくー！　はーやーくー！」

テンションの上がってしまったウィルを収めるのは骨が折れる。おそらく、ウィルを思いとどまらせるよりも救援に駆けつけた方が早い。トルキス家の人々であればすぐに理解できることであった。

「レン、救援に向かうメンバーの人選を。こちらの部隊も手薄にならないように」

「畏まりました」

レンはセシリアの指示に頷くと集まってきたトルキス家の人々に声をかけた。


一方、ゴーレムの頭の上ではウィルが今か今かとセシリアたちを待っている。テンションが上がり飛び出してしまいそうになるのを我慢しているのは姉たちや精霊たちの助言をウィルがしっかり守っているからだ。ウィルもちゃんと成長しているのである。

「我慢できて偉いわ、ウィル！」

「うん、偉い……」

ニーナと土の精霊シャークティに褒められてウィルはまんざらでもなさそうだ。

そんなふたりを見守るセレナの隣ではガーネットが未だに呆然としていた。

「まさか精霊の契約者だったとは……」

ガーネットの視線を感じたシャークティがガーネットに向き直る。

「そう……私はウィルと契約した土の精霊。とっても仲良し……」

シャークティのさりげない仲良しアピール。ウィルの中で待機している風の精霊アジャンタはきっとモヤモヤしているであろう。

そんな予測をもとにセレナが見守っているとゴーレムの足元から反応があった。

「ウィル、お母様たちの準備ができたみたい。ゴーレムに乗せてあげて」

「はーい、あじゃんたおねがーい」

「まかせて！」

ウィルの合図に呼応して、ウィルの体から風の魔力が溢れ出す。続いて姿を見せたアジャンタにガーネットはまたも言葉を失うこととなった。

「精霊が二柱……？」

「ウィルは精霊たちと仲良しなのよ！」

「ニーナお姉様とも、ね……」

「えへへ」

ニーナのウィル自慢にシャークティが付け加えるとニーナの笑みが深まる。

そうこうしている内にアジャンタがトルキス家の人々をゴーレムの頭上へと運んできた。どうやらセシリア、レン、ミーシャ、ラッツ、ルーシェ、モニカが救援に同行するようだ。

「かーさまとれんもいくのー？」

「ウィル様も行くつもりでしたでしょう？　このほうが面倒もなくて済みます」

「………？」

大人たちとしては護衛対象を分散させたくないという思惑があるのだが、ウィルはよくわかっていないようで首を傾げた。しかし、思い切り魔法を使えるという事実の前では些事であったようだ。たいして気に留めた様子もなく、見晴らしのいい場所へ進み出る。

「あじゃんた！」

「オーケー、ウィル！」

「したがえあじゃんた！　はるかぜのぐそく、はやきかぜをわがともにあたえよおいかぜのこーしん！」

魔力が意味を成し、巨大なゴーレムを淡い緑色の燐光が包み込んだ。ゴーレム生成魔法の発展系、高機動型ゴーレムである。

騎乗獣を刺激しないようにゴーレムが軽い足取りで部隊の前に出た。

風狼のレヴィを通じてウィルの感覚がシローの現在地を感じ取る。これならすぐに辿り着ける。

「いくよー！」

ウィルの合図にゴーレムが低い唸り声で呼応した。行き交う燐光が勢いを増す。

「ごーれむさん、ごー！」

大地を蹴ったゴーレムが救援の地を目がけて一気に加速した。

（すごい……）

彼はベテランの冒険者である。抜きん出た力はなくとも様々な依頼をこなしており、冒険者の中でも中堅に位置する実力はあると自負している。

そんな彼の目から見てもシローの強さは凄まじいものであった。今まで自分より強い冒険者は何人も見てきたが、そのどれとも当てはまらない。

「たったひとり、救援に入っただけで状況を一変させてしまうとは……」

今までにも窮地は乗り越えてきた。だが。今回ばかりは死を覚悟していた。それをたったひとり――いや、幻獣と精霊の力も併せてだが、完全に押し返してしまっている。

その実力は誰の目にも疑いようがなかった。

「きっと名うての剣士に違いない」

ベテラン冒険者はこの奇跡に近い巡り会わせに感謝し、しかし未だ問題は解決していないと自分に言い聞かせ、目の前の魔獣に対して注力する。

そんな時、急にリザードの圧力が減少した。次いで、騒ぎ立てるようにリザードたちが鳴き始める。その視線は自分たちではなく、まったく別方向へ向かっていた。

「なんだ、あれは⁉」

「なにか来るぞ‼」

微かに響いてくる地響きに顔を上げた数人の冒険者がリザードと同じ方向を向いて騒ぎ始める。そんなことをしている場合ではないのに、冒険者もリザードも遠くの何かに気を奪われてしまった。

「なんだありゃ……」

ベテラン冒険者の目に映ったのは土煙である。いや、土煙を上げているモノも見えてはいる。だが、理解が追いつかなかった。街道を挟んだ反対側をこちらへ向かって猛然と突き進んでいるモノ。

「ゴーレム……なのか？」

冒険者も商人も疑問に思っても無理はなかった。なぜならゴーレムは土煙を上げながら爆走したりしないからだ。

とんでもない速度で近づいてくるゴーレムにリザードの警戒音が最高潮に達する。

「大丈夫、あれは救援部隊の魔法ゴーレムです」

シローの言葉は男たちの疲労を吹き飛ばすには充分であった。

「魔法ゴーレム……あんな動きが可能なのか……！」

「助かるのか、俺たちは……一時はもうダメかと……」

助かると強く感じた者の中には涙ぐむ者もいる。

ベテラン冒険者も緩みそうになる気持ちを無理やり引き締め、笑みを浮かべて剣を構え直した。名うての剣士と共に現れた見たこともない性能のゴーレムを操る魔法使いである。その実力は疑いようもない。

「きっと名うての魔法使いに違いない！　みんな、最後まで気を抜くなよ！　助けられるだけでは名が廃るぞ！」

「「「おおっ！」」」

奮起する男たちの背中を見てシローが苦笑を噛み殺し、一片は愉快そうに口角を上げる。

ゴーレムは速度を維持し、迷うことなくこちらへ近づいていた。

「ごーごーごー！」

ゴーレムが魔力全開で疾走する。その速度は並みの騎乗獣では比較にならず、ウィルたちを目的地へと運んでいく。

急がねば怪我をしている人が困っているかもしれない。そういった思いがウィルにはあった。だからウィルがゴーレムのスピードを緩めることはない。単純だがウィルらしい優しさの表れであった。

「みつけた！」

ウィルの視界が休息所と取り囲む魔獣の一団を捉える。冒険者たちが休息所から魔獣を押し返し、それを助けるシローたちの姿も見える。目標まであと少しだ。

「いそいで、ごーれむさん！」

「ウィル様」

さらに魔力を高めようとするウィルにレンが待ったをかけた。

「魔獣たちの手前で止まってください」

「りょうかーい」

ウィルが元気よく返事して。

「ごーれむさん、すとーっぷ！」

ウィルがゴーレムに停止命令を下す。だが――。

「すとっぷ、すとーっぷ！」

勢いに乗った巨人がそう簡単に止まるはずもなく。ゴーレムは横滑りしてリザードたちを跳ね飛ばし、ようやく止まった。

「あー……」

「ウィル様……」

凄惨な事故現場に直面したような沈黙の中、レンが呼びかけるとウィルがびくりと体を震わせた。

「し、しっぱい！　いまの、なし！」

「状況を確認する前に戦場へ飛び込むのは大変危険です」

ウィルが取り繕おうとするが、レンはそれを見過ごさない。どんな魔獣を相手にするかわからない上、人を巻き込む可能性もある。無視していい問題ではなかった。

「どれほど急いでいても、今度からはちゃんと一度止まって確認するようにしてください」

「はぃ……」

怒られたと思って肩を落とすウィルの頭をレンが優しく撫でる。普通の幼子ならこんな指摘をする必要はないのだ。力を持ってしまったウィルだからこそ指導するレンも厳しくならざるを得ない。

「落ち込んでいる暇はありませんよ、ウィル様」

誰かのために何かを成したいと動き出したのはウィルである。一度や二度の失敗で足を止めている場合ではない。

（こんな幼い子にそこまで……いや、幼い子だからこそか……）

若いほど力の使い方を誤りやすい。幼ければ尚更だ。

トルキス家の特異性を見せつけられたガーネットが難しい顔で唸る前で、レンはウィルと共に周囲の確認を始めた。

「休息所の真ん中に固まって防戦に回っているようですね。包囲されていますから圧倒的に人数が足りていません。防戦が成立しているのはシローがバランスを取って一片たちがリザードをかき回しているからですね」

「うんうん」

ゴーレムの頭上からだと戦況がよく見える。非戦闘員と思われる者たちが休息所の中央で肩を寄せ合い、シローや男たちがリザードの侵入を阻むように外へと押し返していた。

そして問題となっているリザードの群れだが、今は休息所を包囲する個体と乱入してきたゴーレムを警戒している個体とに分かれている。

「この種のリザードであればゴーレムをよじ登ってくることはないでしょう」

「なんか、ゴーレムに文句を言ってるみたい……」

レンの説明を聞いたニーナが同じようにリザードを見下ろして付け加える。足元のリザードはゴーレムを見上げて吼えており、乱入してきたゴーレムに対して苦情を呈しているように見えなくもない。

「ちょうどいいでしょう。リザードがゴーレムを警戒してくれればこの後が動きやすくなります」

ゴーレムの乱入は結果的に良い方向へ働いたということだろう。結果だけを見てウィルを評価できないことがレンのつらいところだが。ウィルには自身の魔法に対して責任をもってもらわないといけない。

「ごーれむさんにさけんでもらうー？」

見上げて提案してくるウィル。自分の失敗を何とか受け入れてレンの信頼を回復しようと努める様は可愛らしいものだ。

レンが手を伸ばしてウィルの頬を撫でる。

「いいえ、ウィル様。ゴーレムの咆哮を使うと他の魔獣を刺激する恐れがあります。今の戦力でも十分リザードの群れを討伐できますからここは使わないでおきましょう」

ゴーレムの咆哮は周辺の魔獣の警戒を買って注目を集める魔法だ。新手の魔獣を呼び寄せてしまう危険もはらんでおり、防戦に回っているシローたちに影響が出ないとも限らない。

「戦場の起点は休息所の中央になっていますからそこから部隊を展開しましょう。アジャンタ様、私どもを休息所の中央まで運んでいただけますか？」

「お安い御用よ！」

レンの提案にアジャンタが胸を張る。

大部分のリザードがゴーレムに気を取られている内に休息所から討伐を開始する作戦だ。

「ゴーレムは私が動かすわ……」

シャークティの申し出にレンは頷いてセシリアたちのほうへ向き直った。

「セシリア様には防御壁の展開と怪我人の治療を。ウィル様たちもお手伝いしてください。私はもしもの時の護衛に入ります。他の方々は休息所に降り次第、討伐を開始してください」

それぞれが頷くのを待ってウィルがアジャンタを見上げる。

「あじゃんた、おねがい」

「行くわよ！」

アジャンタの魔力がシャークティを除いた全員に行き渡り、宙へと浮かせる。

ウィルたちはそのままリザードを刺激しないように休息所のほうへ降りていった。


人々は呆然とゴーレムを見上げていた。戦闘に従事している者でさえその手を止めそうになってしまう。

救援に来たゴーレムがセオリーを無視して戦場に飛び込み、その頭上から精霊を伴って舞い降りた救援部隊は大半が女子供である。

いったい何を見せられているのか。

「とーさまきたよー！」

ウィルが元気に呼びかけると防衛線のバランスを取っていたシローが手を上げて応えた。どうやらまだ手を離せる状況ではないらしい。

それを見たレンが素早く指示を飛ばす。

「ミーシャ、ラッツ、ガーネットさんは防衛線に加勢を。ルーシェとモニカさんは浮いたリザードを排除してください」

「あじゃんたもてつだってあげてー」

「アジャンタ様、よろしいですか？」

「まかせて」

ウィルの頼みを聞いてレンが確認するとアジャンタは快く引き受けてくれた。

「いくぞ！」

ラッツに促されてそれぞれが持ち場に散っていく。それを確認したセシリアが杖を天にかざした。

「来たれ樹の精霊！　深緑の境界、我らに迫る災禍を阻め樹海の城壁！」

広域に展開された魔法防壁がセシリアたちとリザードの間を隔てる。

安全が確保され、辺りを見渡すウィル。傷を負って動けなくなった騎乗獣を見つけ、駆け出そうとすると体から光が溢れてクローディアが姿を現した。

「待って、ウィル。騎乗獣が興奮して暴れ出すと危ないから騎乗獣は私が治すわ。ウィルたちは人間の傷を癒やしてあげて」

「わかったー」

思い留まってクローディアを見送ったウィルがセシリアを見上げる。

「かーさま」

「ええ、参りましょう」

セシリアとレンを伴って、トルキス家の子供たちが身を寄せ合っていた者たちに歩み寄った。

多くが女子供であり、セシリアたちから貴族と思しき高貴さを感じ取った大人たちは少し気後れしているようだ。しかし――。

「おけがしたひと、いませんかー？」

第一声から大きな声で気遣うウィルに大人たちの気後れが徐々に薄らいでいく。

「あ、あの……」

「気を使われなくても大丈夫ですよ」

代表して進み出た子連れの女性にレンが柔らかく対応した。よく見れば連れの少女は怪我をしているようだ。

「うぃるたちがきたからもーだいじょーぶ」

怪我に気づいたウィルが少女に向かって掌をかざす。淡い光が溢れて少女の傷を瞬く間に癒やしていった。

「回復魔法……⁉」

回復魔法は習得難易度の高い魔法だ。そんな魔法をウィルのような幼い子供が無詠唱で発動したことに女性は驚きを隠せないでいた。

「お母様、私たちも」

「お願いね」

セレナの申し出にセシリアが頷くと、セレナとニーナも怪我人の治療に当たる。彼女たちもウィルの教えを受けてすでに簡単な回復魔法はマスターしている。深い傷でなければ治療は可能であった。

手際よく負傷者を治療していく子供たち。防御壁の向こう側では新たに参戦したルーシェたちが瞬く間にリザードを討伐している。

圧倒的な力を見せつける救援部隊に言葉を失っていた女性は我に返って慌ててセシリアたちに向き直った。

「助けていただき、誠にありがとうございます。その、娘の怪我まで……」

「お気になさらず。今はこの難局を乗り切ることを考えましょう」

頭を下げる女性をセシリアが優しく手で制する。

難局も何もない。彼女たちにできたこと、それは自分たちに襲いかかってきたリザードの群れが成す術もなく狩られていく様をただ見守ることだけであった。

両手に剣を構えたモニカが息を吸って身を沈める。

眼前には大きな口を開けて迫るリザード。

「ふっ――!」

息を吐くと同時にモニカが踏み込んだ。身を沈めた分だけの反動が足に伝わり、一気に加速する。

目標を見失ったリザードの首をモニカの双剣がすれ違いざまに切り裂いた。

急激な加速を柔らかく殺したモニカが身を起こす。そこに今度は両脇から二頭のリザードが襲いかかってきた。

モニカが最小の動きで後方にステップする。

またもモニカにすり抜けられて目標を失ったリザード同士が衝突した。仰け反るリザードの首筋をモニカの双剣が素早く捉える。

立て続けに仲間を討ち取られたリザードが怒りに吼えて一斉に飛びかかってきた。

(遅い……!)

心の中でそう呟くモニカに焦りはない。

トルキス家の指導を受けたモニカにはリザードの単調な動きが手に取るように把握できている。

モニカが手にした双剣に魔力を流すと刀身に風属性の光が溢れ出した。

「風刃斬禍・旋!」

その場で一回転するように双剣を振るう。するとモニカを中心とした全方位に風属性の斬撃が閃いて襲いかかってきたリザードを一頭余すことなく切り裂いた。

周囲に標的がいなくなったことを確認したモニカが双剣を振って鞘に納める。どうやら救援は無事果たせたようだ。

「緩急もかなり身についてきたみたいだな」

背後から声がかかって向き直るとラッツが満足そうな顔をしていた。モニカに体術を指導している彼としてもモニカの動きは及第点のようだ。

「でも武技を使ってしまいましたから必要以上に魔獣を傷つけてしまいました」

魔獣の素材は冒険者の収入源でもある。傷つけばそれだけ安く買い叩かれるし、下手をすれば売れなくなることもある。魔獣はできる限り綺麗に仕留めることがセオリーだ。

そういう意味でモニカはまだまだ納得していないようであった。

「それはしょうがないよ。武技も使わないと、いざという時に役に立たないし」

適切なタイミングだった、とラッツは言う。そもそも救援の時まで素材の品質にこだわる必要はない。

「ジョンの旦那も見てたらきっと褒めてくれるさ」

「そ、そうですか？」

ジョンも評価してくれる、と聞いてモニカの表情が少し和らいだ。モニカは体術をラッツに、剣術をジョンに教わっている。特にモニカはジョンのことを尊敬していて心を許している節がある。両親を早くに亡くし、魔暴症であった妹と苦労してきたモニカだからジョンに父性のようなものを感じているのかもしれない。

そして、その気持ちは同じく幼くして両親を失ったラッツもなんとなく理解できた。

モニカの喜びを察したラッツの表情も自然と緩む。

（いったい、何なんだこいつら……）

モニカとラッツの微笑ましいやり取りを遠巻きに見ながらガーネットは難しい顔をしていた。別にモニカとラッツの仲を訝しんでいるわけではない。

単純に強すぎるのだ。

元テンランカーであったシローやレンが強いのはわかる。だが、まだ若手であるモニカやルーシェも経験不足とはいえガーネットから見れば相当な使い手だ。

（特にあのラッツとかいう男……）

ガーネットの視線がラッツの腰にある武器に向けられる。戦闘用に設えられたであろう二刀の鎌。どう見ても実戦向きには見えない武器だが、ラッツはそれを用いていとも容易くリザードを切り捨てていた。

冒険者の中でも鎌を主な武器として扱う者など殆どなく、農民が臨時の武器として使用する程度だ。武器屋でも見かけない。

ガーネットがそんな汎用性のかけらもない武器を操る強者に興味を惹かれても不思議はなかった。

「どうかしましたか～？」

自分の持ち場が片づいたのか、ミーシャがガーネットの背中に声をかける。ガーネットは一度ミーシャに向き直ると、視線をまたラッツに向けた。

「いや……強いんだな、と思ってさ。あんな変わった武器を使ってるのに」

「ああ、ラッツさんですかぁ～」

失礼な物言いに取れなくもないが、ミーシャはすぐに納得してくれた。

「ラッツさんはすごいですよ～。元は～フィルファリア城御庭番の頭目候補だった人ですから～」

「御庭番の頭目候補？」

一般の人々には馴染みが薄いが、その役職がどれほど重要かは推測すればわかることだ。王城の護衛任務、その頭目候補。一貴族の家臣を勤めるより待遇はいいはずだ。

「そんな人間がなんだって家臣に？」

「理由は色々あるようですけど～権力には興味ないそうです～」

「……私からしたらもったいない気もするけどね」

　王家への仕官などそうそう受けられるものではない。貴族との繋がりが少ないガーネットなどはそう思わずにはいられないのだが。

「まぁ、強いのは理解できたよ」

　肩を竦めるガーネットにミーシャが笑みを返す。それから胸の前で手を合わせた。

「魔獣の討伐が終わったら回収作業ですね～。これだけの数ですからみんなにボーナスが出ると思いますよ～」

「そいつは楽しみだ」

　討伐した魔獣は冒険者ギルドに持ち込んで解体を依頼することが多い。冒険者ギルドには解体専門の職人がおり、持ち込んだほうが高値で買い取ってくれるからだ。しかし、今回のように運ぶのが困難だと冒険者たちはその場で解体して分配する。

　今回は救援という形なのでシローやデンゼルは被害に合った者に多めに分配するかもしれないが、それで足りないということはないだろう。

　少し浮かれたガーネットと笑みを浮かべたミーシャはラッツとモニカを伴って休息所の中央へと戻っていった。

　全てのリザードを討伐し終えた休息所に後続の部隊が到着して、兵士たちが忙しなく動き回る。大量のリザードの素材は彼らの懐も温めるのだ。解体にも気持ちが入るというものだ。

そんななか、子供たちは大人の邪魔にならないように一か所に固まっていた。

「しょーたいー？」

聞き覚えのない言葉にウィルは首を傾げた。

ウィルたちが助けた者たちは帝都周辺を巡行している商隊であった。

「そうよ。商隊っていうのはいろんな街や村を巡って商売する人たちのことをいうの」

「おー」

セレナの説明を受けてウィルが感心したような声を出す。内容を理解しているかは定かではないが。

商隊とは大きな街で品物を仕入れて地方で売ったり、商人ギルドで依頼を受けて品物を仕入れたりする商人の集まりだ。移動には魔獣や野党に襲われる危険もあり、商人たちは出費を抑えるために隊を組んで冒険者ギルドに護衛を依頼する。

今回は帝都へ帰る途中に襲われたのだそうだ。

セレナとウィルのやり取りを横で聞いていたシトリという少年が苦笑いを浮かべた。

「まぁ、正直に言ってしまえば店を持てていない商人って言い方もできるんだけどね」

「でも、私はバザーとか見るのワクワクして好きだわ！　ねー？」

ニーナがシトリをフォローして足元にいるカミュという少女に笑顔を見せる。カミュは初対面のウィルたちに戸惑っているのかシトリのズボンを摑んで離れなかった。

「カミュみたいな小さな子もいるし、本当は店を持てるほうがいいんだよ」

商隊の子供たちの中でもシトリは成人して父親の元で商人の見習いとして働いているが、ウィルと同い年であるというカミュは旅をするにはまだ幼く、シトリはカミュのためにも店を持ったほうがいいと考えているのだ。

「あまり多くないですよね、子供連れの商隊は……」

「ルーシェさん」

リザードの解体で賑わいを見せる一団のほうから近づいてきたルーシェがシトリと子供たちの付き添いであるレンへ挨拶をする。ルーシェも知り合いに商隊の人間がおり、少し詳しいようだ。

そんなルーシェを見たレンが目を細めた。

「ルーシェ、解体作業を手伝わなくていいのですか？」

解体作業にはトルキス家からも手伝いを出している。普段携わることの少ない解体作業を実践できるのは冒険者としてもいい経験だ。

だが、ルーシェはそんなレンに困った笑みを浮かべて頬を掻いた。

「僕、子供のころから父に仕込まれて冒険者ギルドの解体場でバイトしてたから解体できるんですよ……」

言葉の端々から苦労の滲み出る少年である。

ルーシェは既に自分のノルマを終え、今はラッツがモニカに解体を教えているのだという。

「だから今は休憩中なんです」

「そうでしたか……」

さすがのレンもこれには納得するしかない。

セレナもルーシェの家が貧しかったということを理解しているので苦笑いを浮かべている。逆にウィルとニーナはすごいことだと目を輝かせ、シトリも感心したようにルーシェを褒め称えた。

「すごいですね。僕は魔獣に関してはからっきしで……」

「よかったら教えましょうか？」

ルーシェも同年代のシトリと話しやすいのか、気兼ねなく提案する。

シトリは少し考えてから足元にいるカミュの頭を撫でた。

「では、後で……母たちの手が空くまで子供たちの面倒を見なければいけないので……」

商隊の子供たちの面倒を見るのはシトリの役目らしい。特に妹のカミュはシトリにべったりだ。先ほど怖い思いもしているし、しょうがないのかもしれないが。

「ウィル様は大丈夫なんですか？」

シトリたちにはウィルたちがフィルファリア王国から訪れた貴族だということを告げてある。カミュと同じ年端もいかないウィルが長旅をこなしていることを心配しているのかもしれない。旅を繰り返す中、彼なりにいろいろな苦労や経験を重ねた上でのことだろう。

「ウィルは長旅で疲れてない？」

セレナの質問で自分が心配されていると気づいたウィルは首を縦に振った。

「うぃるにはしゃーくてぃとくろーでぃあがいるからー」

精霊たちと契約したことでウィルの長旅への懸念は多少改善されている。しかし、それはシャークティやクローディアがウィルの少ない体力を魔法でサポートしてくれているのであって、ウィルの体が強くなったわけではない。

ウィルはそのことを理解しているので同い年のカミュが如何に大変かも子供ながらに理解してしまった。

（しんぱいー……）

シトリの足にしがみついたままウィルの様子を伺うカミュを見て、ウィルも考え込んでしまう。カミュはどう見ても丈夫そうではない、華奢な女の子だ。いつも騒がしい女友達のティファやラテリアのほうが強そうである。

「あっ、そーだ！」

何かを思いついたウィルの表情が華やいだ。いそいそと腰のポーチに手を入れ、何かを取り出す。

「かみゅちゃんにこれをあげよー！」

「それは……？」

シトリがウィルの小さな手を覗き込む。そこには小さな組紐があった。端に土属性の小さな精霊石のついた組紐である。

「うぃるのつくったおまもりだよー」

ウィルが手の中の組紐を簡単に説明すると、セレナとニーナ、レンはそれが何かすぐに理解した。

「メルディアちゃんにもあげたお守りね！」

「そー。なんこかつくってあったのー」

言い当てたニーナにウィルが頷く。その様子を見てセレナは困った笑みを浮かべ、レンは難しい顔をした。

　なぜならそれはただのお守りではなく、ウィルが新しく考案した魔道具の試作品であったからだ。

新しくトルキス家に加わることになったメルディアを見たウィルは心配になった。ウィルの目から見ても赤ん坊のメルディアはとても弱々しく見えたのだ。心配になったウィルは自分にできることを考え、精霊たちに相談し、新しく魔法を作り始めた。

　しかし、ウィルに使えてもメルディアに魔法が使えるわけがない。それでもメルディアのため、何とかしようと考え抜いたウィルは代謝としてメルディアから放出される微弱な魔力に目をつけた。魔道具であれば微弱な魔力を吸収して魔法効果を発動できるのではないか、と。

　意図的に込められる魔力ではないため、発動したとしても効果は弱い。しかし新しく作ったメルディアのための魔法に強い魔力は必要なく、弱くても効果が得られれば用途としては十分であった。

　魔法と新しい知識に目がないカルツはウィルの説明を聞いて興味を惹かれると快く協力してくれた。そうしてカルツの書き起こしてくれた魔法文字を手芸が得意なアイカと共に組紐に編み込んだものが今回のお守りであった。

「へー……」

　感心したように唸るシトリ。ウィルがひとりで組紐を編めるはずがないので誰かに手伝ってもらって作ったのだろうと推測できるが、まさかウィルの作った部分がお守りに使用されている魔法だとはシトリも思い至らないだろう。

「もってるだけでからだをよくしてくれるのー」

「身につけていれば小さなお子様に不足しがちな体力を補い、病気になりにくくする効果があるのだそうです」

ウィルの説明をレンが補足すると、今度はシトリが困り顔になった。

「でも、高価な代物ではないんですか？」

商人として身を立てようとしているシトリが魔道具の価値を知らない訳がない。いくらウィルが作った物だとはいえ聞いたこともない魔道具の上、持っているだけで効果を得られる代物だ。安価な贈り物であるはずがない。

シトリの推測どおり、まだ知られていない魔法効果の特注魔道具だ。その知識だけでも一財産になるだろう。

だが、ウィルにとってそんなことはどうでもよかった。

「かみゅちゃんがしんぱいだからいーのー！」

一緒にいられない以上、ウィルがカミュのためにしてやれることは少ない。だが、少なくともこの魔道具を持っていれば、カミュの旅の疲れは大分改善されるはずだ。

「どーぞー」

「お受け取りください。ウィルベルは言い出したら聞きませんので……」

レンも諦めて促した。ウィルは誰かの心配をし始めると止まらないし、魔法や魔道具の贈り物で誰かが幸せになってくれることに喜びを感じているのだ。

結局、シトリは戸惑いながらも贈り物を受け取るようにカミュを促した。

「私がつけてあげるわね」

セレナが屈んでカミュの腰に組紐を結んで身に着けさせる。

「あ……」

揺れる土属性の精霊石が微かに輝いたように見えてカミュが小さく声を漏らす。それからカミュは組紐をそろそろと撫でた。小さな手に心地よい組紐の感触が広がる。

「カミュ、プレゼントを貰ったらなんて言うの？」

「あ、ありがとー」

シトリに促されたカミュが慌てて顔を上げて礼を述べると喜んでもらえたウィルは思わず笑みを浮かべた。

「あっ……」

「どうしたの、カミュ？」

カミュが慌ててシトリの足にしがみついて顔を隠す。突然の妹の行動に何事かと覗き込むシトリ。その理由はすぐに思い当たった。

「カミュ、照れてるのか？」

「…………」

カミュの耳がちょっと赤い。

兄の足の陰からウィルたちを覗き込むカミュの姿に事情を察したセレナとニーナが釣られて笑みを浮かべ――。

「どーしたのー？」
よくわかっていないウィルだけが不思議そうにレンを見上げ、レンは思わず苦笑してしまうのであった。

〈了〉

特別収録
TenRankers 03
幻獣が語る葉山少年記
original episode
will sama ha
kyou mo mahou de
asondeimasu.

豪邸と呼んでも差し支えないトルキス家の庭は家人の憩いの場となっており、穏やかな日には子供たちが思い思いにすごしている。

その日もウィルと姉のセレナが幻獣である風の一片に見守られながらのんびりとくつろいでいた。

ふたりと契約した一片の子供たち、レヴィとフロウも思う存分庭を駆けまわり、満足してはウィルたちの下へ帰ってくる。

そんないつもどおりの一日かと思われたのだが。

「んー?」

屋敷のほうから駆けてくる小さな影に気づいたウィルが首を傾げた。

よく見れば、それがもうひとりの姉であるニーナと契約した風狼の子、ゲイボルグであるとすぐに知れた。

ゲイボルグは勢いのまま、華麗にジャンプすると重力に任せて父である一片の体に伏すように落ちてきた。

小さな体が一片の柔らかな毛並みに埋まり、動かなくなる。

「どうした、ゲイボルグ?」

寝そべっていた一片が問いかけるが返事らしきものはない。どうやら元気いっぱいの愛情表現というわけではなさそうだ。それが証拠にゲイボルグの表情はなんだかつまらなさそうな、拗ねたような、そんな表情をしていた。

「どうしたのー、ぼるぐー？」

ウィルも尋ねてみるが、ゲイボルグは視線だけでウィルを見て、また一片の毛並みに沈んでしまった。

不思議に思ったウィルとセレナが顔を見合わせる。ゲイボルグは風狼の子供たちの中では一番の元気者で意味もなくこんな表情はしない。かといって、大の仲良しであるニーナとゲイボルグが喧嘩をしたとも考えにくい。

「あ、ねーさまだ……」

不思議に思うことしばし、レンと共に現れたニーナを見てセレナと一片には閃くものがあった。

ニーナがゲイボルグと同じように拗ねたような顔をしていたからだ。元気印のニーナがあからさまに拗ねたような表情を見せるのも珍しいことではあったが。

「どうした、ニーナ？」

体を起こした一片が尋ねてもニーナは少し顔を上げるだけで唇を尖らせたままだった。ずるずると滑ってゲイボルグが芝生に落ちる。それでも動きを見せないゲイボルグをレヴィとフロウがつついていた。

一片がレンに視線を向けて説明を求めると、レンは小さく嘆息した。

「シロー様に刀術の鍛錬をつけてほしい、とお願いしたそうです」

「なるほどな……」

事情を聴いて一片はすぐに察した。

シローの反応はニーナの表情を見れば言うまでもない。ゲイボルグの表情はそんなニーナの心中を慮ってのことだった。

「断られたか？」

「今はまだ駄目だって……話を聞いてもらえませんでした」

ニーナの表情は断られたことによるもの悲しさであって腹を立てているわけではないようだ。

一片はシローの葛藤がよくわかる。レンもおそらくそうだろう。だが、理由を知らないニーナが悲しむことはあまりよいことではない気もした。

「ニーナは剣術の鍛錬を始めたばかりだろう？　それだけでは不満か？」

「剣術も好きですけど……お父様のようになりたいから……」

一片の質問にニーナはそう返した。それだけでニーナの申し出が父への愛情からだということがよくわかる。

（何とか宥めてやりたいが……）

それはレンも試したに違いない。レンがこんな表情を曇らせるニーナを放っておくはずがない。

珍しくレンの視線から頼るものを感じて、今度は一片が嘆息した。

「ニーナよ、少し待ってやってくれぬか……今回のことでシローもニーナの気持ちがわかっただろう。ただ、刀術に関してはシローも心の整理が必要であろうし、今のニーナには刀術を覚える前に鍛えておかなければならぬことが多くある」

「………はい」

渋々といった様子であったが、ニーナは頷いてくれた。その様子にセレナとレンも胸を撫で下ろす。

ひとまずは大丈夫なようで一片も頬を緩めた。

「しかし、なんだな……ニーナの拗ねた顔は幼い頃のシローにそっくりだな」

ふと見た面影に一片がそんな風に溢してしまう。それを聞いたウィルたちは目をぱちくりさせた。

「ひとひらさん？」

「どうした、ウィル？」

興味を持ったのかウィルが一片の顔を覗き込む。

「ひとひらさんはとーさまのちーさいとき、しってるのー？」

「まぁな……」

一片が頷いてみせるとウィルは感心したような声を上げた。ウィルだけではなく、セレナもニーナも少し興味ありげな顔をしている。

子供たちの意識は刀術の話からシローの子供のころの話へと移っているように見えた。

（ふむ……）

一片は考える。これはちょうどいい機会なのでは、と。

話の転換だけではなく。シローの子供のころの話の中で刀術にも触れられれば、ニーナも少し納得してくれるのではないか。

「聞きたいか？」

そう投げかければ好奇心旺盛な子供たちのこと、返ってくる言葉は自ずと予想がつく。

「ききたいです！」

元気よく手を上げるウィル。セレナも同様に頷いてみせる。ニーナは少し乗り気ではなさそうであったが。そこを逃がす一片ではなかった。

「ニーナも聞け。さすればシローの刀術のことも少しはわかろう」

ニーナが顔を上げる。その表情は今までの拗ねたような雰囲気はなく、真っ直ぐ何かを得ようとする真摯なものが感じ取れた。

ニーナの顔を見て安心した一片は子供たちを座らせ、思い出すようにゆっくりと語り始めた。

魔刀である風の一片は長い眠りの中にいた。

最初の主を失ってからどのくらいの時が経ったのか定かではないが、人間の感じる年月からすれば相応に長い時間となるだろう。だが、現世に興味のない一片にとっては大して気にすることでもなかった。

静かな森の中にある社に祀られた一片は時折意識を起こしては外の魔力を探ったり、社に近づく者を眺めたりすることもあったが、やはり興味は湧かず。

結局、また眠りにつく。

そんな風にすごす一片はある時、また意識を起こした。

まどろむ中で魔力を探り、いつもどおり眠りに落ちるのかと思われた。しかし気づくものがあって一片の意識の照準が感知した魔力で止まる。

（童か……）

さして強くもない魔力。その形から子供だと悟る。

自分の社の近くに子供だけが訪れるのは珍しいことであった。

それだけならば、さして気にも留めなかっただろうが。

子供に近づくもうひとつの魔力。その形は魔獣であった。大した魔獣ではないがその動きからは子供をつけ狙うような素振りがある。

いくら眠りについているとはいえ風の一片本体の魔刀からは幻獣の魔力が溢れており、力のない魔獣が社に近づくことも珍しいことであった。

（やれやれ……）

社に近づく子供と魔獣。二重に珍しいことが起きて一片の意識は完全に目覚めてしまった。

なにより、このままでは子供が社の前で魔獣に襲われてしまう。

現世に興味はないが、目の前でそんなことが起こってはさすがに目覚めが悪いだろう。

気は進まないが、一片は重い腰を上げることにした。少しだけ姿を現し、脅せば魔獣も退散するはずだ。

そんな考えで一片は社の戸をすり抜けた。

「…………」

「…………」

「プギーッ！」

降り立った先の光景に言葉を失う幻獣と、それに気づいて呆気に取られる少年と、横倒しのまま鳴く魔獣。

微妙な沈黙を挟んで、とりあえず一片は口を開いた。

「童、何をしている？」

「魔獣を生け捕りに……」

「プギーッ！」

年の頃十にも満たない少年の足元で少年より大きな魔獣が転がされている。魔獣は罠にかかって自由に動き回ることができず、初級魔法で身体強化した少年の見事な手際によって手足を縛り上げられていた。

「見事な手際だ」

「実践したのは初めてだけど、上手くできた」

一片が素直な感想を漏らすと少年は手を払って満足そうな笑みを浮かべた。

聞けば地元の冒険者に教わった魔獣狩りの罠を自分の家で管理する安全な森で練習しに来たそうだ。そこに魔獣が居合わせて、罠にかかったという。

「父上は葉山の杜には魔獣がいなくて安全だって言ってたのに……」

少年は嘆息しながら肩を竦めた。

「確かに、この森には儂の魔力が満ちていて魔獣が近寄るなど稀なことだ」

「……そっか、風の一片か」

少年は一片のことを知っていた。知っていて一片に敬意と畏怖の念を見せる様子はない。

不思議な少年であった。

人々は精霊や幻獣を信仰している。特に葉山の者たちにとって自分たちが祀っている風の一片の名は平然と受け流せるものではない。

(変わった童だ……)

初めて会うはずの少年なのに妙な懐かしさを感じた一片が少年の顔をそれとなく注視する。

一片は少年に興味を持った。

「童、名は何という?」

「司狼……葉山司狼」

問われたから答えた。そんな風体で、やはり一片への関心は薄いようだ。

「司狼、お主は葉山の剣を継がんのか?」

「道場は兄上が継ぐ……俺は人殺しの剣を覚える気はないね」

だから冒険者の真似事をしていたのだ。

葉山の剣はキョウ国に長くあった戦乱を生き抜いた強者の剣。舞台の表と裏で人を斬り続けてきた。

そんな歴史から人斬りの剣と揶揄する者もおり、司狼はそれが原因で実家の流派にあまりいいイメージを持っていないようだ。

「それに、継がない俺が道場で目立ったら兄上や兄弟子たちもやりにくいだろうし」

そう付け足す司狼に一片は思わず笑ってしまった。

「その言い方だとお主が兄や兄弟子より見込みがあるように聞こえるな」

「…………」

覚えてもいない剣術でつけていい評価ではない。

司狼は特に何も言わなかったが、笑われたことに少し頬を膨らませていた。

「む……」

遠くに人の気配を感じて一片が視線を向ける。司狼も一片の視線の先を追って小さく声を漏らした。

「あ、静菜さん……」

「知り合いか？」

一片の問いかけに司狼が頷く。

こちらに向かって歩く少女がひとり。年の頃は司狼より少し上くらいか。

「儂はお暇するとしよう」

司狼の前に姿を現しはしたが、目撃者を増やすと後が面倒になる。そう判断した一片は司狼の返事を待たず、姿を消した。

「司狼ちゃん！　やっぱりここにいた！」

少女は残された司狼を見つけると声をかけ、小走りに近づいてきた。

「どうかした？」

一片が消えた場所をじっと眺める司狼を見て静菜が首を傾げる。

司狼は向き直って首を振った。それから今日の成果である丸太に縛られた魔獣を、魔力を利用して担ぎ上げる。

「うわ、でかっ！　なにそれ？」

「猪の魔獣……罠の練習をしてたら引っかかった」

「ひとりで？　権平さんは？」

「ぎっくり腰だって」

司狼は罠を教えてくれた冒険者の症状を話しながら、静菜とふたりで街へ戻っていった。


翌日。

また会うこともあるかと思っていた一片であったが、司狼はその日も姿を見せた。

どうやら司狼は家で少し窮屈な思いをしているらしい。野山に繰り出すことも多いそうだ。

「しゃべれる狼の友達ができても面白い」

その物言いに一片は思わず笑ってしまった。

【風喰らい】と呼ばれて恐れられていた一片とまともに話し合えた者などそうはいない。面白いものの考え方をする子供だと口元が緩んでしまった。

「友達か……それもいいいな」

特に何をするわけでもなく。求めるものでもない。

その日から司狼は一片の下を訪れて他愛のない会話をするようになった。一片が森で罠を張る練習をする司狼に付き合うこともあった。

大抵、その時間は静菜が司狼を捜しに来て終わりを迎える。静菜は一片のことに気づいておらず、機嫌のよい司狼を見て首を傾げる様子などは一片の楽しみのひとつでもあった。

「なぁ、司狼」

「ん？」

そんな日々をすごしていたある日。

「少し散策せぬか」

一片は司狼をちょっとした遠出に誘ってみた。遠出とはいったものの一片の足があれば行って帰るのもすぐの場所だ。

司狼は一片の申し出にきょとんとして、それから首を傾げた。

「いいけど、お社からあまり離れられないんじゃ？」

「それは儂の本体が社の中にあるからじゃ。お主に持ち運んでもらえば問題ない」

祀っている刀を持ち出せとはあんまりな言いようだが刀本体の言葉でもあり、司狼が判断に窮する。

「それって見つかったら俺が怒られるんじゃあ……」

「誘ったのは儂じゃ。見つかるようなことがあれば儂が間に入る」

葉山の人間が用もなく社に立ち入らないことは一片が一番理解している。少し姿をくらましたところで問題ないだろう。

司狼は渋々ながら頷いてくれた。

魔刀を持った司狼を背に乗せ、一片が駆ける。場所は葉山の杜から繋がる山の崖の上だ。人では踏み入ることも困難な場所を一片は悠々と駆け上がった。

「おお……」

「あまり身を乗り出すなよ?」

葉山の杜を一望できる景色に司狼が感嘆の息を吐く。街にいてはなかなか見られない景色だ。温かい日差しが木々を照らし出し、見る者の心を優しく包み込むようであった。

一片が司狼の顔を見上げると司狼は瞳を輝かせたまま笑みを浮かべ、ひとつ頷いた。

「やっぱり冒険者だな……」

将来、司狼は冒険者になりたいらしい。冒険者の権平という男にいろいろと教わっていることから一片もなんとなく予想はできていた。

「葉山の家には留まらんのか?」

「……ああ。俺はいろんなものを見て回りたいんだ」

子供なりにいろいろ考えての言葉なのだろう。だが、その言葉が家を嫌ってという類のものではないことは一片にもわかった。

「そうか……」

一片はそれだけ言うと視線をまた美しい景色に戻した。そして少し考えてから司狼に告げた。

「なれば司狼、やはりお主は可能な限り葉山の剣を修めたほうがいい」

「えっ……?」

「街を出るのだ。自分を守れるという実力も示さず、家の者たちの賛同を得るのは難しいと思うぞ」

司狼が道場の息子であるならば、親が余計にそう考えても不思議はない。強くなる方法が他になくはないが、説得には遠回りだろう。

「それに、だ。お前が葉山の剣を習得してくれないと儂がついていく理由も薄れる」

しれ、っと。

そんな風に言い出した一片に司狼が目を瞬かせる。

「えっ？　一片、ついてくる気でいるの？」

「うむ。眠り続けるのにも少々飽きたのでな」

何ともいい加減な理由だが、一片は司狼を認めていた。共に歩んでみたいと思うほどに。

「儂と契約しろ、司狼。さすれば葉山の人間など儂が黙らせてやる」

一片が司狼と契約し、共に世界を旅することを進めれば葉山の人間が司狼を止める理由はなくなる。

そう主張する一片に司狼は苦笑いを浮かべた。だが、その表情に拒む色は見えなかった。

司狼が了承するように一片の頭を撫でる。

その時――。

「ん？」

きれいな景色に不釣り合いな地鳴りが司狼たちの耳に届いた。騒めき立つように鳥の魔獣が森から飛び立つのが見える。

「司狼、社の近くだ！」

一片の言葉に司狼が慌てて視線を向けた。

姿は見えないが木々を揺らして何かが街のほうへ近づいている。嫌な予感しかしない。

「一片！」

「わかっておる！」

司狼が一片に飛び乗り、一片は猛然と崖を駆け下りていった。


「あ……あっ……」

いつもどおり、静菜は司狼を捜しに葉山の社へ向かっていた。

葉山の杜と呼ばれるこの場所は魔獣もおらず、葉山家の遊び場になっており、静菜も幼い頃は司狼と司狼の兄に連れられてよく遊びに来ていた。

そんな場所であるから彼女が何の警戒心もなく社へ向かったのは仕方のないことであった。

いま彼女の目の前には目を血走らせた巨大な猪が息を荒げており、静菜を睨みつけていた。

身動きの取れない静菜に向けて猪が顎を上げた。

潰される。そう理解して、静菜が固く目を閉じた。彼女の予想どおり、頭上から顎が落ちてくる。

次の瞬間、静菜は強い風を感じた。だが、いつまで経っても何の衝撃も、痛みも感じなかった。

「間に合った！」

「静菜さん！」

聞きなれない声と聞きなれた声が同時に聞こえて静菜が目を開ける。

「司狼ちゃん……」

自分を抱きかかえる少年と見たこともない毛並みの大きな狼。

猪からはいつの間にか距離が離れており、獲物を横取りされた猪の目が一層血走った。

「手負いか……」

先ほどの聞きなれない声が狼から発せられて静菜がぽかんと口を開けてしまう。

「どういうことだ、一片。なんであんな魔獣が葉山の杜まで降りてきた？」

「おそらく縄張り争いにでも負けたのだろう……もしくは誰かが狩り損ねたか。どちらにせよ、放置しておくわけにはいかんな」

巨大な猪は一片の魔力に当てられているはずだが引き下がる様子はない。手傷を負い、興奮して見境がなくなっているのだ。

（しょうがない……）

このまま暴れさせては司狼も静菜も危ないし、杜も破壊される。誰とも契約していないとはいえ、一片が後れを取るような相手ではない。

（ここは自分が戦うしかない）

あまり目立つのは嫌だが。司狼と共に旅に出る。そう決めたのだ。この戦いがその幕開けでもいい。

そう意を決した一片が前に出ようとして、ふと足を止めた。

「司狼……？」

静菜を下ろして前に出た司狼が魔刀に手をかけていた。

「一片、静菜さんを守ってくれ」

「おいっ……！」

一片が呼び止めるよりも早く司狼が猪へと駆け出す。

「司狼ちゃん！」

司狼の行動を見た静菜が一片の隣で悲鳴じみた声を上げた。

巨大な猪に挑む司狼の姿は一見、少年の無謀な行動にしか思えない。

しかし、一片は追わなかった。いや、追えなかった。

迎え撃とうと姿勢を低くした大猪に対し、司狼が身体強化を使って急激に加速する。一瞬で大猪の足元に到達した司狼の一刀がすれ違いざまに大猪の左前足を深く斬りつける。

前足の力を失った大猪は体を支えきれず、しかし倒れるままに司狼を押し潰しにかかった。

勢いよく飛び込んだ司狼に姿勢を整える時間はない。横倒しになる大猪をかわすことはできないはずだった。

次の瞬間、司狼は一瞬で自身の勢いを殺し、真横に加速した。司狼の体が大猪の前足と後ろ足の間を潜り抜け、腹側へと着地する。

大猪にすぐさま起き上がる力はなく、

「はぁっ！」

刀を返した司狼が魔刀の刀身を大猪に突き刺した。魔力を込めた一撃が大猪の腹から背中へ突き抜ける。

大猪は断末魔を上げる間もなく、ひとつふたつと痙攣してそのまま動かなくなった。

刀を引き抜き、大猪を背にする司狼を見た静菜がすとんと腰を落とす。

「大丈夫、静菜さん？」

「こ、腰が……」

戻ってきた司狼が声をかけると静菜は何とかそれだけを返した。どうやら腰が抜けたらしい。

（なるほど……）

一部始終を見ていた一片は納得した。初めて司狼と会った時、なぜ司狼が道場で目立つのを嫌がっていたのか。

自分の強さに自覚があったのだ。おそらく、身体能力と基礎魔法を合わせた動きで兄や門下生の実力を推し量れる程度には。

手負いとはいえ、あの大猪をあれほど鮮やかに狩れる子供はそうそういない。司狼は父や兄に迷惑がかからぬよう、あえて剣術から離れようとしたのだろう。それか、自分の力があれば本当に人殺しの剣になってしまうと子供ながらに思ったのか。

（まぁ、まだまだだな……）

一片から見れば、司狼はまだ成長途中だ。ポテンシャルの高さは認めるが、それだけではどうしようもない。鍛え甲斐はありそうだが。

「司狼……」

屈んで静菜の様子を伺う司狼に一片が声をかける。そろそろ異変を感じ取った者が様子を見に来るかもしれない。

「魔刀を社に戻して今日は帰るといい」

魔刀を持ち出しているところを見られれば、それはそれで厄介だろう。

司狼は頷くと魔刀を社に戻し、静菜を背負って街へと戻っていった。

一片はそこでいったん話を終えた。

「お父様が刀術を教えてくださらないのは人殺しの剣と呼ばれているからですか？」

ニーナが端的に質問してくるが一片は首を横に振った。

「それもあるかもしれんが……シローが修め、発展させた葉山の剣は体にかかる負担が大きい。シローでさえ本格的に学び始めたのはセレナより年上だ」

あるいは、シローが若くして国を離れたこともあり、そんな自分が実家の剣術を勝手に指南することに疑問を持っている可能性もある。

シローの中でも一言で片づけられない何かがあるのだろう。だがそれはシローがこれから向き合っていかなければならないものだ。

「それなら安心ですね」

それまで黙って話を聞いていたセレナがニーナの頭を撫でる。

「お父様がニーナのことを蔑ろにするはずないもの。きっと一生懸命考えてくれるわ」

セレナの中でシローへの信頼は厚い。シローが今はまだと渋っているのなら、それほど問題ではない。

その意見には一片も同意した。

「そうだな。セレナの言うとおりだ。むしろいつでも修業を始められるように基礎魔法を鍛えておく必要がある」

「はい」

ニーナも少し落ち着いたのか、先ほどよりかは晴れやかな顔になっている。やはりニーナは明るい笑顔のほうがいい。

「うーん……」

そんななか、ウィルはひとりだけ難しい顔をしていた。

何やら考え込むウィルにセレナとニーナが顔を見合わせる。

「どうかしたか、ウィル？」

一片が尋ねるとウィルは顔を上げて首を傾げた。

「しずなさんって、だれ？」

「誰も何も……シローの知り合いで……」

話に出てきた少女のことを端的に聞いてくるウィルに一片は答えて。

妙な間が空いた。

誰かは話を聞いていたウィルにもわかることだ。だからウィルが聞きたいのはそういうことではない。シローとどういう間柄の女性か、ということである。

そのことに気づいてしまった者たちの沈黙であった。

視線が一片に集まる。

「いや、知らんぞ。儂は知り合いとしか聞いておらん」

返答に焦りが混じってしまったのは一片の迂闊であったか。確かに彼女は妙に協力的であった。話に出てきた大猪の事件の後も一片のことは他言せず、シローと共に一片の話し相手となってくれた。

ただの知り合いにしては親しすぎる気がしないでもない。

また訪れてしまった沈黙の中、ウィルが唐突に立ち上がった。

「うぃる、ちょっととーさまにきいてくるね」

「ま、まてまて、ウィル！　ちょっと待て！」

他意もなく行動に移そうとするウィルに一片が待ったをかける。何もやましいことなどないはずなのに、一片はなぜか焦ってしまった。大人の事情なのは言うまでもない。

「またなーい！」

「待てぃ！」

しばらくの間、ウィルと一片のかけっこが繰り広げられるのだが。それを見守るニーナの表情もいつもどおりに戻っていた。

〈特別収録　TenRankers 03　幻獣が語る葉山少年記／了〉

ウィル様は今日も魔法で遊んでいます。7

発 行
2023年4月14日 初版発行

著 者
綾河ららら

発行人
山崎 篤

発行・発売
株式会社一二三書房
〒101-0003 東京都千代田区一ツ橋2-4-3 光文恒産ビル
03-3265-1881

デザイン
寺田 鷹樹

印 刷
中央精版印刷株式会社

作品の感想、ファンレターをお待ちしております。

〒101-0003 東京都千代田区一ツ橋2-4-3 光文恒産ビル
株式会社一二三書房
綾河ららら 先生／ネコメガネ 先生

Printed in Japan, ISBN 978-4-89199-951-3 C0093
※本書は小説投稿サイト「小説家になろう」（http://syosetu.com/）に
掲載された作品を加筆修正し書籍化したものです。